Lijdensweg

Van dezelfde auteur

Stille blik
Nachtlicht
Tegenstroom
Zondeval
Schijnbeeld
Woensdagkind
Verdronken verleden
Kil als het graf
Nasleep
Onvoltooide zomer
Vuurspel
Drijfzand
Hartzeer
Duivelsgebroed
Overmacht

Peter Robinson

Lijdensweg

A.W. Bruna Uitgevers B.V., Utrecht

Oorspronkelijke titel
Caedmon's Song

Published by arrangement with Lennart Sane Agency AB
Vertaling
Valérie Janssen
Omslagbeeld

Omslagontwerp
Wil Immink Design

ISBN 978 90 229 9888 5
NUR 305

Citaat van Dylan Thomas (blz. 9): afkomstig uit het gedicht 'Varensheuvel' uit de bundel *Nooit zal het rijk der doden heersen over ons*
(vert. Saint-Rémy), Nijgh en Van Ditmar, 1977.

Citaat van William Shakespeare (blz. 74): afkomstig uit *Koning Lear* (vert. Willy Courteaux), Meulenhoff/Manteau, 2007.

Citaat van T.S. Eliot (blz. 121): afkomstig uit *Het barre land* (vert. Paul Claes), De Bezige Bij, 2007.

Citaat van W.B. Yeats (blz. 145): afkomstig uit het gedicht 'Langpootmug' uit de bundel *De mooiste van Yeats*, Lannoo/Atlas, 2000.

Citaat (blz. 227): afkomstig uit *Jesaja 48:22*, NBG, 2004.

Dit boek is gedrukt op papier dat het keurmerk van de Forest Stewardship Council (FSC) mag dragen. Bij dit papier is het zeker dat de productie niet tot bosvernietiging heeft geleid. Een flink deel van de grondstof is afkomstig uit bossen en plantages die worden beheerd volgens de regels van FSC. Van het andere deel van de grondstof is vastgesteld dat hiervoor geen houtkap in de laatste resten waardevol bos heeft plaatsgevonden. Daarom mag dit papier het FSC Mixed Sources label dragen. Voor dit boek is het FSC-gecertificeerde Munkenprint gebruikt. Dit papier is 100% chloor- en zwavelvrij gebleekt en wordt geleverd door Arctic Paper Munkedals AB, Zweden.

Voor Sheila

1
Martha

Martha Browne arriveerde op een frisse middag aan het begin van september in Whitby, overtuigd van haar lotsbestemming.
Ze had onderweg de hele tijd uit het busraam getuurd en gezien dat het landschap steeds onwerkelijker werd. Op Fylingdales Moor balanceerden de sensoren van het radarwaarschuwingssysteem tegen raketaanvallen als reusachtige golfballen op de rand van de holes en de heide eromheen stond in volle bloei. Niet paars, zoals in liedjes altijd werd beweerd, maar een subtiel kastanjebruin vermengd met roze. Toen de heide plaatsmaakte voor golvende boerenakkers, net bevroren groene golven van de zee waar ze naartoe voerden, begreep ze wat Dylan Thomas bedoelde met 'vuur als gras zo groen'.
De zee en de lucht waren diepblauw, en het stadje lag tegen de baai genesteld, een legpuzzel van rode pannendaken die aan weerszijden werd geflankeerd door hoge rotswanden. Alles was veel te helder en intens om echt te zijn; het tafereel deed denken aan een landschapschilderij, op zijn eigen manier even vervormd als de korenvelden en nachtelijke sterrenhemels van Van Gogh.
De bus daalde hortend en stotend af naar de haven, en hield stil bij een klein station vlak bij Victoria Square. Terwijl de chauffeur de bus achteruit een genummerd vak in manoeuvreerde, wierp Martha snel een blik op haar plattegrond en haar reisgids. Toen de deuren sissend opengleden, pakte ze haar weekendtas en liep ze achter de andere passagiers aan het perron op.
Martha vond het altijd erg spannend om op een nieuwe plek aan te komen, maar deze keer was het gevoel nog intenser dan anders. Vlak na aankomst bleef ze een tijdje als aan de grond genageld tussen de bussen met hun brommende motor staan en ademde ze de dieselwalm en de zoute zeelucht in. Het voelde aan alsof ze uitprobeerde of de omgeving bij haar paste, en dat was zeker het geval. Ze nam de lichte trillingen waar die haar komst in het wezen van de stad veroorzaakte. Anderen merkten zulke dingen misschien niet op, maar Martha wel. Alles en iedereen – van het zand op het strand tot de schuldige geheimen die toeristen met zich meedroegen – was op een of andere

manier met elkaar verbonden en voortdurend onderhevig aan verandering. Het was net kwantumfysica, dacht ze bij zichzelf – tenminste, voor zover zij daar iets van begreep dan. Haar aanwezigheid riep rimpelingen en echo's op die mensen zich nog heel lang zouden blijven herinneren.

Ze voelde zich een beetje slap van de reis, maar dat zou zo wel overgaan. Het eerste wat ze moest doen, was onderdak regelen. Volgens de reisgids bevonden de beste pensions en hotels zich in de buurt van West Cliff. De naam klonk haar vreemd in de oren, want ze wist dat ze zich aan de oostkust bevond, maar Whitby was gebouwd rond een knik in de kustlijn die naar het noorden draaide, en de stad werd door de monding van de rivier de Esk netjes in oost en west verdeeld.

Martha wandelde door New Quay Road langs Endeavour Wharf. In het estuarium glinsterde het slik als ingewanden in de zon. Bij de werf lag een verroeste scheepsromp – geen trawler, maar een of ander klein vrachtschip – en op het dek drentelden rauwe, ongeschoren mannen rond in een smerig T-shirt en spijkerbroek die touwen oprolden en dikke kettingen invetten. Bij de oude draaibrug die de oostelijke en westelijke kant van de stad met elkaar verbond stond een zwart schoolbord met daarop in krijt de vloedtijden gekrabbeld: 0527 en 1803. Het was een paar minuten voor vier; het werd alweer vloed.

Ze liep verder door St. Ann's Staith en liet haar hand over de witte metalen reling boven op de stenen muren van de kade glijden. In de modder lagen kleine bootjes vastgezogen, sommige amper groter dan een roeibootje met een zeil. Touwen trilden gonzend, en dunne metalen masten ratelden in de zachte bries en glinsterden in de zon. De witte huizen aan de overkant van de smalle riviermond leken haast willekeurig naast en boven op elkaar te zijn gezet. Boven op de rots stond St. Mary's Church, die al verschillende gedaanten had gehad sinds abt William de Percy de kerk daar tussen 1100 en 1125 had gebouwd. De abdij ernaast was zelfs nog ouder, maar verkeerde sinds Hendrik VIII de kloosters had opgeheven al ruim vierhonderd jaar in verval en inmiddels was er alleen nog maar een sombere ruïne over.

Martha was opgetogen, omdat ze nu in het echt de plekken te zien kreeg die ze alleen maar uit boeken kende. Ook had ze op een of andere manier het bizarre gevoel dat ze was thuisgekomen, een soort déjà vu. Alles deed ontzettend bekend aan en het voelde gewoon goed. Dit was de juiste plek; daarvan was Martha overtuigd. Ze zou later meer dan genoeg tijd hebben om East Cliff te bekijken, besloot ze, en ze richtte haar aandacht weer op de route die ze volgde.

De pubs, viskraampjes en souvenirwinkels links van haar maakten plaats voor speelhallen en het Dracula-museum; de beroemde graaf zou hier, in

Whitby, voor het eerst voet aan wal hebben gezet. De straat liep in een boog weg van de havenmuur en om de rij open loodsen langs de kade heen waar de vis werd geveild voordat hij naar de fabrieken werd vervoerd om te worden verwerkt. Kennelijk waren de vissers nog niet binnen, want er was op dat moment helemaal niets te beleven. Martha begreep dat ze hier regelmatig moest terugkomen om de mannen gade te slaan die hier hun vis in kisten ijs overhevelden voor de verkoop. Maar net als al het andere kon ook dat wel even wachten. Nu haar besluit eenmaal vaststond, had ze het gevoel dat ze zeeën van tijd had. Aandacht voor details was belangrijk, en zou haar helpen over de angst en twijfel die ze nog steeds had heen te stappen.
Bij een kraampje bleef ze staan om een bakje garnalen te kopen, die ze al wandelend opat. Ze verkochten er ook wulken, alikruiken en kokkels, maar die nam Martha nooit. Dat kwam door haar moeder, bedacht ze opeens. Wanneer Martha die vroeger tijdens een gezinsvakantie aan zee – meestal in Weston-super-Mare of Burnham-on-Sea – wilde proeven, zei haar moeder altijd dat het vulgair was om dergelijke dingen te eten. Ze had ook altijd echt geloofd dat dat zo was. Wat kon er nu vulgairder zijn dan een prikkertje in de vochtige opening van een piepkleine, slakachtige schelp steken om er een wezen uit te peuteren dat zacht en slijmerig was als snot? Nu zou ze er niet meer mee zitten. Ze was veranderd. Dat wist haar moeder niet, maar het was wel zo. Nu zou ze waarschijnlijk zo een kreeft kunnen openbreken en het vlees eruit zuigen. Haar moeders woorden bleven echter door haar hoofd spoken. Hoe langer ze erover nadacht, des te duidelijker het tot haar doordrong dat het niet zozeer de handeling zelf was die haar moeder vulgair vond als wel de associatie met een bepaalde klasse. Alleen gewoon volk reeg tijdens de vakantie in een badplaats wulken en alikruiken aan een prikkertje.
Een stem die in een van de speelhallen bingogetallen aankondigde, verstoorde haar gedachtegang: 'Alle vijven, oude wijven, vijfenvijftig... Dubbele enen, in de benen, nummer elf.' Het met een microfoon versterkte geroep galmde door de lege veilingloodsen.
Martha kwam langs de muziekstand en sloeg Khyber Pass in, die via West Cliff naar boven voerde. Boven aan de rotswand wandelde ze onder de reusachtige walviskaak door die daar stond opgesteld als een poort die toegang gaf tot een andere wereld. Het was een warme dag en toen ze de steile heuvel had beklommen, zweette ze. Ze streek met haar hand over het gladde, warme, door het weer donker gekleurde bot en huiverde. Als dit alleen maar de kaak was, moest het dier echt gigantisch zijn geweest: een ware leviathan. Toen ze in de schaduw ervan liep, stelde ze zich voor dat ze Jona was die uit de bek werd gespuugd. Of ging ze juist de andere kant op en liep ze de maag van de walvis in?

Ze zag de oude plaatjes van het Bijbelverhaal op de zondagsschool weer voor zich: de walvis had er vanbinnen ontzettend uitgestrekt en donker als een kathedraal uitgezien, met ribben als gewelven. Daar zat de arme Jona dan helemaal alleen. Ze hoorde in gedachten zijn geschreeuw door de holle ruimte galmen. Zat er wel echt zo'n enorme lege holte in een walvis? Zou het er niet eerder een verwrongen chaos van buizen en gezwollen, kloppende organen zijn, net als bij mensen?
Ze probeerde zich te herinneren hoe het verhaal ook alweer ging. Had Jona niet geprobeerd aan zijn lotsbestemming te ontkomen door naar Tarsis te vluchten, terwijl hij zich eigenlijk had moeten uitspreken tegen de slechtheid in Nineve? Toen was er een vreselijke storm opgestoken en hadden de zeelui hem overboord gegooid. Hij had drie dagen en drie nachten in de buik van een grote vis doorgebracht, totdat hij om redding bad en het beest hem op het land spuugde. Daarna had hij zijn lotsbestemming aanvaard en was hij naar Nineve getrokken. Ze wist niet meer precies hoe het verhaal verderging. De mensen daar hadden berouw getoond en werden gespaard, en dat beviel Jona niet echt na alles wat hij had moeten doorstaan, maar Martha kon met de beste wil van de wereld niet zeggen hoe het verhaal afliep. Toch kwam het haar bijzonder toepasselijk voor. Zij had zich aanvankelijk ook tegen haar lot verzet, maar nu had ze haar lotsbestemming, haar taak, geaccepteerd. Ze was op weg naar Nineve, waar het kwaad welig tierde, en deze keer zou er beslist geen genade volgen.
Vlak achter de walviskaak staarde het standbeeld van kapitein Cook zelfverzekerd met opgerolde zeekaarten onder zijn arm uit over zee. Cook had het zeemanschap geleerd op de kolenschepen van Whitby, zo had Martha ergens gelezen, en de schepen die onder zijn commando heroïsche tochten naar de Stille Zuidzee hadden gemaakt, waren hier gebouwd, op de plek waar de verroeste scheepsromp voor anker lag in de lager gelegen haven. De *Endeavour* en de *Resolution*. Degelijke namen, vond ze.
De Royal Crescent, die in een fraaie halve cirkel liep en uitkeek op zee, telde verschillende door particulieren gerunde hotels waar nog kamers vrij waren, maar ze waren te duur. Ze moest misschien wel een week of twee blijven en alles boven tien pond per nacht was te prijzig. Het was jammer, want deze hotels waren waarschijnlijk veel comfortabeler dan wat zij vermoedelijk zou krijgen. Een kamer met een bad en een kleurentelevisie was gewoon te veel gevraagd. En als je uitzicht op zee wilde, kostte het ook altijd meer. Hoe vaak zaten mensen tijdens hun vakantie nou in hun kamer het uitzicht te bewonderen, vroeg Martha zich af. Vrijwel nooit. Het ging echter om de geruststelling, het idee dat het uitzicht er was als je er een blik op wilde werpen. Dat voorrecht kostte geld.

De boulevard langs West Cliff werd omzoomd door de bekende enorme victoriaanse hotels die in vrijwel alle badplaatsen waren verrezen toen vakanties aan zee in zwang raakten. Martha was zich ervan bewust dat ook deze niet voor haar waren weggelegd, dus liep ze Crescent Avenue in om in een onopvallend straatje een goedkoop pension te zoeken.
Toevallig bezat Abbey Terrace wel degelijk een bepaalde charme. Het straatje liep steil naar beneden in de richting van de riviermond, hoewel het bij East Terrace ophield voordat het daadwerkelijk de kust bereikte, en bevatte een rij hoge pensions die allemaal konden bogen op een aanbevelingsbordje van de RAC, de Royal Automobile Club, of de AA, de Automobile Association. Bij de meeste stonden de tarieven achter het raam vermeld en Martha koos er een uit die negen pond vijftig per nacht kostte.
Nadat ze met de rug van haar hand het zweet van haar voorhoofd had geveegd, duwde ze het smeedijzeren hek open en liep ze het pad op.

2
Kirsten

'Vooruit, mensen, komaan allemaal! Het is de hoogste tijd om naar huis te gaan!' De pubbaas van The Ring O'Bells stootte zijn vaste kreet uit die het eind van de avond inluidde en kwam bij Kirstens tafeltje staan om de glazen op te halen. 'Het is halftwaalf. Straks raak ik mijn vergunning nog kwijt.'
'Staak uw geraas en zwijg stil, ik smeek het u,' zei Damon, en hij hield zijn hand als een stopteken omhoog. 'Bevroedt gij dan niet dat dit het eind des semesters is? Bevroedt gij dan niet dat het eind van ons laatste jaar in deze fraaie stad is aangevangen?'
'Het zal me echt een worst wezen,' bromde de pubbaas. 'Zolang jullie allemaal maar naar huis gaan, vind ik alles best.' Hij greep een halfleeg glas van de tafel.
'Hé, dat was mijn glas!' zei Sarah. 'Het was nog niet leeg.'
'Jawel, dat is het wel, juffie.' Hij wilde van geen wijken weten, ook al was hij niet groot, maar wel behendig en sterk genoeg om een groepje dronken studenten aan te kunnen. 'Eruit, allemaal. Nu meteen! Snel een beetje!'
Hugo stond op. 'Wacht eens even. Ze heeft dat drankje betaald en heeft verdomme het recht om het op te drinken.' Met zijn krullende blonde haar en brede schouders had hij meer weg van een rugbyspeler dan van een student Engels.
Kirsten slaakte een zucht. Hier kon alleen maar narigheid van komen, dat voelde ze aan haar water. Damon was dronken, en Hugo was trots en stom genoeg om te gaan vechten, zelfs als hij nuchter was. Precies waar ze op haar laatste avond aan de universiteit op zat te wachten.
De pubbaas tikte op zijn horloge. 'Nee, hoor. Lees de horecawetgeving er maar op na.'
'Krijgt ze haar glas nog terug of hoe zit het?'
'Nee.'
Achter hem stond de voorraadbeheerder, Les, een voormalig bokser met een misvormde neus en bloemkooloren, klaar om mogelijke problemen in de kiem te smoren.

'Ach, val dood,' zei Hugo. 'Dan mag je deze ook hebben.' Hij smeet de rest van zijn pint Guinness in het gezicht van de kroegbaas.
Les kwam al naar voren, maar de kroegbaas stak een arm uit om hem tegen te houden. 'We willen geen ruzie, dames en heren,' zei hij met een ijselijk kalme stem. 'Jullie hebben je verzetje gehad. Ik stel voor dat jullie je feestje nu ergens anders gaan voortzetten.'
'Laten we dat maar doen, Hugo,' zei Kirsten. Ze trok aan zijn mouw. 'Die man heeft gelijk. We krijgen hier toch niets meer te drinken, en het is nergens voor nodig om te gaan vechten, zeker vanavond niet. Kom mee, dat gaan we naar Russells fuif.'
Hugo ging chagrijnig weer zitten en tuurde fronsend naar zijn bierglas alsof hij er spijt van had dat hij zo nonchalant met zijn bier was omgesprongen. 'Dat moet dan maar,' zei hij met nog een laatste nijdige blik op de kroegbaas. 'Maar eerlijk is anders. Je betaalt voor je drankje en dan pikt die hufter het gewoon weer van je af. We zouden toch op z'n minst ons geld moeten terugkrijgen. Hoe lang komen we hier nu al? Twee jaar. En dan word je zo behandeld.'
'Vooruit, Hugo.' Damon gaf hem een klap op zijn schouder en ze stonden op om te vertrekken. 'Het zou waarlijk een groot genoegen zijn die boef ginds te verdrinken in een vat vol malvezijwijn, edoch...' Hij schoof zijn bril terug naar boven en haalde zijn schouders op. '*Tempus fugit*, ouwe jongen.' Met zijn kortgeknipte haar en blozende, jongensachtige uiterlijk was hij net een ouderwetse gymnasiumleerling. Hij drapeerde zijn sjaal theatraal om zijn nek en sloeg met het uiteinde een glas op de tafel omver. Het rolde naar de rand, bleef daar een tijdje besluiteloos heen en weer wiebelen, hield even stil en kletterde toen op de grond. De kroegbaas sloeg het geduldig met over elkaar geslagen armen gade en Les keek alsof hij wel zin had in een knokpartijtje.
'Gore fascisten,' zei Sarah. Ze pakte haar handtas.
Ze verlieten met veel misbaar haastig de pub en zongen luidruchtig *Johnny B. Goode*, het nummer dat uit de jukebox had geklonken voordat de pubbaas de stekker eruit trok.
'We gaan dus naar Russell?' vroeg Hugo.
Iedereen stemde ermee in. Niemand had drank bij zich, maar die goeie ouwe Russell zorgde zelf altijd voor een flinke voorraad. Hij had geld zat, want zijn vader deed goede zaken in de aandelenhandel. Waarschijnlijk via de nodige handel met voorkennis, vermoedde Kirsten, maar wie was zij om daar moeilijk over te doen?
Ze liepen dus met hun vieren de milde juniavond in – Damon was de enige die een sjaal om had, omdat hij graag excentriek deed – en wandelden over de verlaten campus naar de flatgebouwen. Het groepje bestond uit Hugo,

Sarah, Kirsten en Damon, allemaal laatstejaarsstudenten Engels. De enige die ontbrak, was Galen, Kirstens vriend. Vlak na de tentamens was zijn oma overleden, en hij was halsoverkop naar Kent afgereisd om zijn moeder te troosten en haar te helpen alles te regelen.

Ze liepen snel naar Oastler Hall en beklommen de versleten stenen traptreden naar Russells kamer, en Kirsten merkte al lopend dat ze een beetje aangeschoten was. Ze miste Galen en had graag gewild dat hij er ook bij was om het te vieren – vooral omdat ze cum laude was afgestudeerd. Nou ja, ze was inmiddels al zo vaak gefeliciteerd dat ze het spuugzat begon te worden. Nu was de tijd aangebroken om overdreven sentimenteel te gaan doen en van iedereen afscheid te nemen, want de volgende dag zou ze naar huis gaan. Ze hoopte maar dat het haar zou lukken Hugo's grijpgrage handen van zich af te houden...

Zo te zien had het feest zich uitgebreid naar de gang en de aangrenzende kamers. Zelfs als ze het hadden gewild, wat niet echt heel waarschijnlijk was, dan nog zouden Russells buren nooit de slaap hebben kunnen vatten. De pasgearriveerde gasten baanden zich al groetend een weg door de mensenmassa naar de rokerige flat. In de woonkamer waren de meeste lampen uit; de Velvet Underground zong *Sweet Jane* en diverse stelletjes stonden met een drankje in hun hand te dansen. Russell zelf stond tegen het raam geleund te praten met Guy Naburn, een vlotte docent die liever met studenten optrok dan met zijn collega's, en begroette hen vrolijk toen ze naar binnen rolden.

'Ik hoop dat je flink wat drank hebt,' schreeuwde Hugo boven de muziek uit. 'We zijn net uit The Ring O'Bells gegooid.'

Russell lachte. 'Dan verdienen jullie het beste van het beste. Kijk maar in de keuken.'

En jawel, op de keukentafel stonden halflege flessen rode wijn en een paar flinke biervaten. De koelkast was volgestouwd met Newcastle Brown en Carlsberg Special Brew, en er was maar net genoeg ruimte over voor een paar literflessen riesling met schroefdop. De vier laatkomers schonken snel een drankje voor zichzelf in en slenterden toen weg om zich onder de andere bezoekers te mengen. Het was er warm, donker en rokerig. Kirsten ging bij een open raam staan om wat frisse lucht te krijgen. Ze dronk koud bier uit een blikje en staarde naar de schimmen die springend en wild met hun armen zwaaiend op de dansvloer stonden. Slierten rook krulden omhoog en dreven langs haar heen door het raam de avondlucht in.

Ze dacht terug aan de drie jaar die ze samen hadden doorgebracht en werd een beetje triest bij het vooruitzicht dat ze nu allemaal hun eigen weg zouden gaan in de grote, boze wereld buiten de universiteit – de échte wereld, zoals iedereen hem noemde. Wat waren ze in het begin een zootje ongeregeld geweest. Tijdens het eerste semester hadden ze, voor het eerst weg van huis, behoedzaam en verlegen om elkaar heen gedraaid, stuk voor stuk eenzaam en alleen, ook al wilde niemand van hen dat toegeven: Damon, de gevatte student die zich in de achttiende eeuw specialiseerde; Sarah, feministische kritiek en vrouwenliteratuur; Hugo, toneel en poëzie; zijzelf, taalkunde, met een specialisatie in fonologie en dialecten; en Galen, modernisme met een vleugje marxisme. Via werkgroepen, evenementen en feestavondjes van de vakgroep Engels hadden ze voorzichtig toenadering gezocht en in elkaar gelijkgestemde zielen gevonden. Tegen het eind van het eerste jaar waren ze onafscheidelijk.

Samen hadden ze de onbestendigheid, genoegens en teleurstellingen in hun jonge leven doorstaan: Kirsten had Sarah getroost na haar akelige verhouding met Felix Stapeley, haar mentor in het tweede jaar; Sarah weigerde een tijdlang met Damon om te gaan na een knallende ruzie over het nut van een feministische benadering van de literatuur; Galen nam het op voor Hugo, die zakte voor zijn tentamen Oudengels en bijna van de universiteit was getrapt; Hugo deed even alsof hij beledigd was toen Kirsten Galen boven hem verkoos.

Omdat ze heel lang vrij close met elkaar waren geweest, waren hun levens zo met elkaar vervlochten dat Kirsten zich bijna geen toekomst zonder de anderen kon voorstellen. Toch besefte ze triest dat dit nu precies was wat haar te wachten stond. Galen en zij waren van plan om in Toronto te promoveren, maar misschien zou dat niet helemaal gaan zoals zij wilden. Straks werd een van hen niet toegelaten tot de universiteit – wat moesten ze dan beginnen?

Een van de dansers strompelde achteruit en botste tegen Kirsten aan. Het bier in het blikje droop schuimend over haar hand. De dronken danser haalde zijn schouders op en danste verder. Kirsten lachte en zette het blikje op het raamkozijn. Ze begon eindelijk in een feestelijke stemming te komen, dus stortte ze zich op de schimmige menigte, en kletste en danste ze tot ze warm en moe was. Toen ze tot de ontdekking kwam dat haar halfvolle blikje tijdens haar afwezigheid als asbak was gebruikt, haalde ze een nieuw biertje en keerde ze terug naar haar plekje bij het raam. De Rolling Stones zongen *Jumpin' Jack Flash*. Russell had wat feestmuziek betreft een supergoede smaak.

'Hoe gaat het?' Dat was Hugo die in haar oor tetterde.

'Goed, hoor,' riep ze terug. 'Alleen een beetje moe. Ik moet zo gaan.'

'Zullen we dansen?'

Kirsten knikte en volgde hem de dansvloer op. Ze wist niet of ze goed kon dansen, maar vermaakte zichzelf uitstekend. Ze vond het heerlijk haar lichaam te bewegen op de maat van de snelle muziek, en de Stones waren de beste van allemaal. Bij de Stones voelde ze een soort aardse, heidense energie diep in haar lichaam en wanneer ze op hun muziek danste, schudde ze al haar remmingen van zich af: haar heupen draaiden wild en haar armen tekenden abstracte patronen in de lucht. Hugo danste minder elegant. Zijn bewegingen waren log, bestudeerd en beperkter dan die van Kirsten. Hij zwalkte vaak een beetje rond. Niet dat het haar iets uitmaakte; ze lette eigenlijk nooit zo op degene met wie ze danste, want ze ging volledig op in haar eigen wereldje. De ellende was alleen dat sommige mannen haar wilde gedraai op de dansvloer als een uitnodiging zagen om met haar het bed in te duiken, wat beslist niet zo was.

Het nummer was afgelopen en *Time Is On My Side*, een langzamer nummer, werd ingezet. Hugo kwam dichter bij haar staan en sloeg zijn armen om haar heen. Ze verzette zich niet. Ze waren tenslotte alleen maar aan het dansen en ze waren goede vrienden. Ze legde haar hoofd op zijn schouder en wiegde mee op de muziek.

'Ik zal je missen, Hugo, dat weet je toch?' zei ze tijdens het dansen. 'Ik hoop echt dat we contact met elkaar blijven houden.'

'Dat gebeurt heus wel,' zei Hugo, die zijn hoofd zo draaide dat ze hem kon verstaan. 'Niemand van ons weet al wat hij of zij precies gaat doen. Waarschijnlijk leven we straks allemaal van een uitkering. Of misschien trekken we wel allemaal naar Canada en voegen we ons bij Galen en jou.'

'Als het ons tenminste lukt.'

Hij trok haar stevig tegen zich aan en ze zeiden niets meer. De muziek sleepte hen mee. Ze voelde Hugo's warme adem in haar haren en zijn hand was langs haar rug omlaaggegleden naar de onderkant van haar ruggengraat. Het werd steeds drukker op de dansvloer. Waar ze ook naartoe dansten, overal botsten ze tegen een ander dicht op elkaar gekropen stel aan. Ten slotte was het nummer voorbij en Hugo nam haar op de beginklanken van *Street Fighting Man* mee terug naar het raam.

Toen ze allebei een beetje waren afgekoeld en iets te drinken hadden, boog hij zich naar voren en kuste hij haar. Het ging zo snel dat ze geen tijd had om hem tegen te houden. Plotseling had hij zijn armen om haar heen geslagen, gleden ze langs haar schouders en billen, en trokken ze haar heupen tegen hem aan. Ze verzette zich, rukte zich los en veegde instinctief haar mond af met de rug van haar hand.

'Hugo!'

'Och, kom nou, Kirsten. Dit is onze laatste kans, nu we nog jong zijn. Wie zal zeggen wat de dag van morgen voor ons in petto heeft?'

Kirsten lachte en gaf hem een stomp tegen zijn schouder. Ze kon nooit lang boos op hem blijven. 'Waag het niet me met die eeuwige carpe diem-smoes van je te versieren, Hugo Lassiter. Ik moet eerlijk zeggen dat je niet snel opgeeft.'

Hugo grinnikte.
'Het antwoord is en blijft nee,' zei Kirsten. 'Ik mag je heel graag, dat weet je, maar alleen als maatje.'
'Ik heb veel te veel maatjes,' klaagde Hugo. 'Ik zoek iemand die met me naar bed wil.'
Kirsten gebaarde naar de kamer om hen heen. 'Nou, ik weet zeker dat je hier best kans maakt. Als er tenminste iemand bij is met wie je nog niet tussen de lakens bent gekropen.'
'Dat is niet eerlijk. Ik weet heus wel dat ik die naam heb, maar dat is nergens op gebaseerd.'
'O nee? Wat teleurstellend. Ik dacht juist dat jij een expert was.'
'Daar kun je gemakkelijk zelf achter komen, weet je,' zei hij, terwijl hij weer iets dichter bij haar kwam staan. 'Als je het handig speelt.'
Kirsten lachte en wrong zich los uit zijn greep. 'Nee. Ik moet trouwens naar huis. Ik wil morgen vroeg opstaan om in te pakken, zeker als ik ook nog hier wil kunnen lunchen.'
'Ik loop wel even met je mee.'
'O nee, daar komt niets van in. Zo ver is het trouwens niet.'
'Het is al laat. Het is niet veilig om nu nog alleen over straat te gaan.'
'Ik heb het anders al honderden keren eerder gedaan. Dat weet je best. Nee, bedankt. Blijf jij maar hier. Ik voel er niets voor om je daar de deur uit te moeten werken. Ik waag het er wel op.'
Hugo zuchtte. 'En morgen nemen we afscheid, misschien voorgoed. Je weet niet wat je mist.'
'Dat geldt ook voor jou,' zei ze, 'maar ik weet zeker dat je het binnen de kortste keren weer bent vergeten. Denk eraan: morgen lunch in The Green Dragon. Zeg het voor alle zekerheid ook nog even tegen Sarah en Damon.'
'Eén uur?'
'Inderdaad.' Kirsten gaf hem een zoen op zijn wang en huppelde de warme avond in.

3
Martha

De kamer was geweldig. Meestal stelde een eenpersoonskamer in een pension niet veel meer voor dan een hok naast de toiletten, maar deze – een verbouwde zolder met een erkerraam en witgeschilderde steunbalken – was leuk ingericht. Fleurig behang met zuurstokkleurige strepen bedekte de muren en op de twijfelaar lag een zalmroze chenille sprei. Links van het raam stond een wastafel en over de chromen stang hingen heel netjes schone witte handdoeken. De enige andere meubelstukken waren een kleine kledingkast met metalen knaapjes die ratelden toen Martha de dunne deur opendeed en een ladekastje met daarop een nachtlamp.

De eigenaar stond met zijn armen over elkaar geslagen tegen de deurpost geleund te wachten tot ze de knoop had doorgehakt. Hij was een grove man met harige onderarmen en boven de boord van zijn witte hemd, dat bij de hals openstond, puilde nog meer haar naar buiten. Zijn gezicht zag eruit alsof het van roze vinyl was gemaakt en op zijn kin krulden zes of zeven lange, blonde haren.

'We krijgen niet vaak meisjes in hun eentje,' merkte hij op. Hij glimlachte met zijn wimperloze blauwe ogen naar haar. Blijkbaar was dat een uitnodiging om te vertellen waarom ze hier was.

'Tja, kijk, ik ben hier om research te doen,' loog Martha. 'Ik schrijf een boek.'

'Een boek – toe maar. Een roman, zeker? Dan zul je hier vast heel veel achtergrondmateriaal vinden, met de ruïne van de abdij en de Dracula-legende. Er zit heel wat romantiek in al die oude verhalen, denk ik zo.'

'Het is geen roman,' zei Martha.

Hij ging er niet verder op in, maar staarde haar met een doordringende blik aan met daarin de mengeling van superieure, spottende humor en ongeloof die ze al heel vaak bij mannen had gezien als ze met een werkende vrouw te maken kregen.

'Ik neem hem,' zei ze, voornamelijk om zo snel mogelijk van hem af te zijn. Ze vond het niet prettig dat hij haar met over elkaar geslagen armen stond

gade te slaan. Hoopte hij soms dat ze haar ondergoed zou uitpakken om het in de laden op te bergen? De kamer begon claustrofobisch aan te voelen.
Hij rechtte zijn rug. 'Mooi. Kijk, hier zijn de sleutels. Die grote daar is van de voordeur. Je kunt binnenkomen wanneer je wilt, maar hou wel rekening met de andere gasten. Op de begane grond is een zitkamer met een kleurentelevisie. Je kunt daar ook een kop thee of oploskoffie voor jezelf maken, als je daar trek in hebt. Zorg er wel voor dat je na afloop je kopje afwast. Mijn vrouw heeft al genoeg te doen. Het ontbijt is stipt om halfnegen. Als je 's avonds hier wilt eten, geef dat dan 's ochtends voordat je vertrekt even door aan mijn vrouw. Is er verder nog iets?'
'Ik kan zo gauw niets bedenken.'
Hij vertrok en deed de deur achter zich dicht. Martha gooide haar weekendtas op het bed en rekte zich uit. Het schuine plafond was op dat punt zo laag dat haar vingers het stucwerk tussen de steunbalken raakten. Ze stak haar hoofd uit het raam om te zien wat voor uitzicht je voor negen pond vijftig per nacht kreeg. Niet gek. Rechts van haar en heel dichtbij, aan het begin van de straat, doemde St. Hilda's Church met zijn hoge, donkere toren op; op de tegenoverliggende heuvelhelling langs de riviermonding aan haar linkerkant stond St. Mary's, die van lichter steen was gebouwd, met een kleinere, wat stompe toren en een witte paal erop die als een scheepsmast in de lucht stak. Daarnaast stonden de overblijfselen van de abdij, waar volgens haar reisgids in 664 na Christus de Synode van Whitby had plaatsgevonden, en de kerken van Engeland hun Keltische gebruiken hadden afgeschaft en ingeruild voor de roomse. De dichter Caedmon woonde hier indertijd ook en dat vond Martha eigenlijk het interessantst. Caedmon was tenslotte degene die haar hiernaartoe had gebracht.
Ze pakte haar toilettas uit en liep naar de wasbak om haar tanden te poetsen. Er waren stukjes garnaal tussen achtergebleven en ze had een zoute smaak in haar mond. Toen ze het water uitspuugde, ving ze in de spiegel een glimp van haar gezicht op. Dat was het enige deel van haar dat in het afgelopen jaar niet wezenlijk was veranderd.
Ze droeg haar zandkleurige haar vooral uit praktische overwegingen altijd kort. Omdat ze nooit een reden had om zich op te tutten voor iemand anders, was het veel gemakkelijker zo; nu hoefde ze het alleen maar te wassen en er verder niets meer aan te doen. Ze gebruikte ook nooit make-up en ook dat zorgde voor minder gedoe. Haar huid was altijd al glad geweest en de zwerm sproetjes op haar neus was niet bepaald een smet te noemen. Haar ogen hadden iets oosters – schuin en amandelvormig, met ongeveer dezelfde lichtbruine kleur. Haar neus stak aan het puntje een heel klein beetje omhoog – stomp, noemden ze dat – en onthulde de donkere ovalen van haar

neusgaten. Ze had dat altijd als haar lelijkste gelaatstrek beschouwd, maar iemand had ooit tegen haar gezegd dat het juist sexy was. Sexy! Wat een bak, zeg! Ze had haar moeders mond: strakke, smalle lippen die in de hoeken omlaagwezen.

Ze vond dat ze er al met al hooghartig, stijf en afstandelijk uitzag – nuffig, zelfs –, maar ze wist best dat haar uiterlijk op iedere man een ander effect had. Niet zo heel lang geleden had ze in een pub een gesprek opgevangen tussen twee knullen die al de hele avond naar haar hadden zitten loeren.

'Die meid ziet eruit alsof ze een flinke beurt nodig heeft,' zei de eerste.

'Lulkoek,' had zijn vriend geantwoord. 'Ik durf te wedden dat ze zoveel kerels heeft gehad dat ze een rij zouden kunnen vormen tot aan Land's End – en weer terug!' Toen hadden ze gelachen.

Dat was het dan wel wat betreft haar uiterlijk. Misschien zagen mannen wel in haar wat ze wilden zien. Ze gebruikten haar als spiegel om hun eigen verachtelijke aard te weerspiegelen of als scherm waarop ze hun smerigste fantasieën projecteerden.

Ze zette haar tandenborstel in de chromen houder aan de muur en keerde zich van de spiegel af. Het was inmiddels vroeg op de avond. Het was vast al vloed.

Ze had genoeg geld bij zich om het veel langer van huis te kunnen uitzingen dan nodig was, en hoewel ze er vrij zeker van was dat dit de plek was waar ze zou vinden wat ze zocht, besefte ze ook dat er altijd een kans bestond dat ze het mis had. Het kon ook een van de kleinere vissersdorpjes langs de kust zijn: Staithes, Runswick Bay of Robin Hood's Bay. Dat deed er niet toe: ze zou ze allemaal langsgaan als dat nodig was. Op dit moment voelde Whitby gewoon goed aan.

Ze had trek gekregen na de lange reis. Misschien kon ze er straks, rond zonsondergang, op uittrekken om de stad te verkennen en ergens iets te eten, maar nu leek het haar verstandiger om een dutje te doen. Ze haalde echter eerst de kleding die ze bij zich had uit de weekendtas en legde alles in de laden naast het bed. Veel was het niet, alleen maar wat vrijetijdskleding: spijkerbroeken, ribbroeken, overhemden van spijkerstof, een trui, ondergoed. Het grijze gewatteerde jack voor kille avonden hing ze in de kledingkast.

Als laatste haalde ze het belangrijkste voorwerp tevoorschijn dat ze had meegenomen en ze glimlachte bij zichzelf, omdat het bijna iets ritueels had gekregen, een talisman, en alleen al het gevoel ervan in haar hand riep ontzag en verering bij haar op.

Het was een kleine, bolvormige glazen presse-papier die aan de onderkant vlak was, en glad en zwaar in haar hand lag. Ze had er tien pond voor betaald in een kunstnijverheidswinkeltje. Ze had een eeuwigheid in de hitte van de ovens staan kijken naar de man die de glazen voorwerpen vervaardigde die hij daar verkocht en al doende het proces uitlegde. Hij plaatste de lange blaaspijp in het gloeiend hete hart van de oven en haalde er een klont gesmolten glas uit. Die doopte hij in schalen met felle kleuren: vermiljoenrood, aquamarijnblauw, saffraangeel, indigoblauw. Martha had altijd gedacht dat je voortdurend in de pijp moest blijven blazen, maar hij had er alleen maar snel in geblazen en daarna het uiteinde met zijn hand bedekt. Toen de lucht warm was geworden, zette die zich uit en blies het glas op. Ze was er echter nooit achter gekomen hoe de man de kleuren in de presse-papier had gekregen of hoe die zo zwaar en stevig was geworden. Hij bevatte allerlei donkerrode tinten: karmijn, karmozijn en scharlaken. De plooien en kronkels die ze vormden, deden aan een roos denken. Toen Martha hem in het licht om- en omdraaide, leek het net of de roos langzaam bewoog, alsof hij onder water dreef. Als ze ooit het gevoel kreeg dat ze van het pad afweek dat haar naar haar doel moest leiden en zich van haar lotsbestemming afwendde, dan wist ze dat ze hem alleen maar hoefde vast te pakken, want het gladde, harde glas sterkte haar telkens weer in haar beslissing.

Ze legde hem naast haar op de beddensprei en ging liggen. Terwijl ze naar de roos staarde, leek die zich in het veranderende licht te openen en langzaam te kloppen. Al snel viel ze in een diepe slaap.

4
Kirsten

Kirsten bleef op de stoep voor Oastler Hall even staan en haalde diep adem. Ze kon de muziek nog steeds horen – Led Zeppelins *Stairway to Heaven* – boven de gedempte stemmen en het gelach achter haar. Ze probeerde na te gaan hoe ze zich voelde en ontdekte dat ze zich niet erger aangeschoten voelde dan eerder op de avond – misschien zelfs wel minder. Op het feest had ze maar anderhalf blikje bier gedronken en kennelijk had het dansen de meeste alcohol uit haar lichaam verdreven. Ze had die zeker uitgezweet, veronderstelde ze, want haar bloes plakte helemaal aan haar lichaam vast.

Het was een warme, drukkende avond. Er stond hoegenaamd geen wind, alleen zo nu en dan een zuchtje warme lucht, zoals je ook wel voelde wanneer je een oven opendeed. Het was vredig en stil.

Kirsten liep naar het park. Ze was daar al heel vaak doorheen gelopen, zowel overdag als 's avonds, en had nooit enige aanleiding gehad om tegen de wandeling op te zien. Het ergste wat daar ooit was voorgevallen, was de bende skinheads die daar aan het begin van de avond altijd rondhingen en soms een paar beledigingen naar het hoofd van passerende studenten slingerden. Op dit uur lagen de skinheads echter al lang en breed veilig thuis in hun bed.

De meeste huizen in de wijk waren oud en tegenwoordig veel te groot voor één gezin, dus waren ze opgekocht door pandjesbazen en in flats en eenkamerwoningen voor studenten verdeeld. Het was een prettige buurt, vond Kirsten. Hoe laat het ook was en of het nu overdag was of 's nachts, er was waarschijnlijk altijd wel iemand die je kende die op hooguit vijf tot tien minuten lopen nog in de kleine uurtjes aan het werk was als je met iets zat of gewoon behoefte had aan een kop thee en een babbeltje. Het was eigenlijk net een dorp in een stad. Ook nu brandde er achter heel veel ramen een zacht, uitnodigend licht. Ze zou het allemaal ontzettend missen. Hier was ze volwassen geworden, was ze haar maagdelijkheid kwijtgeraakt, was ze van een verlegen, schutterige tiener in een wijzere, zelfbewustere vrouw veranderd.

Het park was groot en vierkant, met aan alle kanten goed verlichte wegen eromheen. Met bomen omzoomde lanen liepen kriskras door het kortgemaaide gras. Overdag lagen er altijd studenten te lezen in de zon of zelfbedachte spelletjes te spelen, en er werd gevoetbald en cricket gespeeld. Vlak bij de doorgaande weg waren openbare toiletten – volgens de geruchten een favoriet jachtgebied voor plaatselijke homoseksuelen – en kleurrijke bloembedden. Midden in het park omringden dichte struiken het bowlveldje en de kinderspeeltuin.

's Avonds deed het iets enger aan, misschien wel omdat het park zelf niet verlicht was. Je kon echter overal de hoge, amberkleurige straatlantaarns langs de straten zien en het geluid van het verkeer dat heel dichtbij voorbijkwam deed geruststellend aan.

Kirsten liep geruisloos op haar sportschoenen over het asfalt van het pad dat onder de donkere bomen door voerde. Er was maar heel weinig verkeer op de wegen. Het enige wat ze hoorde, was een enkele auto die in de verte gas gaf en het geluid van haar schoudertas die langs haar heup schuurde. Ergens blafte een hond. De lucht was helder en de sterren, die door de nevel werden vergroot, zagen er voller en zachter uit dan anders. Heel anders dan winterse sterren, dacht Kirsten bij zichzelf, die kil, scherp en ongenaakbaar waren. Deze zagen eruit alsof ze aan het smelten waren. Ze keek omhoog en draaide haar hoofd alle kanten op, maar kon de maan niet vinden. Hij moest ergens zijn – misschien achter de bomen.

Ja, ze zou het missen, maar Canada werd vast ook erg leuk, zeker als Galen meeging, zoals hij van plan was. Ze waren geen van tweeën ooit aan de andere kant van de Atlantische Oceaan geweest. Als ze genoeg geld hadden gespaard, wilden ze na afloop van hun vervolgstudie samen een paar maanden over het continent trekken: Montréal, New York, Boston, Washington, Miami, Los Angeles, San Francisco, Vancouver. Alleen al de gedachte aan die steden joeg een huivering van opwinding langs Kirstens ruggengraat. Drie jaar geleden had ze nooit durven denken dat ze zoiets zou doen. De universiteit had haar niet alleen een eersteklas opleiding gegeven, maar ook vrijheid en onafhankelijkheid.

Al snel bereikte ze het hart van het park, vlak bij het bowlveldje. Het terrein liep een beetje bol en dit was het hoogste gedeelte. Ze zag overal om zich heen lichtjes die de valleien en heuvelhellingen aftekenden waarop de stad was gebouwd. Door de warme, vochtige lucht hing er om de straatlantaarns in de verte een lichtkrans.

Naast het pad stond een standbeeld van een leeuw met een slang eromheen gedrapeerd. Kirsten had onlangs gezien dat een of andere gek – misschien wel de skinheads – de kop met een spuitbus blauw had gespoten en schunnige graffiti over het hele lijf had gekrabbeld. In het donker was het gelukkig niet

zo erg en ze besloot toe te geven aan de opwelling die al heel vaak bij haar was opgekomen.
Ze liep met verende voetstappen over het gras naar het beeld en liet haar hand over het nog altijd warme steen glijden. Toen klom ze er opeens vastberaden bovenop.
De leeuw was zo klein dat haar voeten gemakkelijk bij de grond kwamen. Door de bomen langs het pad zag ze de lampen van de doorgaande weg en de hoek van de straat waar ze woonde, die maar een paar honderd meter verderop lag. Ze woonde hier al een hele tijd en had altijd al op de leeuw willen zitten, maar pas nu, op haar allerlaatste avond, kwam het ervan. Ze was er ongetwijfeld minstens duizend keer langsgekomen. Ze voelde zich een beetje dwaas, maar tegelijkertijd genoot ze met volle teugen. Gelukkig kon niemand haar zien.
Ze greep de gladde manen vast en deed alsof ze door het oerwoud reed. In gedachten hoorde ze krijsende kaketoes, kwebbelende apen, zoemende en tikkende insecten, en slangen die door het kreupelhout gleden. Ze hief haar hoofd op om nogmaals de maan te zoeken, maar voordat ze hem had gevonden, rook ze een vreemde geur en een fractie van een seconde daarna voelde ze dat een ruwe hand zich over haar mond en neus sloot.

5
Martha

Toen Martha onder de walviskaak door terugliep naar Pier Road was het vloed en de kleine vissersboten dobberden op hun ligplaats in de haven. De zon ging achter West Cliff onder en op de top van de heuvel ertegenover gaf St. Mary's een warme, goudkleurige gloed af in de laatste stralen.

Er viel nog steeds niets te beleven in de veilingloodsen, maar een aantal bewoners scharrelde rond op hun eigen bootje.

Martha leunde tegen de reling langs St. Ann's Staith en sloeg twee mannen in een donkerblauwe trui gade die het dek van een rode zeilboot stonden te schrobben. Ze had haar gewatteerde jack meegenomen, maar de lucht voelde nog altijd zo warm aan dat ze het om haar schouders had geslagen. De avond vorderde en de visachtige geur die op die plek hing werd sterker.

Iets in de lucht deed haar naar een sigaret snakken. Ze had tot het afgelopen jaar nooit gerookt, maar nu maakte ze zich er niet meer druk om of ze rookte of niet. Ze deed alles waarin ze zin had en maalde niet langer om de mogelijke gevolgen.

Ze ging een kleine souvenirwinkel vlak bij het Dracula-museum in en kocht daar een pakje met tien Rothmans; dat zou voorlopig wel genoeg zijn. Daarna keerde ze terug naar de reling en stak ze een sigaret op. Een van de mannen op de boot onder haar wierp haar zo nu en dan een bewonderende blik toe, maar hij sprak haar niet aan en floot evenmin naar haar. Ze bleef wachten tot ze iets zeiden. Na een tijdje maakte een van hen een technische opmerking tegen de ander, die in al even onbegrijpelijk jargon antwoordde, en Martha liep weg.

Ze had trek, merkte ze, en ze liet de sigaret op de stenen kade vallen en trapte hem met de bal van haar voet uit. Bij de brug even verderop zag ze kuierende mensen die uit een kartonnen bakje fish-and-chips liepen te eten. Tot dusver had ze geen ander eten in de aanbieding gezien; het wemelde in elk geval bepaald niet van de Franse, Italiaanse of Indiase restaurantjes in het stadje en ze was al evenmin een McDonald's of Pizza Hut tegengekomen. Kennelijk stond er in deze stad alleen fish-and-chips op het menu.

Bij de eerste vistent waar ze langskwam, kocht ze een portie schelvis met friet en ze wandelde al etend in de buurt van het busstation rond. De vis was uiteraard in een deegkorstje gebakken en smaakte een beetje vettig, omdat het vel er nog omheen zat. Het eten beviel haar echter wel en toen ze klaar was, likte Martha haar vingers af en gooide ze het bakje netjes in een afvalbak.
Het was inmiddels bijna donker. Ze bleef op de brug staan en rookte nog een sigaret om de vettige smaak te verdrijven. In de haven onder haar lag de roestige scheepsromp die ze eerder had gezien nog altijd bij de werf. Aan de noordkant van de brug, waar de riviermond breed uitwaaierde in de richting van de zee, weerkaatste het water de slierten rode en gele lampjes langs de kade en het licht deinde kronkelend op het zacht golvende wateroppervlak als het spiegelbeeld van mensen in een lachspiegel. Boven aan de rotswand stond St. Mary's scherp afgetekend in het licht van schijnwerpers tegen de donkere paarsblauwe hemel.
Martha wandelde over de brug naar Church Street, die even ten zuiden van East Cliff in het oudste deel van de stad lag, en ze bleef onderweg even staan om vlak voor sluitingstijd nog een krant te kopen. De rustige periode na het avondeten, voordat mensen hun bed opzochten, was aangebroken. In plaatsjes als Whitby ging alles altijd vroeg dicht. Martha had dorst, maar café Monk's Haven was al gesloten; je kon nergens meer een kop thee of koffie krijgen. Bovendien wilde ze ook even kunnen zitten om rustig na te denken. De pub The Black Horse aan de overkant van de straat zag er uitnodigend uit. Martha ging naar binnen. Uit antieke koperen lampen aan de muren scheen echt gaslicht de kleine, betimmerde ruimte in. De kroeg was knus, met smalle, kerkbankachtige houten zitplaatsen en rechthoekige tafels vol krassen. Het was er heerlijk rustig.
Martha bestelde een halve pint bier en zocht een stil plekje op. Een paar jaar geleden zou het niet eens bij haar zijn opgekomen om in haar eentje een pub binnen te gaan, laat staan dat ze er plaats zou nemen. Hier voelde ze zich echter vrij veilig. Er waren een paar andere klanten, die elkaar blijkbaar kenden en met elkaar stonden te kletsen. Hier waren geen eenzame jagers op zoek naar vrouwenvlees; dit was duidelijk geen versiertent.
Ze bladerde vluchtig door de *Independent* die ze had gekocht. Omdat ze niets interessants zag, vouwde ze de krant weer op en legde hem weg. Wat ze eigenlijk zou moeten doen, dacht ze bij zichzelf, was een plan opstellen. Niet al te gedetailleerd of ingewikkeld, want ze had onlangs geleerd dat toeval en intuïtie een belangrijkere rol speelden bij allerlei gebeurtenissen dan iedereen dacht. Ze mocht ook niet vergeten dat ze er niet alleen voor stond; ze had haar geesten die haar steunden bij haar opdracht. Ze kon echter niet zomaar dagenlang doelloos door het stadje slenteren. Op dit moment was het niet

erg; ze moest eerst een beetje wegwijs worden en zich de omgeving eigen maken. Er waren verschillende plekken die ze moest leren kennen: plekken die aan het oog werden onttrokken, stille paden, de schaduwhoekjes in de stad. Toch moest ze een plan de campagne opstellen.
Ze haalde een opschrijfboekje en haar reisgids tevoorschijn en ging aan het werk. Ze begon met de stadsplattegrond en noteerde alle plekken die eruitzagen alsof ze de moeite van een bezoekje waard waren: het strand, het kerkhof bij St. Mary's, het terrein rond de abdij, de klippen naar Robin Hood's Bay voor een lange wandeling. Daarna concentreerde ze zich op een veel lastiger probleem: hoe moest ze iemand vinden die in Whitby woonde en werkte? Waar zou hij bijvoorbeeld wonen? Tot dusver was ze alleen maar vakantiegangers tegengekomen en de stadsbewoners die een pension, pub of winkel dreven. Het leek net of er niemand daadwerkelijk in het gebied rond de haven woonde waar de mannen op hun boot werkten.
Ze keek weer op de kaart om te zien hoe ver de stad reikte. Hij was maar klein, met een inwonersaantal van ongeveer dertienduizend, en zo te zien hield East Cliff vrijwel meteen na St. Mary's op. Dan bleef het zuidelijke deel over dat langs de riviermonding van de Esk verder landinwaarts liep, en natuurlijk West Cliff zelf. Volgens haar plattegrond strekten de woonwijken daar zich bijna tot aan Sandsend uit. Verder waren er nog de kleinere dorpjes dichter bij de stad, zoals Sandsend zelf en Robin Hood's Bay. Ze golden niet direct als voorsteden, maar het was heel goed mogelijk dat sommige mensen daar woonden en heen en weer reisden.
Op een gegeven moment had ze een beetje het gevoel dat ze op zoek was naar een speld in een hooiberg. Ze had tenslotte heel weinig om op af te gaan. Inmiddels had ze wel op haar instinct leren vertrouwen. Er bestond geen enkele twijfel; zodra ze degene die ze zocht had gevonden, zou ze dat weten. Haar geesten zouden haar naar hem toe leiden. Whitby voelde aan als de juiste plek; ze kon zijn nabijheid voelen.
Martha dronk een slokje bier. Iemand had op de jukebox een oud rock-'n-rollnummer opgezet en dat deed haar denken aan een avond heel lang geleden, een andere avond waarop ze oude nummers op een jukebox had gehoord. Ze bande de gedachte uit haar hoofd. Herinneringen en sentimenten waren een luxe die ze zich tegenwoordig niet kon veroorloven. Ze stak haar hand in haar weekendtas en tastte naar de gladde, harde bol.

6
Kirsten

Een lange, zalvende duisternis, onderbroken door snelle, levendige dromen. Een schimmige gedaante met een capuchon op die over haar gebogen stond, en een glinsterend lemmet. Kennelijk sneed het door haar huid. Lange voren die zich openvouwden en bloed dat opwelde, maar ze voelde geen pijn. Als vanaf een grote afstand zag ze het scherpe staal door het bleke vlees van haar dij boren. Het verdween er heel diep in en toen het weer naar buiten gleed, sijpelde er bloed langs de randen van de snee naar buiten. Ze voelde nog steeds niets. Toen werd alles weer donker.

Deze keer was het een gedaante die helemaal in het wit was gehuld, een menselijke gedaante zonder gezicht. Dezelfde dingen gebeurden. Het mes was anders, maar het sneed net als het andere in haar, en opnieuw voelde ze er niets van.

Het waren gewoon dromen. Ze kon al die dingen toch onmogelijk echt zien? Haar ogen waren dicht. Als ze wel echt waren gebeurd, dan had ze het toch zeker uitgekrijst van de martelende pijn?

7
Martha

Om vier uur in de ochtend schrok Martha wakker van een keihard, doordringend gekrijs. Ze draaide zich om in het bed en tuurde fronsend naar de lichtgevende wijzerplaat van haar horloge. Het lawaai hield aan. Het klonk heel dichtbij. Na een tijdje begreep ze dat het zeemeeuwen waren. Waarschijnlijk hadden ze een school vissen ontdekt, of misschien had een kat achter een van de viskramen een vuilnisbak omvergegooid en waren ze daarbovenop gedoken. Ze maakten een verschrikkelijke herrie: het geluid van rauwe honger en hebzucht. Ze zag in gedachten al voor zich dat de meeuwen dode vissen aan stukken reten en hun helderwitte koppen vol bloedspetters zaten.

Ze draaide zich zuchtend om en trok het laken op tot haar oren. De zeemeeuwen hadden haar in een droom gestoord. Misschien lukte het haar ernaar terug te keren. Tegenwoordig waren al haar dromen fijn – uitstapjes in levendige, heldere kleuren van een onbeschrijflijke schoonheid, vol extase en opwinding, bezoekjes aan bovenaardse werelden, vloeiend vliegend door ruimte en tijd.

Zo was het niet altijd geweest. Ze was heel lang geplaagd door afgrijselijke nachtmerries, dromen vol bloed en schimmen, en daarna had ze een tijdlang helemaal niet gedroomd. De fijne dromen waren pas begonnen nadat de donkere wolk in haar hoofd was opgelost. Dat wilde zeggen, zij had het zelf altijd als een wolk gezien, of misschien als een luchtbel. Hij was ondoorzichtig en van welke kant ze er ook naar keek, hij had het licht altijd afgestoten, zodat ze er niet binnenin kon kijken. Ze wist dat hij gevuld was met haar lijden en haar woede, en toch liet hij haar niet toe.

Ze had heel lang op het randje gebalanceerd vanwege die wolk binnen in haar. Altijd op de grens van geweld, wanhoop of krankzinnigheid. Totdat het haar op een dag, toen ze het juiste perspectief eenmaal had gevonden, was gelukt erin te kijken en de duisternis uiteenstoof als een monster dat in rook oplost zodra je zijn ware naam ontdekt.

De zeemeeuwen krijsten nog altijd boven hun vroege ontbijt, maar Martha sukkelde weer in slaap en droomde over haar geheime meer. Het water bubbelde omhoog uit de fontein der eeuwige jeugd, helder en glinsterend in de zon die nooit ophield met schijnen, en ze moest door smalle koraalgrotten zwemmen om er te komen. Alleen zij wist van het bestaan van het meer af. Alleen zij kon moeiteloos zo ver zwemmen zonder adem te hoeven halen. Tijdens het zwemmen kerfde het scherpe roze koraal dunne rode striemen in haar borsten, buik en bovenbenen.

8
Kirsten

Het eerste wat Kirsten zag toen ze haar ogen opendeed, was de lange, kronkelende barst in het witte plafond. Het leek net de kustlijn van een eiland of de ruwe omtrek van een walvis. Haar mond was droog en ze proefde een verschrikkelijke smaak. Ze slikte moeizaam, maar de akelige smaak ging niet weg. Om haar heen hoorde ze alleen zachte geluidjes: een regelmatig gesis, een hoog en aanhoudend gepiep. Ze rook helemaal niets.

Ze bewoog haar hoofd en ving een glimp op van een paar gedaanten die naast haar bed zaten. Het viel niet mee om ze van zo dichtbij scherp in het vizier te krijgen en ze kon niet zien wie het waren. Opeens werd ze zich bewust van gedempte stemmen.

'Kijk, ze komt bij... Ze heeft haar ogen opengedaan.'

'Voorzichtig... Raak haar niet aan... Ze wordt echt wel vanzelf wakker.'

Iemand boog zich over haar heen: een in het wit gehulde gedaante zonder gezicht. Kirsten probeerde te schreeuwen, maar er kwam geen geluid uit haar mond. Zachte handen raakten haar voorhoofd aan en duwden haar schouders ferm terug op het harde bed. Ze liet haar hoofd weer op het kussen zakken en slaakte een diepe zucht. De stemmen werden duidelijker, net een beter afgestemde radio.

'Gaat het goed met haar? Mogen we blijven om met haar te praten?'

'Als ze dat wil, praat ze heus wel. Je moet haar niet dwingen. Ze is ongetwijfeld gedesoriënteerd.'

Kirsten wilde iets zeggen, maar haar mond was nog steeds te droog. 'Water,' mompelde ze schor, en kennelijk had iemand het verstaan. Er werd een gebogen rietje bij haar mond gehouden en ze zoog er gretig aan. Er druppelde wat water langs de rand van haar droge, gebarsten lippen, maar ze slaagde erin wat door te slikken. Dat voelde al veel beter.

'Ik zal de dokter gaan halen.'

De deur ging open en gleed zacht zoevend weer dicht.

'Kirstie? Kirstie, liefje?'

Ze draaide haar hoofd weer om, en deze keer viel het haar iets gemakkelijker om helder te zien. Haar vader en moeder zaten naast haar. Ze wilde glimlachen, maar alles voelde vreemd aan. Het was net of haar tanden te groot waren voor haar mond. Haar moeder zag er ontredderd uit, alsof ze dagenlang niet had geslapen, en haar vader had dikke, donkere wallen onder zijn ogen. Hij keek met een mengeling van liefde en opluchting op haar neer.
'Hallo, papa,' zei ze.
Hij stak een hand uit en ze voelde dat hij hem heel zacht om de hare legde, precies als vroeger, toen ze klein was en ze in het bos gingen wandelen.
'O, Kirstie,' zei haar moeder, die een zakdoek uit haar tas had gehaald en nu haar ogen bette. 'We waren zo ongerust.'
Haar vader zei nog steeds niets. Zijn aanraking vertelde Kirstie alles wat ze wilde weten.
'Waarom dan? Waar...'
'Zeg maar niets,' zei haar vader zacht. 'Het is al goed. Het is nu allemaal voorbij. Alles komt echt wel weer goed.'
Haar moeder bette nog steeds haar ogen en maakte zachte, snuivende geluidjes.
Kirsten liet zich weer op haar rug rollen en tuurde naar de kras op het plafond. Ze likte over haar droge lippen. Langzaam maar zeker kreeg ze weer een beetje gevoel. Ze rook nu de zuivere, witte, antiseptische geur van de ziekenhuiskamer. Ze voelde ook haar lichaam weer. De huid stond gespannen, alsof hij te strak over haar vlees en botten was getrokken. Hier en daar knelde het, alsof hij ergens achter was blijven hangen en in een plooi was gevouwen. Wat echter veel en veel erger was, was de brandende pijn in haar borsten en schaamstreek. Daar voelde ze de strakgespannen huid niet, alleen een pijnlijk, kloppend gemis.
De deur ging open en een man in een witte jas kwam naar haar toe. Ze kromp in elkaar en probeerde weg te rollen.
'Maak je maar geen zorgen,' hoorde ze iemand zeggen. 'De dokter is er om voor je te zorgen.'
Ze voelde dat haar mouw werd opgerold en een koele prop watten haar arm aanraakte. Ze voelde de naald die erin werd gestoken niet, maar wel de scherpe prik toen hij er weer uit werd gehaald. De pijn nam af. Warme, rustgevende golven droegen hem mee ver weg de zee op.
Haar zintuigen ontglipten haar en de lange duisternis doemde weer op om haar op te eisen. Terwijl ze wegzakte, voelde ze haar vaders hand nog steeds op de hare. Ze draaide haar hoofd langzaam om en vroeg: 'Wat is er met me gebeurd, papa? Mijn huid voelt heel raar aan. Hij past niet goed meer.'

9
Martha

Toen Martha de volgende ochtend beneden kwam om te ontbijten, zaten de andere gasten al in de eetkamer. Er was slechts één tafeltje vrij en dat was voor twee personen gedekt. Aan de andere kant van het erkerraam scheen de zon op Abbey Terrace en zag de lucht weer blauw.

Bij de deur stond een theewagen waar ze zelf iets van kon pakken: kannen sinaasappel- of grapefruitsap; melk en piepkleine pakjes met cornflakes, Special K, Rice Krispies, Alpen en Frosties. Martha koos een doosje Alpen, schonk een glas sap voor zichzelf in en ging zitten. Ze nam een kopje thee uit de roestvrij stalen theepot op de tafel. Aan de kleur te oordelen stond de thee al een tijd te trekken. Ze wierp een blik op de plek tegenover haar en hoopte maar dat er niemand bij haar zou aanschuiven voor het ontbijt. Ze had 's ochtends geen al te best humeur en had het al moeilijk genoeg gevonden om de anderen met een hoofdknikje te begroeten. Een gesprek was wel het laatste waaraan ze behoefte had.

Ze dronk wat van de bittere thee en nam intussen de kamer in zich op. In de erker zat een bejaard echtpaar. Het donkere haar van de man was strak van zijn gerimpelde voorhoofd naar achteren gekamd en met Brylcreem vastgezet. Toen ze binnenkwam, had hij geglimlacht en een gevlekt, scheef gebit ontbloot. Zijn grauwe gezicht had de gegroefde, hologige aanblik van een man die vijftig sigaretten per dag rookte en zijn adem kwam en ging in korte, longemfyseemachtige stootjes, wat haar diagnose bevestigde. Zijn vrouw had niet geglimlacht, maar Martha alleen met achterdochtige kraaloogjes aangestaard alsof ze wilde zeggen: 'Ik ken jouw soort maar al te goed, jongedame.' Blauwgrijs haar hing als mist om haar maanvormige hoofd.

Bij de muur tegenover hen zat een jong stelletje, vermoedelijk op huwelijksreis, dacht Martha bij zichzelf. Ze keken allebei heel ernstig. De man was mager en gebruind, had een baard en schonk bijzonder nauwgezet thee in; het gezicht van de vrouw, die voorovergebogen zat, ging vrijwel helemaal schuil achter een waterval van glanzend zwart haar. Toen ze naar hem opkeek, werd

haar verlegen, steelse glimlachje weerspiegeld in zijn ogen. Ze hadden niet eens gemerkt dat Martha binnenkwam.
Het ergste lawaai kwam van de derde tafel in de buurt van de zelf-bedieningstheewagen, waar een moe kijkende jonge vrouw en een al even uitgeput ogende man dapper probeerden hun twee lastige jonge kinderen in bedwang te houden. Zo te zien was het een tweeling: hetzelfde blonde haar, dezelfde zeurderige stem. 'Ik lust geen Shreddies, papa! Waarom hebben ze geen Sugar Puffs? Ik wil Sugar Puffs!' 'Neem dan Frosties,' zei hun bleke moeder in de hoop hen tot bedaren te brengen, maar haar inspanningen waren tevergeefs. Ze keek op en glimlachte mat naar de andere aanwezigen. De vader, die gekleed was voor een dagje naar het strand in een witte lange broek en een lichtblauw sporthemd dat de krullende rosse haren op zijn onderarmen vrijliet, keek om en haalde zijn schouders op tegen Martha, alsof hij wilde zeggen: 'Wat moet je daar nou mee aan?'
De vrouw van de eigenaar kwam binnen om hun bestelling op te nemen. Niet dat er veel keus was: je kon zacht- of hardgekookte eieren krijgen, en medium of doorbakken bacon. Er lag een wat verbeten trek om de mond van de vrouw en ze deed haar werk met een kortaangebonden, zakelijke vastberadenheid, ook al lag er voortdurend een glimlach op haar gezicht en maakte ze zo nu en dan een nietszeggende opmerking over het weer. Als iemand hier de broek aanhad, dacht Martha bij zichzelf, dan was dat beslist de vrouw. Haar man werkte overdag ongetwijfeld ergens anders en was vermoedelijk alleen maar aanwezig geweest omdat Martha laat in de middag was aangekomen. Wellicht was hij visser. Als ze de kans kreeg om even met hem te babbelen, kon ze hem misschien een beetje uithoren over de lokale visserij.
Nadat ze haar bestelling voor knapperig doorbakken bacon en medium gepocheerde eieren had doorgegeven, kwam de laatste gast naar beneden; hij gaf zijn bestelling op, pakte cornflakes en sap voor zichzelf, nam die mee naar Martha's tafel en liet zich tegenover haar op een stoel vallen. Hij was lang en atletisch gebouwd – waarschijnlijk een hardloper –, was donkerbruin verbrand, en had een mager gezicht met een haviksneus en levendige blauwe ogen. Zijn korte, krullende zwarte haar glinsterde nog van de douche. Hij rook naar Old Spice-aftershave.
Hij schonk thee in en grijnsde breeduit, zodat er twee volmaakte rijen oogverblindend witte tanden zichtbaar werden zoals je die maar zelden in een Engelse mond zag. Lieve god, dacht Martha bij zichzelf, een ochtendmens. Die heeft voor het ontbijt beslist al een rondje door de stad gejogd. Ze wist een kort, mager glimlachje op haar gezicht te toveren, maar keek toen weer weg om te zien hoe het de ouders met de twee kinderen verging.
'Goed geslapen?'

'Pardon?'
De jonge man boog zich naar voren en ging iets zachter verder. 'Ik zei: goed geslapen?'
'Uitstekend, dank je.'
'Ik niet.'
'O nee?'
'Ze hebben me vlak naast de badkamer ondergebracht. Om zes uur begint de hele verrekte optocht – de een na de ander – en ze trekken echt allemaal de wc door. Volgens mij lopen de leidingen recht onder mijn bed. Een enorm gekletter en geraas dus. Ik heet trouwens Keith.' Hij stak zijn hand uit en keek haar lachend aan. 'Keith McLaren.' Hij sprak met een Australisch accent, hoorde Martha, maar omdat ze zich alleen had gespecialiseerd in regionale Engelse accenten, kon ze het zijne niet aan een specifiek gebied koppelen.
Martha pakte onwillig zijn hand en schudde hem kort en slap. 'Martha Browne.'
'En voordat je het vraagt: ja, ik ben een Aussie. Ik heb even vrij genomen van de universiteit om door dat prachtige land van jullie te reizen.'
'Studeer je nog?'
'Ja. Doctoraalstudie surfen en zonnebaden aan de universiteit van Bondi Beach.' Hij lachte. 'Niet dus. Was het maar waar. Ik studeer rechten, lang niet zo interessant. Ik trek momenteel langs de kust naar Schotland. Daar woont nog wat familie van me.'
Martha knikte beleefd.
'En zeemeeuwen,' ging Keith voor zover Martha kon nagaan zonder enige aanleiding verder.
'Hè?'
'Ik heb ook wakker gelegen van die rotzeemeeuwen. Heb jij ze niet gehoord?'
'Zeemeeuwen, zeg je?' De vrouw van de eigenaar dook op naast hun tafel en zette twee borden neer, die ze met versleten ovenhandschoenen vasthield. 'Pas op, ze zijn warm. Zeemeeuwen, hè? Daar wen je vanzelf aan als je hier woont. Je moet wel.'
'Worden jullie er dan nooit wakker van?' vroeg Keith aan haar.
'Nooit. Na de eerste paar maanden niet meer.'
'Ik ben bang dat ik daar niet lang genoeg voor blijf.' Hij keek weer naar Martha. 'Ik vertrek morgen weer. Als het enigszins kan, reis ik met een streekbus. En anders te voet of liftend.'
'Nou, veel succes dan maar,' zei de vrouw en ze liep weg.
Keith tuurde naar zijn bord en peuterde met zijn vork aan een donkere schijf roodzwart spul. 'Wat is dat?' vroeg hij met opgetrokken neus en hij boog voorover om te kunnen fluisteren. 'Wat het ook is, ik kan me niet herinneren dat ik het heb besteld.'

Martha keek onderzoekend naar het eten op zijn bord. Hij had hetzelfde als zij: bacon, ei, gegrilde tomaat en champignons, geroosterd brood en de schijf die Keith aanwees. 'Volgens mij is dat bloedworst,' zei ze. 'Waarschijnlijk de dagspecialiteit.'
'Waar wordt dat van gemaakt?'
'Dat wil je echt niet weten. Niet zo vroeg op de ochtend.'
Keith lachte en viel op zijn eten aan. 'Nou, het smaakt in elk geval niet verkeerd. Dat vind ik nou zo gaaf aan logeren in zulke tentjes: ze zetten je altijd een ontbijt voor waar je rest van de dag op kunt teren. Nu hoef ik tot het avondeten hooguit een broodje te eten. Eet jij hier ook?'
'Nee, 's avonds niet.'
'O, maar dat moet je beslist eens doen. Ik kom meestal wel terug. Nou ja, ik zeg wel meestal, maar dit is pas mijn derde dag. Ze hebben een heel aardig aanbod. En je krijgt waar voor je geld.'
Hij zweeg om zich weer op zijn eten te concentreren en liet Martha met rust. Ze at snel in de hoop weg te kunnen glippen voordat hij het woord weer nam, ook al wist ze dat een haastig maal haar indigestie zou geven. Aan de andere kant van de kamer smeet een van de kinderen met zijn lepel een plak tomaat tegen de muur. Hij sloeg zompig tegen het vale behang met rozen en glibberde met achterlating van een roze spoor naar beneden. De vader liep rood aan en nam zijn spruit de lepel af, en zijn moeder keek alsof ze wel door de grond wilde zakken van schaamte.
Martha schoof haar stoel naar achteren en stond op om te vertrekken. 'Als je me wilt excuseren,' zei ze tegen Keith. 'Ik moet ervandoor. Ik heb nog heel veel te doen.'
'Drink je je thee niet even op?' vroeg Keith.
'Ik heb al twee kopjes gehad. Bovendien heeft hij te lang gestaan.' Ze liep snel naar haar kamer. Daar deed ze de deur achter zich op slot, zette ze het raam open en staarde ze leunend op de vensterbank naar de witte wolkjes die boven St. Mary's dreven, terwijl ze een sigaret rookte.
Toen de Rothmans op was en ze naar de wc was geweest, pakte ze haar weekendtas en ging ze terug naar beneden. Op de overloop op de eerste verdieping kwam ze Keith tegen, die net zijn kamer uit stapte. Dat heb ik weer, dacht ze bij zichzelf.
'Zou je me een beetje willen rondleiden?' vroeg hij. 'Aangezien we toch allebei alleen zijn... Nou ja, dat is toch jammer.'
'Ik ben ervan overtuigd dat jij de stad beter kent dan ik. Ik ben hier nog maar net en jij zit hier al drie dagen.'
'Jawel, maar jij bent een Engelse. Ik ben maar een zielige, domme buitenlander.'
'Het spijt me,' zei Martha, 'maar ik moet werken.'

‘O? Wat doe je dan?’
‘Research. Ik ben een boek aan het schrijven.’
Ze liepen de met vloerbedekking beklede trap af naar de hal. Martha kon niet meteen vertrekken. Ze wilde eerst weten of hij buiten links of rechts af zou slaan, zodat zij de andere kant op kon.
‘Oké, zullen we dan vanavond iets gaan drinken, zodra jij klaar bent met je werk en ik pijn in mijn voeten heb van het lopen?’
‘Sorry, ik weet niet hoe laat ik precies klaar zal zijn.’
‘Och kom, doe niet zo flauw. Laten we zeggen een uur of zeven? Je kent dat gezegde toch wel: “Het is een slecht dorp waar het nooit kermis is.” Om de hoek aan het eind van de straat zit een leuke, rustige pub. The Lucky Fisherman heet hij, geloof ik. Afgesproken? Ik vertrek morgen, dus het is maar voor één keertje.’
Martha dacht razendsnel na. Ze waren al door de deur naar buiten gelopen en stonden nu op het bordestrapje. Als ze weigerde, zou dat heel raar overkomen en het laatste wat ze wilde, was op een of andere manier de aandacht op zich vestigen. Het was al erg genoeg om hier in haar eentje als vrouw te logeren. Als ze zich vreemd gedroeg, was dat voor Keith misschien wel een reden om zich haar te blijven herinneren als een rare troel en dat kon ze niet gebruiken. Aan de andere kant zou hij haar ongetwijfeld van alles over haar leven vragen als ze ermee instemde iets met hem te gaan drinken. Maar goed, hield ze zichzelf voor, ze kon hem natuurlijk altijd van alles wijsmaken. Dat moest voor een vrouw met haar fantasie geen enkel probleem zijn.
‘Goed dan,’ zei ze toen ze bij het tuinhekje aankwamen. ‘Zeven uur in The Lucky Fisherman.’
Keith glimlachte. ‘Top. Tot dan. Een fijne dag verder.’
Hij sloeg links af en Martha ging naar rechts.

10
Kirsten

Toen Kirsten voor de tweede keer traag uit de troostrijke duisternis ontwaakte, zag ze dat er vazen met rode en gele bloemen en kaarten op het tafeltje naast haar bed stonden. Ze draaide haar hoofd om en ontdekte dat er aan de andere kant van het bed een onbekende man zat. Ze trok de lakens strak rond haar keel en nam de rest van de kamer in zich op. Op de achtergrond stond nog steeds de in een wit schort gehulde verpleegster – dat stelde haar een beetje gerust – en naast de deur zat een man in een lichtgrijs pak tegen de muur geleund met een opschrijfboek op zijn schoot en een potlood in de aanslag, klaar om aantekeningen te maken. Kirsten zag hem niet heel scherp, maar hij leek haar veel te jong om al zo kaal te zijn als hij zo te zien was.
De man naast haar boog zich naar voren en leunde met zijn kin op zijn vuisten. Hij was ongeveer even oud als haar vader – begin vijftig – en had kort, grijs piekhaar en een rood gezicht. Zijn ogen waren bruin, en tussen zijn rechteroog en zijn neus zat een kleine pukkel. Tussen zijn linkerneusgat en zijn bovenlip zat een donkere moedervlek waar een paar haren uit staken. Hij had een donkerblauw pak aan met een wit overhemd en een zwart-geel gestreepte stropdas. Zijn gezicht stond vriendelijk en bezorgd.
'Hoe voel je je nu, Kirsten?' vroeg hij. 'Denk je dat je kunt praten?'
'Een beetje duf,' antwoordde ze. 'Kunt u me zeggen wat er met me is gebeurd? Niemand heeft me iets verteld.'
'Iemand heeft je aangevallen. Je bent gewond, maar het komt helemaal goed.'
'Wie bent u? Bent u een arts?'
'Ik ben hoofdinspecteur Elswick. En die slimme jonge knul bij de deur is brigadier Haywood. We zijn hier om te kijken of je ons iets kunt vertellen wat ons kan helpen om degene die dit heeft gedaan te pakken.'
Kirsten schudde haar hoofd. 'Het is allemaal heel vaag... Ik... Ik kan niet...'
'Rustig maar,' zei Elswick zacht. 'Probeer je er niet tegen te verzetten. Ontspan je en laat mij de vragen maar stellen. Als je het antwoord niet weet, schud je gewoon je hoofd of zeg je "nee". Maak je vooral niet druk. Goed?'

Kirsten slikte iets weg. 'Ik zal mijn best doen.'
'Mooi. Je was op de avond dat het is gebeurd op een feestje geweest. Weet je dat nog?'
'Ja. Heel vaag. Er was muziek, er werd gedanst. Het was een fuif om het eind van het semester te vieren.'
'Dat klopt. Goed, voor zover wij hebben ontdekt, ben je om een uur of een alleen weggegaan. Is dat zo?'
'Dat... Dat geloof ik wel. Ik kan me niet herinneren hoe laat het was, maar ik ben wel in mijn eentje vertrokken. Het was een heerlijke, warme avond.'
Kirsten wist nog dat ze bij de deur van Oastler Hall even was blijven staan om de honingzoete lucht op te snuiven.
'Je bent door het park gelopen.'
'Ja. Dat is de kortste route. Dat heb ik al heel vaak gedaan. Er is nog nooit iets...'
'Kalm aan maar, Kirsten. Dat weten we. Niemand verwijt jou iets. Wind je niet op. Heb je daar rond dat uur nog iemand anders gezien?'
'Nee. Het was heel stil. Er was helemaal niemand.'
'Iets gehoord dan?'
'Alleen de auto's op de doorgaande weg.'
'Kan een van de bezoekers van het feest ook zijn vertrokken en jou hebben gevolgd?'
'Ik heb niemand gezien.'
'Had je tijdens het lopen het idee dat er iemand achter je aan liep?'
'Nee. Als dat wel zo was, was ik waarschijnlijk wel weggehold. Maar dat was niet zo.'
'En eerder op de avond? Als ik het goed heb begrepen, was je met een paar vrienden in een pub geweest, The Ring O'Bells. Klopt dat?'
Kirsten knikte.
'Is het je daar misschien opgevallen dat iemand bijzonder veel belangstelling voor je toonde, je aandachtig in de gaten hield?'
'Nee.'
'Er waren daar geen onbekenden?'
'Dat... Dat weet ik niet meer. Het was er in het begin vrij druk, maar...'
'Op een gegeven moment was er toch een klein opstootje? Kun je me daar iets over vertellen?'
Kirsten vertelde hem alles wat ze zich nog van de woordenwisseling met de pubbaas herinnerde. Het klonk nu ontzettend dwaas en ze dacht er beschaamd aan terug.
'Dus je vrienden en jij waren de laatsten die vertrokken?'
'Ja.'

'En voor zover jij kon zien, hing er buiten niemand rond?'
'Nee.'
'Hoe zit het met de aanval zelf? Kun je je nog iets herinneren van wat er is gebeurd?'
Kirsten deed haar ogen dicht en zag alleen maar een inktzwarte duisternis. Het was alsof zich ergens in haar hoofd een zwarte wolk had gevormd en of alles wat deze man wilde weten daarin zat opgesloten. De rest van haar – herinneringen, gevoelens, gewaarwordingen – cirkelde slechts machteloos rond om die ondoordringbare duisternis. Dat deel van haar leven, een pakket van pijn en angst, was helemaal omhuld en in het donker verborgen. Ze wist niet of ze erdoorheen kon komen en of ze dat wel wilde; ze voelde dat zich daarbinnen gruwelen bevonden die te afgrijselijk waren om ze onder ogen te zien.
'Ik zocht de maan,' zei ze.
'Wat?'
'Ik zat op de leeuw – u weet wel, dat beeld midden in het park – en had mijn hoofd in mijn nek gelegd. Ik zocht de maan. Dat klinkt vast heel stom. Ik was niet eens dronken of zo. Het was mijn allerlaatste avond en ik had gewoon altijd al... op die leeuw willen zitten. Dat is het enige wat ik nog weet.'
'Wat gebeurde er toen?'
'Wanneer? Hoe bedoelt u?'
'Je zat op de leeuw en zocht de maan. Wat gebeurde er toen?'
De stem van hoofdinspecteur Elswick klonk zacht en hypnotiserend. Kirsten voelde dat ze weer slaperig werd. Nu ze eenmaal volledig bij kennis was, voelde ze elke centimeter van haar pijnlijke lichaam met de strakgespannen huid, en het liefst was ze op het tij weggezeild en had ze alles achter zich gelaten.
'Een hand,' zei ze. 'Dat is alles. Een hand die van achteren over mijn neus en mond werd gelegd. Ik kreeg geen lucht meer. Toen werd alles zwart.'
'Maar je hebt niemand gezien?'
'Nee. Het spijt me... Ik... Er was wel iets...'
'Wat dan?'
Kirsten fronste haar wenkbrauwen en schudde haar hoofd. 'Het heeft geen zin. Ik weet het niet meer.'
'Dat is niet erg, Kirsten. Doe maar rustig aan. Je kunt je dus helemaal niets herinneren over degene die je heeft aangevallen, hoe onbeduidend het misschien ook lijkt?'
'Nee. Alleen maar die hand.'
'Wat was het voor hand? Was hij groot of klein?'
'Ik... Ik... Dat is moeilijk te zeggen. Hij bedekte mijn neus en mond... Hij was heel sterk. En ruw.'

'Ruw? Hoe bedoel je dat precies?'
'Als van iemand die veel zwaar werk heeft verricht, zou ik zeggen. U weet wel, dingen sjouwen en zo. Ik kan het niet zo goed uitleggen. Ik heb nog nooit zo'n ruwe hand gevoeld. We hadden vroeger een tuinman en zijn handen zagen eruit zoals deze aanvoelde. Ik heb ze nooit aangeraakt, maar ze zagen er ruw en eeltig uit van het zware werk dat ze deden.'
'Die tuinman,' zei Elswick, 'hoe heette die?'
'Het is al heel lang geleden. Ik was nog heel klein.'
'Weet je nog hoe hij heette, Kirsten?'
'Ik geloof Walberton. Mijn vader noemde hem altijd Mal. Een afkorting van Malcolm, denk ik. Ik begrijp alleen niet...'
'Op dit moment weten we nog helemaal niets, Kirsten. Alle informatie is dus welkom. Echt alles. Hoe bizar het misschien ook klinkt. Werkt die tuinman nog steeds voor jullie?'
'Nee, allang niet meer. Mijn vader weet het wel. Die kan het u wel vertellen.'
'Goed. Is er verder nog iets?'
'Volgens mij niet. Ik kan me niet herinneren wat er is gebeurd nadat die hand me had vastgegrepen. Hoe lang lig ik hier al?'
'Tien dagen. Daarom moeten we zo snel mogelijk in actie komen. Hoe meer tijd er verstrijkt, des te moeilijker het wordt om nieuwe aanwijzingen te vinden. Ken jij iemand die jou kwaad zou willen doen? Heb je vijanden? Een boos vriendje misschien?'
Tien dagen! Het was nauwelijks te bevatten. Wat had ze hier al die tijd gedaan? Alleen maar liggen slapen en dromen? Ze schudde haar hoofd. 'Nee, Galen is de enige. Er is niemand die zoiets zou doen. Ik begrijp het niet. Ik heb nog nooit van mijn leven iemand iets aangedaan.' Er druppelden tranen vanuit haar ooghoeken in de fijne haartjes boven haar oren. 'Ik ben moe. Ik heb pijn.' Ze merkte dat ze wegzakte en deed geen moeite zich ertegen te verzetten.
'Dat is niet erg,' zei Elswick. 'Je hebt ons ontzettend goed geholpen. We gaan nu weg, dan kun je wat rusten.' Hij stond op, klopte even op haar arm en knikte toen naar brigadier Haywood ten teken dat het tijd was om te vertrekken. 'Ik kom binnenkort nog wel een keer terug, Kirsten, zodra je je iets beter voelt. Je vader en moeder zijn hier en staan buiten te wachten. Wil je hen zien?'
'Straks,' zei Kirsten. 'Wacht even. Waar is Galen? Hebt u Galen gezien?'
'Je vriend? Ja,' zei Elswick. 'Hij is hier geweest. Hij zei dat hij later zou terugkomen. Hij heeft die bloemen achtergelaten.' Hij wees naar een vaas met rode rozen.
Nadat Elswick en Haywood waren vertrokken, kwam er een verpleegster bin-

nen om de lakens recht te trekken. Vlak voordat de deur dichtviel, hoorde Kirsten Elswick zeggen: 'Het lijkt me verstandig om hier vierentwintig uur per dag iemand op wacht te zetten... Straks komt hij nog terug om af te maken waaraan hij is begonnen.'
Voordat de verpleegster kon weglopen, greep Kirsten haar vast bij haar pols. 'Wat is er met me gebeurd?' fluisterde ze. 'Mijn huid voelt zo strak en verdraaid aan. Er is iets mis.'
De verpleegster glimlachte. 'Dat zullen de hechtingen wel zijn, liefje. Die willen nog weleens een beetje trekken.' Ze schudde het kussen op en liep snel weg.
Hechtingen! Kirsten had al eens eerder hechtingen gehad, toen ze van haar fiets was gevallen en haar arm had opengehaald aan een paar glasscherven. Het was inderdaad waar, die hadden ook een beetje getrokken. Die hechtingen hadden echter in haar arm gezeten; toen had ze alleen maar een lichte, plaatselijke pijn gevoeld. Als hechtingen deze keer de oorzaak van het oncomfortabele gevoel waren, waarom voelde haar hele lichaam dan aan alsof het strak en onbeholpen om het frame zat genaaid?
Ze kon natuurlijk best even kijken. De lakens en dekens wegschuiven en haar nachthemd openmaken. Zo moeilijk was dat niet. De inspanning was haar echter te veel. Ze kon de bewegingen wel maken, maar wat haar werkelijk tegenhield, was haar angst: de angst om wat ze daar zou aantreffen. In plaats daarvan liet ze zich wegglijden in vergetelheid.

11
Martha

Er stonden geen namen op de grafzerken. Martha stond op het kerkhof boven op het klif bij St. Mary's en staarde er vol afschuw naar. De meeste stenen waren aan de rand zwart geworden en op de plek waar de gegevens in de steen gebeiteld hoorden te staan, zag ze alleen maar zandsteen vol gaatjes. Op sommige zag ze nog wel de vage omtrek van letters, maar de meeste waren volkomen glad. Dat kwam zeker door de zilte lucht van de zee, bedacht ze, die had de namen natuurlijk weggevaagd. Ze voelde zich opeens onbegrijpelijk bedroefd. Ze tuurde omlaag naar het gerimpelde blauwe water en de dunne strook schuim waar de golven op het strand sloegen. Het was niet eerlijk. De doden behoorden in de herinnering te blijven voortleven, zoals ze ook in háár herinneringen voortleefden. Hoewel het vrij warm was, huiverde ze. Ze liep naar de kerk toe.

De binnenkant was indrukwekkend. Ze sloeg de op band opgenomen introductie over en nam in plaats daarvan een gedrukte rondleiding mee, waarmee ze rustig rondwandelde. Helemaal voorin stond een enorme preekstoel met drie verdiepingen en daaronder strekte zich een honingraat van rechthoekige, gesloten kerkbanken uit die volgens het foldertje op het tussendek van een houten slagschip leken. Op de deur van sommige banken zat een koperen naamplaatje geschroefd met daarop een naam gegraveerd, wat erop duidde dat de bank was gereserveerd voor een van de vooraanstaande families uit de stad. De meeste hiervan bevonden zich achteraan, zodat de predikant ze vrijwel niet kon zien vanwege de vele gecanneleerde zuilen die ervoor stonden. De rijken konden ongestraft door zijn preken heen slapen. Vooraan, vlak voor zijn ogen, bevond zich een aantal gesloten kerkbanken die als VRIJ waren aangemerkt en andere ALLEEN VOOR VREEMDELINGEN.

Dat ben ik, dacht Martha bij zichzelf, en ze schoof de grendel op een ervan open en stapte naar binnen: een vreemdeling.

Toen de klink met een klikje achter haar dichtviel, riep de kleine ruimte in de drukke kerk een vreemd gevoel van afzondering en veiligheid bij haar op.

Om haar heen slenterden toeristen en flitsten camera's, maar de kerkbank dempte de buitenwereld en hield hem op afstand. Een fantasierijk idee, dat wel, maar zo ervoer ze het. Ze streek met een vinger over de versleten baaien stof waarmee de zijkanten van de bank en de bank zelf waren bekleed. Er lag zelfs rode vloerbedekking en er waren kussentjes met een gedessineerd stofje om op te knielen. Toen Martha zich liet zakken, kraakten haar knieën. Nu was ze nog verder van de wereld buiten verwijderd. Als het ooit zover kwam, zou dit een uitstekende plek zijn om je te verstoppen, bedacht ze. Niemand zou haar ooit vinden in een gesloten kerkbank met daarop ALLEEN VOOR VREEMDELINGEN. Dan zou het net lijken of ze onzichtbaar was. Ze glimlachte en verliet de gesloten kerkbank.
Langs het parkeerterrein bij de ruïne van de abdij liep een wandelpad dat deel uitmaakte van de Cleveland Way. Volgens Martha's plattegrond zou het haar helemaal van East Cliff naar Robin Hood's Bay voeren. Ze besloot een klein deel ervan te verkennen. Onderweg keek ze voortdurend uit naar Keith McLaren, zoals ze ook tijdens haar bezoek aan het kerkhof en de kerk had gedaan. Ze had al een aardig idee wat ze hem die avond zou vertellen en als hij haar toevallig in de buurt van St. Mary's en de rand van het klif zag lopen, zouden haar leugens alleen maar nóg geloofwaardiger klinken. Ze wilde hem echter niet per ongeluk tegen het lijf lopen.
Er liep een smal houten plankier langs de rand van de hoge kliffen. Op sommige plaatsen ontbraken wat plankjes en had erosie het land helemaal tot aan het pad weggevreten. Tussen het wandelpad en de diepte ernaast stond een hek, maar ook dat was hier en daar ingestort, en er stonden borden om wandelaars te waarschuwen dat ze voorzichtig moesten zijn en achter elkaar moesten lopen. Het was duizelingwekkend om naar de zee te kijken die heel ver onder haar om de spitse rotsen kolkte.
Bij Saltwick Nab, een rots in de vorm van een lange, knokige vinger die in zee uitstak, ontdekte Martha een gammel houten trapje en een pad die naar beneden voerden. Ze zocht langzaam haar weg naar de rozerode rots. Die begon als een grote klomp aan de voet van het klif, dook toen omlaag, zodat hij even nauwelijks zichtbaar was boven het water, en schoot toen in een tweede knobbel weer omhoog uit de zee – net een kameel onder water met een gapend gat tussen de twee bulten, vond ze. Er was verder niemand te bekennen, dus ging Martha op het schaarse gras zitten om uit te rusten. Tussen de bulten door gleed in de verte een witte tanker traag langs de horizon. Golven sloegen kapot op de zijkant van het lage gedeelte van de rots en een nevel van fijne druppeltjes daalde er als een witte regenbui op neer.
Martha stak haar tweede sigaret van die dag op. Hier in de frisse, zoute buitenlucht smaakte het anders. Ze sloeg haar benen over elkaar en luisterde

naar het ritme van de zee die aanzwol en tegen de rotsen beukte. Al snel zag ze dat zich nieuwe golven vormden en kon ze voorspellen hoe hard ze op de rots kapot zouden slaan.

Ze voelde de plek nu goed aan; zo goed zelfs dat ze zich er aardig thuis voelde. Wat haar betreft was er geen enkel probleem – behalve dan misschien de Australiër. Maar zelfs die leek haar tamelijk naïef en ongevaarlijk. Ze zou hem een paar drankjes lang om de tuin leiden en morgen vertrok hij. Het enige wat haar nu te doen stond, was degene vinden om wie het haar te doen was. Dat zou misschien een dag of twee in beslag nemen, maar het zou haar lukken. Hij was dichtbij; daarover bestond geen enkele twijfel. Opnieuw voelde ze een rilling van angst door haar lichaam trekken en wankelde haar zelfvertrouwen. Zodra het juiste moment was aangebroken, zou ze al haar moed bij elkaar moeten rapen om te doen wat gedaan moest worden. Ze stak haar hand in de weekendtas en tastte naar haar talisman. Die zou haar vast en zeker bijstaan – net als de geesten die haar begeleidden.

Na een tijdje gooide ze de sigaret in zee en stond ze op. Angst is voor passievelingen, hield ze zichzelf voor. Wanneer je bezig bent, heb je geen tijd om bang te zijn. Ze veegde gras en zand van haar spijkerbroek en keerde terug naar het voetpad.

12
Kirsten

De verpleegster stak haar hoofd om de hoek van de deur. 'Je hebt bezoek, liefje.' Achter haar zag Kirsten de schouder van de agent in uniform die bij de deur van haar kamer zat. Toen ging de deur verder open en kwam Sarah naar binnen.
'Sarah! Wat doe jij hier?'
'Wat een warm welkom, zeg! Het viel trouwens bepaald niet mee, hoor. Ik moest eerst toestemming vragen aan die stomme inspecteur. En alsof dat nog niet genoeg was, moest ik ook nog langs die alleraardigste oom agent daarbuiten zien te komen.' Ze gebaarde met haar duim naar de deur, trok een stoel bij en ging naast het bed zitten. Ze staarde Kirsten een tijdje aan en begon toen te huilen. Ze boog zich naar voren en ze omhelsden elkaar zo goed en zo kwaad als dat ging zonder het infuus los te trekken.
'Kom,' zei Kirsten uiteindelijk met een klopje op haar rug. 'Mijn hechtingen doen pijn.'
Sarah trok zich terug en glimlachte moeizaam. 'Sorry, meid. Ik weet niet wat me bezielt. Wanneer ik denk aan alles wat jij moet hebben doorgemaakt...'
'Niet doen,' zei Kirsten. In haar huidige gemoedstoestand had ze behoefte aan de oude, vertrouwde Sarah die ze zo goed kende: onstuimig, nuchter, evenwichtig, grappig, razend. Ze had de buik vol van medelijdende en al helemaal van invoelende mensen. 'Het is ook geen wonder dat je er in die kleren van je bijna niet in kwam,' ging ze snel verder. Sarah had haar gebruikelijke outfit aan: een spijkerbroek en een T-shirt. Op dit exemplaar stond op de voorkant in grote letters een logo geschreven: EEN VROUW HEEFT NET ZOVEEL BEHOEFTE AAN EEN MAN ALS EEN VIS AAN EEN FIETS. 'Waarschijnlijk zien ze je voor een terrorist aan.'
Sarah lachte en veegde met de rug van haar hand haar ogen af. 'En, hoe gaat het nou?'
'Wel goed, hoor.' Dat was gedeeltelijk waar. Die dag voelde Kirsten zich echt iets beter – in elk geval lichamelijk. Haar huid voelde iets meer als

vanouds aan en de angstaanjagende inwendige pijn was 's nachts afgenomen. Vanbinnen was ze echter verdoofd en ze had nog steeds niet de moed gehad zichzelf te bekijken.
'Zie ik er heel akelig uit?'
Sarah fronste haar wenkbrauwen en bekeek haar gezicht aandachtig. 'Het valt wel mee. De meeste blauwe plekken zijn zo te zien al weg en je gezicht is niet blijvend beschadigd of verminkt. Eigenlijk vind ik je er niet eens zo heel veel erger uitzien dan normaal.'
'Je wordt bedankt!' Kirsten glimlachte toen ze dit zei. Sarah had zich kennelijk hersteld van haar korte huilerige bui.
'Ze hebben je anders wel flink te grazen genomen.'
'Is dat zo?'
'Wil je soms zeggen dat je dat niet weet?'
'Niemand wil me vertellen wat er is gebeurd.'
'Typisch iets voor die stomme artsen. Ik neem aan dat het een man is?'
'Ja.'
'Tja, daar heb je het al. En de verpleegster?'
'Die is veel te schijterig om veel te zeggen.'
'Zeker bang voor hem. Waarschijnlijk is hij een echte dictator. Dat zijn de meesten van die lui.'
'De politie is hier ook geweest.'
'Die zijn nog veel erger.'
'Weet jij wat er is gebeurd?'
'Het enige wat ik weet, is wat er in de kranten heeft gestaan, meid. Je bent door een of andere maniak in het park aangevallen, gestoken en in elkaar geslagen.'
'Gestoken?'
'Dat stond er.'
Misschien verklaarde dat de hechtingen en het trekkerige, ribbelige gevoel van haar huid. Ze haalde diep adem en vroeg: 'Stond er ook of ik verkracht ben?'
'Als dat zo is, dan heeft de krant dat niet vermeld. En de media kennende, zouden ze zoiets heel breed hebben uitgemeten.'
'Ik heb gewoon zo'n raar gevoel daarbeneden.'
'Nou ja, zeg!' zei Sarah. 'Die rotartsen doen net alsof jouw lichaam hun bezit is. Ze horen je gewoon te vertellen wat er aan de hand is.'
'Misschien heb ik niet hard genoeg aangedrongen. Of misschien vinden ze me nog niet sterk genoeg. Ik ben nog steeds heel slap en moe.'
'Maak je geen zorgen, liefje. Je bent vast binnen de kortste keren weer op krachten. Ik durf te wedden dat ze wel vertellen wat er aan de hand is als je weigert je pillen te slikken of het midden in de nacht op een krijsen zet. Of moet ik de arts soms voor je aanpakken?'

Kirsten glimlachte mat. 'Nee, bedankt. Hij moet nog even heel blijven. Dat doe ik later zelf wel.'
'Vooruit dan maar.'
'Je hebt mijn vraag niet beantwoord.'
'Welke vraag?'
'Wat doe je hier? Ik dacht dat je deze zomer naar huis zou gaan.'
Sarah stak een hand uit en pakte die van Kirsten vast. Haar eigen hand was klein en zacht, met lange vingers en korte, afgekloven nagels. 'Iemand moet toch een beetje op jou letten, meiske,' zei ze.
'Ik meen het serieus.'
'Ik ook. Dat is de belangrijkste reden, en dat is niet gelogen. Ach, thuis zou het toch om de haverklap op ruzie uitdraaien. Je weet hoe mijn ouders over me denken. Ik haal het niveau van de hele buurt omlaag. En bovendien, wie wil er nou in vredesnaam een hele zomer in Hereford doorbrengen?'
'Heel veel mensen,' zei Kirsten. 'Heerlijk, zo op het platteland.'
Sarah schokschouderde. 'Misschien ga ik er nog heel even naartoe, maar dan houdt het ook echt op, hoor. We zijn van plan een feministische boekwinkel te beginnen in dat pandje waar vroeger die winkel in tweedehands platen zat. Enig idee hoe we hem gaan noemen?'
Kirsten schudde haar hoofd.
'*Harridan*.'
'Harridan? Maar dat betekent toch...?'
'Inderdaad, "chagrijnig oud wijf". Herinner je je die ophef nog toen Anthony Burgess beweerde dat Virago een slecht gekozen naam was voor een vrouwenuitgeverij omdat het stond voor een vinnige of onbeschofte vrouw? Nou, wij gaan dus nog een stapje verder. We zullen iedereen eens laten zien dat feministen net zoveel gevoel voor humor hebben als andere mensen.' Ze proestte.
'Of een even slechte smaak,' merkte Kirsten op.
'Dat komt meestal op hetzelfde neer. Hoe moet het trouwens nu met jou?'
'Hoezo?'
'Nou, wanneer je hier weg mag.'
'Dat weet ik nog niet. Ik neem aan dat ik naar mijn ouders ga. Ik voel me niet honderd procent, Sarah. Mijn hoofd... Ik zit ontzettend in de knoop.'
Sarah kneep even in haar hand. 'Dat lijkt me niet meer dan logisch. Het gaat heus wel over. Misschien komt het door de medicijnen die ze je hier geven.'
'Ik heb last van afschuwelijke nachtmerries.'
'Je herinnert je toch niets meer van wat er is gebeurd, hè?'
'Nee.'

'Dan zal dat het zijn. Tijdelijk geheugenverlies. Je hersenen blokkeren pijnlijke ervaringen die ze niet bevallen.'
'Tijdelijk?'
'Misschien komt alles terug. Soms moet je daaraan werken.'
Kirsten draaide haar hoofd om naar het raam. Buiten, achter de bloemen en de beterschapskaarten op haar tafel, zag ze de toppen van de bomen loom wiegen in de wind, en in de verte een torenflat die wit oplichtte in het julizonnetje. 'Ik weet eigenlijk niet of ik het me wel wíl herinneren,' fluisterde ze. 'Ik voel me zo leeg vanbinnen.'
'Je hoeft er nu nog niet over na te denken, meid. Rust eerst maar uit en zorg dat je aansterkt. Maak je maar geen zorgen, ik blijf in de buurt. Ik ga heel goed voor je zorgen, dat beloof ik.'
Kirsten glimlachte. 'Waar is Galen? De politieman zei dat hij hier was geweest.'
'Dat klopt. Ik heb hem gebeld en zodra ik hem het nieuws had verteld, kwam hij als een gek hiernaartoe. Hij is drie dagen gebleven. Als ze het hadden toegestaan, zou hij al die tijd naast je bed hebben gezeten. Hoe dan ook, zijn moeder vindt het heel moeilijk om de dood van zijn oma te verwerken, dus hij moest terug. Kennelijk staat ze op het randje van een zenuwinstorting. Een bijzonder overgevoelige vrouw. Hij heeft gezegd dat hij zou terugkomen zodra je weer bij kennis was. Waarschijnlijk is hij al onderweg.'
'Die arme Galen.'
'Kirsten?'
'Ja, wat is er?'
'Verwacht er nou niet te veel van. Ik bedoel... Ach, shit, laat ook maar.'
'Wat nou? Zeg het maar.'
'Ik bedoel alleen maar dat mannen soms erg raar kunnen reageren wanneer er zoiets als dit gebeurt.'
'Hoezo dat?'
'Ze kunnen het vaak niet aan. Ze gaan zich bizar gedragen... beschaamd, gegeneerd. Verliezen alle interesse. Dat is alles.'
'Ik weet zeker dat Galen het wel aankan.'
'Ja, natuurlijk, meid. Natuurlijk kan hij het wel aan.'
'Sarah, ik heb dorst. Zou je me alsjeblieft wat water willen aangeven? Mijn ene arm zit vol slangetjes en de andere is gewoon te moe.'
'Tuurlijk.' Sarah pakte de plastic fles van het tafeltje naast het bed en hield hem schuin bij Kirstens mond, zodat ze gemakkelijk bij het rietje kon. 'Alsof je een baby bent, verdorie.'
Kirsten knikte en liet het rietje weer uit haar mond glijden. 'Fijn, dat is wel genoeg. Dank je. Ik vind het vreselijk om zo hulpeloos te zijn.'

Sarah zette de fles terug en pakte haar hand weer vast.
'Wat gebeurt er allemaal in de wereld buiten?' vroeg Kirsten.
'Nou, er is nog geen kernoorlog uitgebroken, als je daar soms bang voor was. En de politie is bij ons allemaal langs geweest om ons over jou te ondervragen.'
'Hoe zijn ze erachter gekomen wie ik was?'
'Ze hebben je tas teruggevonden. Hoor eens, ik zie aan je dat je dat allemaal niet meer weet, dus kan ik je net zo goed vertellen wat ik weet. Wil je dat?'
Kirsten knikte langzaam. 'Alleen niet over... je weet wel... de aanval zelf.'
'Komt in orde. Zoals ik al zei, weet ik niet precies wat er is gebeurd, maar blijkbaar heeft een man die zijn hond in het park aan het uitlaten was je gevonden en heeft hij heel snel gehandeld. Ze denken dat hij je leven heeft gered. Zodra de politie aan de hand van je collegekaart ontdekte wie je was, kwamen ze op de universiteit langs om navraag te doen naar je vrienden. Het duurde niet lang voordat ze op de hoogte waren van dat feestje, dus de volgende dag werden we allemaal door meneer agent met een bezoekje vereerd. Ze dachten waarschijnlijk dat een van ons je misschien wel was gevolgd om je om zeep te helpen, maar na jou is er een hele tijd niemand van het feest weggegaan. Ik ben tot twee uur gebleven en Hugo was er toen ook nog, handtastelijk als altijd. Ze wisten zelfs van die ruzie in The Ring O'Bells. Ik durf te wedden dat die zak van een kroegbaas en die gorilla van hem ook stevig aan de tand zijn gevoeld.'
Kirsten knikte. 'Ja, zoiets zei de inspecteur al. De politie is snel in actie gekomen, he?'
'Tja, wat had je dan verwacht? Jij bent immers een zielige, onschuldige studente en je vader is wél directeur van een uiterst geheim, aan de overheid gelieerd elektronicabedrijf. Alles draait om connecties, lieve schat. Je bent immers niet een of andere straatmadelief, op zoek naar een klant.'
'Wat ben je cynisch, Sarah.'
'Sorry. Het was niet mijn bedoeling om zo gevoelloos te klinken. Maar het is wel zo, hè?'
'Dat weet ik niet. Ik zou graag geloven dat ze doen wat ze kunen om iemand die zulke dingen doet op te pakken, ongeacht tegen wie die daden zijn gericht.'
'Ik zou dat ook best willen geloven, maar droom maar lekker verder, lieverd.'
'En de anderen? Hoe gaat het met hen?'
'Hugo is een paar keer langs geweest en Damon heeft zijn vakantiebaan een paar weken uitgesteld, zodat hij jou kon opzoeken, maar toen was je nog helemaal van de wereld. Ze hebben bloemen en kaarten achtergelaten.'
'Ja, dat weet ik. Wil je hen namens mij bedanken?'
'Dat mag je zelf doen. Ik weet zeker dat ze terugkomen zodra ze horen dat je weer in het land der levenden bent.'

'Waar zijn ze nu?'
'Hugo is naar zijn ouders in Bedfordshire afgereisd, ongetwijfeld om daar de rest van de zomer op hun zak te teren en de plaatselijke melkmeiden te neuken, en Damon gaat hop plukken in Kent. Zie je het al voor je: Damon die zijn lelieblanke handjes vies maakt?'
'Iedereen is dus weg.'
'Ja, meid. Iedereen, behalve ik. En van mij kom je echt niet zo gemakkelijk af.' Kirsten glimlachte en Sarah gaf haar opnieuw een kneepje in haar hand. 'Ze komen heus wel terug. Wacht maar af. Ik moet nu trouwens maar eens gaan. Je ziet er hondsmoe uit.'
'Kom je gauw weer?'
'Dat beloof ik. Rust maar lekker uit.' Sarah bukte zich, kuste haar zacht op haar voorhoofd en vertrok.
Terwijl Kirsten daar zo lag, probeerde ze alles wat Sarah haar had verteld te laten bezinken. Natuurlijk mocht ze niet verwachten dat de anderen al die tijd in de buurt waren gebleven en een bezoekje van de politie had hun natuurlijk allemaal de stuipen op het lijf gejaagd. Hugo dacht waarschijnlijk dat het hun te doen was om de gram cocaïne die hij had gekocht om het eind van het semester te vieren. Toch voelde ze zich verraden en in de steek gelaten. Ze begreep best dat ze allemaal hun eigen weg moesten gaan. Die gedachte had op die laatste avond juist vaak door haar hoofd gespookt, herinnerde ze zich. (Waarom noemde ze het eigenlijk haar 'laatste' avond, vroeg ze zich af.) Daar stond tegenover dat ze ook niet direct de pest had. School er iets van waarheid in de toespelingen die Sarah had gemaakt? Geneerden Damon en Hugo zich over wat haar was overkomen? Schaamden ze zich ervoor? Waren ze bang om haar onder ogen te komen? Ach wat, waarom zouden ze? vroeg ze zich af. Ze moesten gewoon werken. Ze kwamen vast terug zodra ze weg konden, precies zoals Sarah had gezegd. En Galen was vast en zeker allang onderweg.
Sarahs bezoek had haar een beetje opgevrolijkt. Ook had het haar nieuwsgierigheid aangewakkerd. Kennelijk speelde er veel meer mee dan zij in de gaten had. Kon ze de arts echt dwingen haar iets te vertellen door hem aan zijn hoofd te blijven zeuren of het op een krijsen te zetten?
Er was in elk geval één ding wat ze nu meteen kon doen. Ze duwde voorzichtig het beddengoed van zich af en knoopte haar nachthemd van bovenaf aan open. Het ging heel traag, omdat haar gezonde arm aan een infuusapparaat vastzat en ze het moest doen met de zwakke, onhandige vingers van haar linkerhand, de hand die ze vrijwel nooit gebruikte. Ze geloofde niet echt dat ze ver zou komen, maar tot haar verbazing merkte ze dat ze, zodra ze eenmaal was begonnen, niet meer kon ophouden, ook al waren de bewegingen lastig en pijnlijk.

Uiteindelijk was het haar gelukt de bovenste vier knopen open te maken. Het viel niet mee om haar hoofd naar voren te buigen en omlaag te kijken, dus schoof ze achteruit tegen haar kussens aan en liet ze zich tegen het hoofdboord zakken. Vanuit die positie kon ze haar hoofd een stukje naar voren buigen zonder haar nek al te veel te gebruiken. In het begin zag ze niets. Het nachthemd hing nog steeds om haar borsten. Ze rustte even uit en trok het met haar vrije hand weg. Toen ze opnieuw omlaagkeek, begon ze te gillen.

13
Martha

The Lucky Fisherman stond in een rustig straatje en bleek een eenvoudige kleine buurtkroeg te zijn die voornamelijk door wijkbewoners werd bezocht. Martha zag eigenlijk geen verschil tussen de bar en de familiekamer; in beide stonden dezelfde ronde tafeltjes met krakende houten stoelen. Het houtwerk was oud en zat vol krassen, en in een van de gegraveerde glazen panelen in de deur tussen de verschillende bargedeeltes zat een barst. Aan de ene kant van de ruimte hing een dartbord dat niet in gebruik was toen zij om vijf over zeven binnenkwam.

Er waren maar een paar andere klanten in de pub en de meesten hingen op hun gemak tegen de bar met de kroegbaas te kletsen. Keith zat aan een tafeltje in een hoek onder een ingelijste foto, een oude, sepiakleurige overzichtsfoto van Whitby ten tijde van de walvisjacht, met schepen met hoge masten in de haven en bonkige mannen met een zuidwester op – zoals de man op de zakjes drop van Fisherman's Friend – die tegen de reling langs St. Ann's Staith leunden en een grote pijp rookten. Het hek was in die tijd van hout, zag Martha: één lange paal die hier en daar door stutten overeind werd gehouden.

'Goeie dag?' zei Keith, die opstond toen ze naar hem toe liep.

'Goedendag,' antwoordde Martha.

Hij lachte. 'Nee, ik bedoelde: heb je een goeie dag gehad? We praten niet allemaal zoals Paul Hogan, hoor.'

Martha zette haar weekendtas op een lege stoel en ging tegenover hem zitten. 'Wie?'

'Paul Hogan. *Crocodile Dundee*. Een beroemde Australiër. Mijn god, jij gaat vast nooit naar de film en kijkt ook zeker geen televisie?'

Martha schudde haar hoofd. De naam kwam haar vaag bekend voor, maar het leek wel een eeuwigheid geleden en ze kon zich geen details herinneren. In haar hoofd was tegenwoordig blijkbaar geen ruimte meer voor onbelangrijke feitjes.

'Wat doe je dan wel om je te vermaken?'

'Ik lees.'
'Aha. Heel verstandig. Wil je iets drinken?'
'Bier. Een halve pint, alsjeblieft.'
Keith liep naar de bar, en kwam terug met haar bier en een nieuwe pint voor zichzelf.
'Maar hoe was je dag dus?' vroeg hij nogmaals.
'Goed.' Het was lang geleden dat Martha voor het laatst met een jongen – of eigenlijk een man – had gepraat, of überhaupt een gesprek met iemand had gevoerd. Ze was kennelijk alle behendigheid om over koetjes en kalfjes te praten kwijtgeraakt. Ze nam aan dat ze dat ooit wel had gekund, ook al kon ze zich niet meer voor de geest halen wanneer dat moest zijn geweest. Het enige wat ze kon doen, was Keith het voortouw laten nemen en zijn voorbeeld zo goed en zo kwaad als dat ging volgen. Ze tastte in haar tas naar haar sigaretten en bood hem er een aan.
'Nee, ik rook niet,' zei hij. 'Maar ga jij vooral je gang.'
Ze stak een Rothmans op, stelde vast dat ze binnenkort een nieuw pakje zou moeten kopen en stak haar hand weer uit naar haar glas.
'Tja...' zei Keith.
Martha kreeg de indruk dat het haar beurt was om iets te zeggen, dus dat deed ze dan maar. 'En jij? Waar ben jij geweest?'
'Och, ik heb een beetje rondgewandeld en de gebruikelijke bezienswaardigheden bezocht. Een tijdje op het strand gezeten. Ik heb zelfs een duik genomen. Ik ben het niet gewend dat het hier zo warm is.'
'Het is inderdaad ongewoon,' beaamde Martha.
'Ik ben van plan langs de kust naar Schotland te reizen. Dat had ik je volgens mij al verteld.'
Martha knikte.
'Nou, ik hou echt vakantie. Geen kranten, geen radio, geen televisie. Ik wil niet weten wat er in de rest van de wereld gebeurt.'
'Dat is meestal toch niets goeds,' zei Martha instemmend.
'Dat is maar al te waar. En hoe zit het precies met jou? Ik ben een beetje nieuwsgierig. Waarom ben jij hier helemaal in je eentje, als ik vragen mag?'
Martha overwoog om te antwoorden dat hij dat niet mocht vragen, maar dan zou hij alleen maar boos worden. Het was veel eenvoudiger om te liegen. Het drong tot haar door dat ze hem alles kon wijsmaken wat ze wilde, alles wat er maar bij haar opkwam – dat ze in Mozambique woonde, bijvoorbeeld, en even vrij had genomen van het organiseren van safari's, of dat ze was gevlucht voor haar echtgenoot, een Arabische prins aan wie ze als jong meisje was verkocht en die haar in een harem had geplaatst. Ze kon hem vertellen dat ze alleen rond de wereld reisde, omdat haar in wapens handelende vader die

miljardair was dat als voorwaarde in zijn testament had opgenomen en dat ze de reis bekostigde van de erfenis. Het was een opwindend gevoel, een overweldigend gevoel van macht en vrijheid. Het was echter beter om het simpel en geloofwaardig te houden, bedacht ze, dus vertelde ze hem dat ze research deed voor een boek.
'Je bent dus schrijfster?' vroeg hij. 'Dom van me, dat moet natuurlijk wel als je een boek aan het schrijven bent.'
'Och, ik ben niet bekend, hoor. Het is mijn eerste boek pas. Je hebt vast nog nooit van me gehoord.'
'Wie weet komt dat nog.'
'Wie weet. Het is een historisch boek, eigenlijk eerder een wetenschappelijke studie. Het is geen fictie of zo, bedoel ik.'
'Waar gaat het over?'
'Dat is moeilijk uit te leggen. Het gaat gedeeltelijk over het vroege christendom, met name dat aan de oostkust hier. Je weet wel: Beda, Caedmon, St. Hilda, de Synode van Whitby.'
Keith schudde langzaam zijn hoofd. 'Ik ben bang dat ik je niet kan volgen. Ik ben maar een eenvoudige Australische rechtenstudent. Maar het klinkt wel fascinerend.'
'Dat is het ook,' zei Martha, die blij was dat hij haar niet kon volgen. Met een beetje geluk volgden er geen vragen meer over wat ze precies deed. Ze rookte haar sigaret op en dronk haar glas leeg. Keith ging onmiddellijk een nieuw rondje halen.
'Weet jij iets af van de visserij hier?' vroeg Martha toen hij terugkwam.
Hij keek haar onderzoekend aan. Zijn ogen waren echt heel felblauw, alsof hij zo lang naar blauwe luchten en oceanen had gestaard dat ze de kleur van het water en de hemel hadden aangenomen. 'De visserij hier? Wat een rare vraag. Nee, daar weet ik eigenlijk niets vanaf.'
'Ik wilde er graag bij zijn wanneer ze de vangst binnenbrengen, dat is alles,' zei ze snel. 'Het moet erg interessant zijn. Ze brengen alles naar die lange loods aan de haven en dan wordt de vis geveild.'
'Dat zal dan wel op vrijdag gebeuren,' zei Keith.
'Vrijdag, visdag? Is dat soms een grapje?'
Keith lachte. 'Nee, hoor. Wat ik eigenlijk bedoelde, is dat ik ergens heb gehoord dat ze op zondag uitvaren en op vrijdag terugkomen, dus dan wordt ook de vangst binnengebracht. Dat geldt voor de grote boten. De kleine, zoals kielboten en platboomde vissersboten, varen elke dag uit en komen 's avonds weer terug, maar die hebben zo weinig te verkopen dat het allemaal voor zonsopgang al voorbij is.'
Martha ging het in gedachten na en probeerde zich te herinneren wat op

welke dag was gebeurd. Degene die zij zocht, had waarschijnlijk zelf een kleine boot, was haar conclusie. Als ze eenmaal wist waar ze moest zoeken, moest die gemakkelijk op te sporen zijn. Er was ongetwijfeld ergens een of ander register...
'Dat is over een paar dagen al,' zei Keith. 'Jammer dat ik hier dan niet meer ben. Je zult heel vroeg in de ochtend moeten opstaan om de boten te zien binnenkomen, maar het veilen duurt wel even.'
'Hè? Sorry.'
'Als je de boten wilt zien binnenkomen. Ik zei dat je dan heel vroeg moet opstaan. Die varen voor zonsopgang de haven binnen.'
'O, nou, ik weet zeker dat de zeemeeuwen me wel op tijd wakker maken.'
Keith lachte. 'Wat een ellendige kleine herrieschoppers, hè? Zeg, kom je eigenlijk uit dit deel van het land?'
'Yorkshire? Nee.'
'Ik dacht al dat je een ander accent had. Waar kom je dan vandaan?'
'Exeter,' loog Martha.
'Nooit geweest.'
'Daar mis je niets aan. Het is gewoon een stad als alle andere. Vertel eens wat over Australië.'
Dat deed Keith met verve. Het beviel hun allebei. Keith kon wat van zijn heimwee kwijt door over het leven in Sydney te vertellen en Martha kon net doen alsof het haar interesseerde. Ze vond de hele avond inmiddels wat van een schijnvertoning krijgen en vroeg zich af waarom ze er in vredesnaam mee had ingestemd iets met hem af te spreken. Het riep ook verontrustende herinneringen bij haar op, voornamelijk aan haar tienertijd toen ze belangstelling had geveinsd voor de opschepperige verhalen van jongens en vervolgens hun tastende handen moest afweren, omdat dat nu eenmaal zo scheen te horen. Zou Keith uiteindelijk precies hetzelfde blijken te zijn als al die anderen? Ze zette die gedachte resoluut uit haar hoofd.
'... net zo flitsend als een rat met een gouden tand,' zei Keith. 'Maar dat zeggen alleen inwoners van Melbourne. Het is ook niet zo verwonderlijk dat zij Sydney vergelijken met een opzichtige hoer. Melbourne zelf heeft eerder iets weg van een oude vrijster met steunkousen...'
De pub stroomde langzaam vol. De meeste tafels waren inmiddels bezet en drie mannen waren net met een potje darts begonnen. Martha knikte op de juiste momenten. Al snel ontdekte ze dat haar tweede halve pint ook leeg was.
'Nog eentje?' vroeg Keith.
'Probeer je me soms dronken te voeren?'
'Waarom zou ik dat doen?'
'Om me te verleiden.'

Keith werd knalrood. 'Dat was niet wat ik... Ik bedoel, ik...'
Ze wuifde het nonchalant weg. 'Geeft niet. Ja, als jij zelf wat neemt, lust ik er ook nog wel een.'
Terwijl hij bij de bar stond, ving Martha voor het eerst de stem op. De haartjes in haar nek gingen rechtovereind staan en haar keel werd dichtgeknepen. Ze keek onopvallend om. Er stonden nu nog maar twee mannen te darten en degene die had gesproken, was een van hen. Hij was klein en gebruind, en droeg een donkerblauwe visserstrui. Hij zag eruit alsof hij zich een paar dagen niet had geschoren en onder zijn piekerige pony glinsterden zijn ogen onnatuurlijk fel, net die van de Oude Zeeman uit de ballade van Coleridge. Hij zag dat Martha hem aanstaarde en keek even terug. Ze wendde haastig haar hoofd af.
Keith kwam terug met hun drankjes en excuseerde zich om naar het toilet te gaan.
Martha draaide heel langzaam haar hoofd weer om en probeerde de man vanuit een ooghoek op te vangen. Had hij haar herkend? Ze dacht het niet. Deze keer was hij volledig op het werpen van de darts geconcentreerd en merkte hij niet dat ze hem opnam. Was hij het echt?
'Ken je hem?'
Martha maakte bijna een sprongetje toen ze Keiths stem hoorde. Ze had niet in de gaten gehad dat hij al terug was. 'Nee. Waarom vraag je dat?'
Keith haalde zijn schouders op. 'Omdat je naar hem zat te kijken.'
'Natuurlijk ken ik hem niet,' zei Martha. 'Ik ben hier pas een dag.'
'Je zat anders heel ingespannen te staren. Dacht je soms dat je hem ergens van kende?'
'Ik heb je al gezegd dat ik geen flauw idee heb wat je bedoelt. Laat het alsjeblieft rusten, oké?'
'Weet je zeker dat alles goed met je gaat?'
'Ja, met mij is alles prima,' zei Martha. En voor het eerst die avond sprak ze ook echt de waarheid. Nu ze iets concreets had om mee aan de slag te gaan, was haar hoofd beter in staat zich te focussen en te concentreren. Daar stond tegenover dat ze voelde dat ze steeds verder bij Keith vandaan zweefde. Het viel haar steeds zwaarder om zijn geklets te volgen en op het juiste moment te reageren. Hij deed denken aan een irritante vlieg die ze telkens weg moest slaan. Ze wilde alleen zijn, maar ze kon nu nog niet vertrekken. Ze moest het spelletje mee blijven spelen.
'Je studeert dus nog?' vroeg hij.
'Ja. Ik wil promoveren aan de universiteit van Bangor.'
'En dat boek is je proefschrift?'
'Min of meer wel.'

Het was ondraaglijk, net een of ander afschuwelijk interview waar ze zich doorheen moest slaan. Terwijl ze antwoord gaf op Keiths zinloze vragen, was Martha zich voortdurend bewust van de dartswedstrijd die achter haar aan de gang was. Haar huid brandde en haar hart klopte veel te snel.
Eindelijk was de wedstrijd afgelopen. De man die ze had gadegeslagen liep naar de bar, waar ze hem vanuit een ooghoek kon zien, en zette zijn lege glas neer. 'Zo, ik zit voor vanavond aan mijn taks,' zei hij tegen de kroegbaas. 'Tot morgen, Bobby.' Het accent klopte en de stem was hees.
'Goeienavond, Jack,' zei de pubbaas.
Martha keek Jack na toen hij naar de uitgang liep. Voordat hij de deur opendeed, wierp hij heel even een blik in haar richting, maar hij liet nog altijd niet merken dat hij haar had herkend. Ze keek op haar horloge. Het was kwart voor tien. Om een of andere reden had ze de indruk dat wat zich zojuist had afgespeeld een vast ritueel was dat zich elke avond herhaalde: Jack die na afloop van de wedstrijd zijn glas op de bar zette en een opmerking maakte over hoe laat het al was. Als hij visser was, moest hij 's ochtends waarschijnlijk vroeg op. Maar had hij dan nu niet allang op zee moeten zitten? Het was allemaal erg verwarrend. Goed, als hij er een gewoonte van maakte om dit elke avond te doen, kon ze morgen altijd terugkomen, want dan was Keith weg, en dan... Tja, de volgende stap moest zorgvuldig en tot in de puntjes worden uitgestippeld, maar ze had tijd genoeg.
'Zullen we gaan?'
Martha richtte haar aandacht met moeite weer op Keith, alsof ze zich vanuit de verte op iets moest focussen. Ze knikte en pakte haar weekendtas. De warme, frisse buitenlucht voelde heerlijk aan in haar longen. Boven St. Mary's hing een felle halvemaan.
'Zin om een eindje te gaan wandelen?' vroeg Keith.
'Dat is goed.'
Ze wandelden door East Terrace langs een rij hoge, witte victoriaanse hotels in de richting van het standbeeld van Cook. Toen ze langs de walviskaak kwamen, bleef Keith staan en hij zei: 'Wat moet dat spannend zijn geweest: eropuit varen om op walvissen te jagen.'
'Dan zou ik natuurlijk een van de wachtende vrouwen zijn geweest,' zei Martha, 'die hoopten dat ze een walviskaak aan de mast genageld zouden zien.'
'Wat?'
'Het was een teken. Het betekende dat iedereen veilig was. De vrouwen liepen vroeger langs West Cliff om uit te kijken naar schepen die huiswaarts keerden.' Martha staarde naar de reusachtige benen boog. Gezien vanaf de plek waar zij stond, vormde hij een prachtige omlijsting voor de in het licht

van schijnwerpers gevangen St. Mary's aan de overkant van de haven, alsof het geheel door een kunstenaar was bedacht.
'Ik kan me haast niet voorstellen dat jij dat zou hebben gekund,' zei Keith, terwijl hij langzaam verder slenterde. 'IJsberen en lijdzaam afwachten.'
'Waarom zeg je dat?'
'Nou, ik zal niet beweren dat ik je echt ken, maar je lijkt mij een vrij moderne vrouw, iemand die zich van het juk heeft ontdaan, of hoe zeggen ze dat ook alweer. Ik vermoed dat jij eerder aan boord van een van de schepen zou hebben gezeten.'
'Er mochten geen vrouwen mee.'
'Nee, dat zal wel niet, maar je snapt wel wat ik bedoel.'
Martha snapte er geen snars van. Het was zijn eerste echt persoonlijke opmerking en hij overviel haar ermee. Hoe kon iemand die een paar uur lang alleen maar over nietszeggende dingen had zitten kletsen nu opeens met zo'n opmerking op de proppen komen? Ze had een groot deel van de tijd heel weinig aandacht aan hem geschonken. Had hij echt haar karakter doorgrond? Ze hoopte maar van niet. Wat hij daar aantrof, beviel hem beslist niet.
Bij het standbeeld van Cook gingen ze op een bankje zitten om naar de zee te kijken. Er waaide een koel briesje door haar haren en de weerspiegeling van de maan zweefde ergens in de verte, maar toch verspreidde het spookachtige witte licht zich zo ver het oog reikte over alle golfjes en rimpels in het water. Martha moest denken aan een fragment uit Lawrence' *Liefde en vrouwen,* waarin Birkin kiezels naar de weerspiegeling van de maan in de vijver gooide. Volgens haar leraar Engels was het symbolisch bedoeld, maar wist niemand waar het precies voor stond. Voor haar was een symbool iets wat stond voor dingen die je wel voelde, maar niet kon uitleggen. En nu had ze plotseling zin om kiezels naar de deinende witte zee te gooien.
'Heb je een vriend?' vroeg Keith.
'Wat denk je zelf? Kennelijk weet jij precies wat voor iemand ik ben. Wat zou jij zeggen?'
'Het zou me verbazen als je géén vriend had. Maar als ik hem was, zou ik jou nooit in je eentje op pad laten gaan.'
'Waarom niet?'
'Dat lijkt me toch duidelijk? Zo'n knap meisje als jij...'
Een knap meisje! Martha proestte het bijna uit. Vanaf de plek waar ze zaten, helemaal boven op het klif en een stukje bij het hek langs de rand vandaan, kon ze de golven niet op het strand onder hen kapot zien slaan. Ze hoorde ze echter wel, en ook het harde, grommende gesis wanneer een ervan zich terugtrok. Het geluid vulde de stilte totdat Keith weer iets zei.
'Je straalt trouwens iets verontrustends uit,' merkte hij op.

‘O? Wat dan?’
‘Nou, om te beginnen valt het niet mee om jou te doorgronden.’
Martha keek op haar horloge. ‘We hebben amper drie uur samen doorgebracht,’ zei ze. ‘Hoe goed denk je dat je iemand in die tijd kunt leren kennen?’
‘Het gaat niet om tijd. Sommige mensen leer je echt heel snel kennen. Maar jou niet. Er zit een onpeilbare diepte in jou.’
‘Waarom is dat dan verontrustend?’ vroeg Martha. Onwillekeurig had ze toch belangstelling gekregen voor het beeld dat hij zich van haar had gevormd.
‘Och, dat kan ik niet zeggen. Je komt heel afstandelijk over. Je snapt mijn grapjes niet. Het lijkt net of je de afgelopen jaren op een andere planeet hebt gezeten. Kijk, als ik een grapje maak, dan lach je daar niet om, je stelt een vraag.’
‘Geef eens een voorbeeld?’
Keith lachte. ‘Nou, zó dus.’
Martha merkte dat ze bloosde. Dat was geen aangenaam gevoel. Ze glimlachte. ‘Je hebt eigenlijk ook wel gelijk. Ik ben gewoon nieuwsgierig.’
Hij schudde zijn hoofd. ‘Nee, dat is het niet. Het is eerder een vorm van zelfverdediging. Je gedraagt je heel ontwijkend. Je hebt een dikke verdedigingsmuur om jezelf opgetrokken, Martha. Daar verstop je je achter, achter een muur met prikkeldraad. Waarom?’
Martha werd zich ervan bewust dat Keiths arm om haar schouder gleed. Ze verstijfde onmiddellijk. Haar tegenzin kon hem onmogelijk ontgaan, dacht ze bij zichzelf, maar toch haalde hij hem niet weg. ‘Hoe bedoel je: waarom?’ vroeg ze.
‘Waarom vind je dat je jezelf moet beschermen, dat je je moet verstoppen? Waar ben je bang voor?’
‘Er is heel veel om bang voor te zijn,’ zei Martha langzaam. ‘En waarom denk je dat ik mezelf bescherm tegen de buitenwereld? Misschien bescherm ik de buitenwereld wel juist tegen mij.’
‘Dat is nogal een verschil. Ik geloof niet dat ik jou begrijp, echt niet. Ik vind je wel heel intrigerend, en bijzonder aantrekkelijk.’
Heel ver op zee knipperde een scheepslamp. Martha wist haar kokende woede te bedwingen en liet hem begaan. Het was een zachte, aftastende kus, geen gewelddadige, dwingende aanval van zijn tong. Dat was de kleine opoffering die ze zich moest getroosten om normaal over te komen, hield ze zichzelf ondanks haar boosheid voor. Ze wist dat ze minder enthousiast reageerde dan hij had verwacht, maar daar kon ze echt niets aan veranderen.
‘Jammer dat ik morgen weg moet,’ zei hij, terwijl hij haar voorzichtig losliet. Het was duidelijk dat haar reactie, of het gebrek daaraan, hem koud liet. ‘Ik zou graag wat meer tijd met je doorbrengen en je beter leren kennen.’

Martha zei niets. Ze staarde naar de rimpelende maan op het water en volgde de scheepslamp, die zich als een ster aan de hemel langs de horizon verplaatste. Hij kuste haar opnieuw, deze keer met iets meer passie, en verkende met zijn tong haar tanden.
'Nee,' zei ze kalm, maar ferm. 'Waar zie je me voor aan? We kennen elkaar nog maar net.'
'Het spijt me,' zei Keith, 'dat meen ik echt. Ik wilde je echt niet beledigen. Ik dacht alleen... Nou ja, ik hoopte het. Mijn god, je kunt het me toch niet kwalijk nemen dat ik het probeer, of wel?'
Dat kon Martha best, maar ze zei het niet. In plaats daarvan probeerde ze hem ondanks de razernij die in haar oplaaide gerust te stellen. 'Het is niet dat ik je niet mag,' zei ze. 'Het is me gewoon te snel. Ik ben gewoon niet iemand die in is voor een vluggertje in de vakantie.'
Nu keek Keith op zijn beurt beledigd. 'Dat is niet eerlijk. Dat was helemaal niet wat ik in gedachten had.'
Maar dat was het wel degelijk, wist Martha. Keith was best een aardige gozer – niet te opdringerig – maar waar het uiteindelijk op neerkwam was dat hij met haar naar bed wilde. Natuurlijk beweerde hij dat hij dat soort dingen normaal gesproken nooit deed en zij behoorde hetzelfde te zeggen. Straks zou hij haar vertellen dat het met haar anders was, heel bijzonder. Hij bleek toch een jager, maar dan wel een tamme. Nu hij werd afgewezen, ging hij zitten mokken en werd hij chagrijnig. Ze waren lang niet allemaal zo gemakkelijk van je af te slaan als hij.
'Kom,' zei Martha. 'Laten we maar teruggaan. Het wordt fris.'
Keith liep met zijn handen in zijn zakken en gebogen hoofd met haar mee terug naar het pension.

14
Kirsten

'Het is mijn lichaam. Ik heb het recht het te weten.'
Kirsten leunde achterover tegen de kussens. Haar ogen waren gezwollen en de sporen van de tranen op haar wangen waren opgedroogd. De arts stond aan het voeteneind van het bed en haar ouders zaten naast haar.
'Je was er veel te slecht aan toe om het akelige nieuws aan te kunnen,' zei de arts. 'Je was echt heel ernstig gewond. We moesten koste wat het kost voorkomen dat je van streek zou raken.' Kirsten keek hem nu voor het eerst recht aan. Hij was een kleine man met een donkere huid en een diepe, in zijn voorhoofd gegroefde frons die in een V tussen zijn borstelige zwarte wenkbrauwen eindigde. Op een of andere manier zag hij er door die rimpels erg opvliegend uit, ook al had Kirsten hem nog niet kwaad gezien. Hij had dan weliswaar geprobeerd de volle omvang van het letsel voor haar verborgen te houden, maar hij was in elk geval wel heel vriendelijk geweest.
'Ik ben al van streek,' zei ze. Haar nachthemd was inmiddels weer dichtgeknoopt, maar de herinnering aan wat ze had gezien joeg haar nog steeds angst aan. 'Hoor eens, ik ben geen klein kind meer. Er is iets mis. Vertel het me, alstublieft.'
'We wilden je gewoon niet laten schrikken, kind.' Haar moeder herhaalde wat de arts had gezegd. 'Wanneer je je later iets beter voelt, is er nog genoeg tijd om alles uitvoerig te bespreken. Waarom rust je niet even wat uit? De dokter kan je vast wel een kalmeringstablet geven.'
Kirsten ging moeizaam rechtop zitten. 'Ik wil geen kalmeringstablet! Ik wil het nu weten! Als jullie het me niet vertellen, ga ik me alleen maar voorstellen dat het erger is dan het is. Ik voel me afschuwelijk, maar volgens mij ga ik niet dood, of wel? Wat kan er verder dan zo erg zijn?'
'Ga liggen en blijf rustig,' zei de arts. Hij duwde haar zachtjes naar beneden. 'Nee, je gaat niet dood. Je haalt met gemak je zeventigste verjaardag nog. Als dat wel het geval was geweest, dan was dat allang gebeurd.' Hij liep terug naar het voeteneind van het bed.

'Vertel me dan wat er aan de hand is.'
De arts aarzelde en keek naar haar vader. 'Toe maar,' zei deze. 'Vertel het haar maar.'
Kirsten wilde sputteren dat ze zijn toestemming niet nodig had. Ze was eenentwintig; ze hoefde niet langer om zijn goedkeuring te vragen. Maar als dit de enige manier was om erachter te komen, dan moest het maar.
De arts zuchtte en tuurde naar een plek op de muur boven haar hoofd. 'Wat jij hebt gezien,' stak hij van wal, 'die hechtingen, dat is het gevolg van een spoedoperatie. Het ziet er nu heel akelig uit, maar zodra ze genezen, zal het beter worden. Niet zo goed als nieuw, maar beter dan nu.'
Alles was beter dan nu, dacht Kirsten bij zichzelf; in gedachten zag ze haar rode, gezwollen borsten vol ritsvormige hechtingen voor zich, net iets uit een Frankenstein-film.
'Toen jij hier werd binnengebracht,' ging de arts verder, 'was één borst bijna volledig afgesneden. We hebben alleen al in de streek rond de borsten dertien steekwonden geteld.' Hij haalde zijn schouders op, boog zich naar voren en greep het metalen bedframe vast. 'We hebben werkelijk alles gedaan wat onder de omstandigheden mogelijk was.'
'Alleen? U zei "alléén al rond mijn borsten". Wat was er dan nog meer?'
'Je bent in je gezicht en op je hoofd geslagen, en had in totaal eenendertig steekwonden. Het is een wonder dat er geen aderen of organen zijn geraakt.'
Kirsten greep de bovenrand van het laken vast en hield het strak tegen haar hals geklemd. 'Wat hebben ze dan wel geraakt, afgezien van mijn tieten?'
'Kirsten!' riep haar moeder. 'Het is echt nergens voor nodig om zo te praten waar de dokter bij is.'
'Het geeft niet,' zei de arts. 'Ik vind dat ze best kwaad mag zijn.'
'Dank u,' zei Kirsten. 'Dank u wel. U zei dus?'
De arts richtte zijn blik weer op de muur. 'De meeste andere wonden bevonden zich in de maagstreek, in de bovenbenen en rond de vagina,' vervolgde hij. 'Het was een bijzonder wrede aanval, een van de ergste die ik ooit heb gezien, zeker bij een slachtoffer dat de aanval heeft overleefd. Er zaten ook oppervlakkige snijwonden in de buik en van de borsten tot aan de uitwendige geslachtsorganen was iets gekerfd wat eruitzag als een kruis met een lange verticale streep. De snijwonden waren niet echt diep, maar moesten wel worden gehecht. Daarom voelt je huid zo strak aan.'
Kirsten bleef zwijgend liggen en liet de lakens los. Het was nog erger dan ze had gedacht. Eenendertig snijwonden. Die vreselijke pijn tussen haar benen. Ze hapte naar adem en deed haar best de tranen terug te dringen. Ze vertikte het zich als een baby te gedragen en hun vermoedens te staven. 'Maar ik ga niet dood,' zei ze, 'dus waarom trekken jullie dan allemaal een gezicht van

oude lappen? Welk slecht nieuws houden jullie nog meer voor me verborgen? Waartegen proberen jullie me in bescherming te nemen? Ben ik voor het leven verminkt? Is dat het soms?'
'Er zal altijd een bepaalde mate van verminking zichtbaar blijven, ja,' zei de arts na een nieuwe blik in de richting van Kirstens vader om toestemming. 'Met name op de borsten en in de schaamstreek. Dat is echter niet het ergst. Een deel van die verminkingen zal operatief te verhelpen zijn. De echte problemen zitten vanbinnen, Kirsten,' zei hij; het was voor het eerst dat hij haar voornaam gebruikte en hij sprak hem heel zacht uit. 'Toen je werd binnengebracht, was je bewusteloos. We moesten direct opereren om een kans te maken om je leven te redden, en dat moest snel gebeuren, omdat het altijd een zeker risico met zich meebrengt een patiënt die buiten bewustzijn is te verdoven.'
'Wat wil dat zeggen?'
'Je had zware inwendige bloedingen en er bestond een grote kans op infectie, op buikvliesontsteking. We hebben met spoed een hysterectomie uitgevoerd.'
'Ik weet wat dat betekent,' zei Kirsten. 'Dat betekent dat ik geen kinderen kan krijgen, hè?'
'Het betekent dat de baarmoeder operatief is verwijderd.'
'Dat wil toch zeggen dat ik nooit kinderen zal kunnen krijgen?'
De arts knikte.
Kirstens moeder snikte zacht in een zakdoek. Haar vader en de arts keken plechtig. Naast haar piepte een apparaat regelmatig en een ander siste, en er druppelde een kleurloze vloeistof uit een infuus in haar arm. Alles in de kamer was wit, afgezien van het antracietgrijze pak van haar vader.
'Dat was toch al niet iets wat ik voor de nabije toekomst had gepland,' zei ze met een lachje om hun te laten zien dat ze zich er dapper doorheen sloeg. Deze keer kon ze echter niet voorkomen dat er tranen over haar wangen rolden. Haar vader en de arts staarden allebei op haar neer.
'Waarom staan jullie me zo aan te gapen?' riep ze en ze draaide haar gezicht naar de muur. 'Ga weg! Laat me met rust.'
'Je stond erop dat ik je alles vertelde, Kirsten,' zei de arts, 'en vroeg of laat had je het toch te horen gekregen. Ik zei al dat ik vond dat het te snel was.'
'Ik red me heus wel.' Kirsten pakte een papieren zakdoekje. 'Hoe hadden jullie dan verwacht dat ik zou reageren? Dat ik zou gaan dansen van vreugde? Is er soms nog meer? Nu u bent begonnen, kunt u het maar beter ook afmaken.'
Er viel een korte stilte en toen zei de arts: 'Een aantal steekwonden is dwars door de vagina gegaan.'
Haar moeder wendde haar blik af naar de deur. Het openhartige gesprek werd haar kennelijk te veel. Vagina's, borsten, penissen en dergelijke zaken waren bij hen thuis altijd taboe geweest.

'Nou en?' zei Kirsten. 'Ik neem aan dat u dat ook hebt kunnen repareren.'
De arts knikte. 'Jawel. We hebben de rijtwonden gedicht om het bloeden te stelpen. Zoals ik eerder al zei, ging het om een spoedoperatie.'
'Wilt u soms zeggen dat u een fout hebt gemaakt doordat u zoveel haast had? Is dat het?'
'Nee. We hebben de standaardspoedprocedure gevolgd. Dat heb ik je al verteld. Je was bewusteloos. We moesten heel snel handelen.'
'Wat probeert u me dan wél duidelijk te maken?'
'Tja, er is wat weefsel verloren gegaan en de schade zou zo ernstig kunnen zijn dat hij blijvende problemen veroorzaakt.'
'Zóú?'
'We weten het gewoon nog niet, Kirsten.'
'Wat houdt dat voor mij in?'
'Geslachtsgemeenschap kan een probleem worden,' legde de arts uit. 'Het kan pijnlijk zijn, lastig.'
Kirsten bleef even zwijgend liggen, lachte toen hardop en zei: 'Nou, dat is dan heel fijn! Dat is precies waar ik nu zin in had: een stevige neukpartij.'
'Kirsten!' snauwde haar vader. Het was voor het eerst in jaren dat ze boosheid bij hem bespeurde. 'Luister naar de dokter.' Haar moeder begon weer te huilen.
'Het is mogelijk dat plastische chirurgie op een later tijdstip uitkomst kan bieden,' vervolgde de arts, 'maar ik kan niets garanderen.'
Eindelijk drong tot Kirsten door wat hij bedoelde – eerder vanwege de klank van zijn stem dan door de woorden zelf – en ze voelde een koude steek door haar hele wezen snijden. 'Het kan dus voorgoed zijn?'
'Ik ben bang van wel.'
'En een hysterectomie is onomkeerbaar, hè?'
'Ja.'
Kirsten keek naar het raam en zag dat het buiten regende. De bladeren in de boomtoppen dansten in de hoosbui en de flatgebouwen in de verte zagen er leigrijs uit. 'Voorgoed,' herhaalde ze zachtjes bij zichzelf.
'Ik vind het echt heel erg voor je, Kirsten.'
Ze keek haar vader aan. Het was vreemd om in zijn bijzijn zaken als haar seksleven te bespreken; dat had ze nog niet eerder gedaan. Ze wist niet wat hij dacht over haar leven op de universiteit. Nu zat hij hier met een bedroefde, meelevende blik, omdat ze niet kon vrijen, misschien wel nooit meer. Of misschien was het juist de opmerking dat ze geen kinderen kon krijgen die hem het hardst had getroffen, omdat ze enig kind was.
Ze wist niet wat ze zelf het ergst vond; voor het eerst in haar leven waren de twee samengevloeid op een manier die ze nog niet eerder had meegemaakt.

Ze slikte al twee jaar de pil en was regelmatig naar bed gegaan met Galen, die pas de tweede man was met wie ze seks had. Ze hadden nooit over kinderen en de toekomst nagedacht, maar nu ze terugdacht aan hun tedere, extatische vrijpartijen, moest ze onwillekeurig denken aan nieuw leven dat binnen in haar groeide. Wat ironisch dat ze het vooruitzicht dat ze niet langer van seks kon genieten en geen kinderen kon krijgen nodig had om te beseffen hoe nauw die twee dingen met elkaar samenhingen. Ze lachte.

'Gaat het wel?' vroeg haar vader, die naar voren kwam en haar hand vastpakte. Ze stond het toe, maar de hare bleef slap.

'Dat weet ik niet.' Ze keek hem hoofdschuddend aan. 'Ik weet het niet. Ik voel me vanbinnen helemaal leeg, opgedroogd en dood.'

De arts stond nog steeds bij het voeteneind van het bed. 'Zoals ik al zei, kan plastische chirurgie misschien uitkomst bieden. Dat is iets om over na te denken. Ik weet niet of je het begrijpt, Kirsten,' zei hij, 'of dat het al tot je is doorgedrongen dat je echt heel veel geluk hebt gehad dat je nog leeft.'

'Ja,' zei Kirsten. Ze ging op haar zij liggen. 'Bijzonder veel geluk.'

15
Martha

De volgende ochtend was het pasgetrouwde stel vertrokken, waardoor er een tafeltje vrijkwam, maar Keith kwam toch bij Martha zitten. Hij praatte beleefd tegen haar tijdens het ontbijt, maar gedroeg zich niet langer bruisend en energiek zoals de dag ervoor, toen hij voor het eerst met haar aan één tafel had gezeten. Het gedwongen celibaat had zijn opgewektheid zeker ernstig aangetast, vermoedde ze. Ze besloot dat het maar het beste was om niets over de vorige avond te zeggen. Het was tenslotte Keiths laatste dag; misschien kon ze de volgende dag alleen eten.

Een bijzonder rumoerige zwerm zeemeeuwen in de buurt van het pension had de meeste gasten rond halfvier in de ochtend gewekt en dat vormde een veilig, neutraal gespreksonderwerp tijdens de bloedworst en gegrilde champignons die wederom de gebruikelijke bacon en eieren vergezelden.

Martha at snel door, wenste Keith een goede reis en verdween snel naar boven. Ze had slecht geslapen. Niet alleen de stropende meeuwen hadden haar wakker gehouden, maar ook de gedachten en angst over wat ze nu moest doen. Ze had het wekenlang lopen plannen, erover gedroomd en het in gedachten zo vaak doorgenomen dat ze de handeling in haar slaap kon verrichten. Nu het heel dichtbij kwam, was ze doodsbenauwd. Stel nu eens dat er iets verkeerd ging? Stel dat ze, wanneer het moment was aangebroken, niet durfde door te zetten? Zelfs heiligen twijfelen weleens, hield ze zichzelf voor. Ze moest vertrouwen blijven houden, dan kwam het vanzelf goed.

Aan de overkant van de haven hingen een paar wollige wolken boven St. Mary's die langzaam landinwaarts dreven. De zon scheen op de cottages die kriskras op de steile heuvelhelling stonden. Achter St. Hilda's, aan het andere uiteinde van de straat, was de lucht helder. Er waaide een zachte bries door het raam naar binnen, die de zilte, visachtige geur van de zee met zich meevoerde.

Martha had geen flauw idee hoe ze de dag moest doorkomen. Ze kon pas iets ondernemen wanneer het donker was en ze had de omgeving al uitgebreid verkend. Op haar kamer blijven was echter verdacht, zeker op zo'n heerlijke dag aan zee als deze. Warm, zonnig weer was een zeldzaamheid aan de kust van Yorkshire. Het deed er niet toe wat ze deed, zolang ze de deur maar uit ging.

Ze wachtte tot ze de andere gasten hoorde vertrekken en hoopte maar dat Keith daar ook bij was; toen sloop ze langs de trap naar beneden de ochtendzon in. Verliefde stelletjes slenterden al hand in hand door Skinner Street, voldaan na een liefdesnacht op het ritme van de muziek van krijsende meeuwen. Gezinnen bleven staan om op hun gemak de rekken vol ansichtkaarten en gidsjes buiten voor souvenirwinkels te bekijken. In een korte broek en een gestreept T-shirt gehulde kinderen zwaaiden een felgekleurde emmer en schep heen en weer, en jengelden om een ijsje. Baby's sliepen in hun kinderwagen, onwetend van het lawaai en de dagelijkse drukte die om hen heen plaatsvonden.

Martha ging de eerste tijdschriftenwinkel binnen die ze tegenkwam om de *Times* en een pakje met twintig Benson & Hedges te kopen. De tien Rothmans, een merk dat haar toch al niet echt goed was bevallen, waren niet echt lang meegegaan en ze had het idee dat ze niet zonder wilde komen te zitten. Ze had eenentwintig jaar lang niet één sigaret gerookt. Nu was ze er binnen een jaar aan verslaafd geraakt.

Ze slenterde door het drukke Flowergate, een smal straatje waar het wemelde van de winkelende mensen, naar de riviermonding. Boven haar cirkelden zwermen krijsende meeuwen rond die wit oplichtten in de zon. Toen ze bij de brug aankwam, controleerde ze de vloedtijden die in krijt op het bord stonden vermeld: 0639 en 1902. Het was nu tien uur; dat hield in dat het al een hele tijd eb was. Ze noteerde de tijden in haar opschrijfboekje, zodat ze die niet kon vergeten.

Een nadeel van het pension was dat de vrouw van de eigenaar vreselijk smerige koffie zette. Martha dronk 's ochtends liever koffie dan thee, maar moest absoluut niets hebben van een pot oploskoffie van Nescafé. Ze had behoefte aan cafeïne en alleen een kop sterke filterkoffie kon die stillen.

Ze stak de brug over, sloeg links af Church Street in en voegde zich in de lange rij mensen die naar de 199 traptreden liepen die naar het kruisbeeld van Caedmon, St. Mary's en de ruïne van de abdij voerden. Iets verderop in het smalle, met kinderhoofdjes geplaveide straatje, vlak voor het marktplein in de buurt van The Black Horse-pub, vond ze een cafeetje dat haar al eerder was opgevallen, Monk's Haven. Het café moest er zogenaamd heel oud uitzien. Boven de ingang hing een geschilderd bord met gotische belettering, een beetje zoals die van een pub, en langs de bovenrand van de gevel boven de ramen met verticale spijlen en witgeschilderde kozijnen stonden potten met felrode geraniums.

Martha bestelde een kop zwarte koffie en begon aan de kruiswoordpuzzel in de *Times*. Terwijl ze over de aanwijzingen nadacht, staarde ze naar het komen en gaan van mensen aan de andere kant van het raam: nog meer stellen met een kinderwagen met daarin een baby, peuters die aan hun moeders hand hingen, krasse oude dames met grijs haar en degelijke schoenen. Voor de muziekzaak aan de overkant zong een magere jonge vent in een spijkerbroek en een geruit overhemd die eruitzag alsof hij minstens een maand niet had geslapen en al even lang zijn haar niet had gekamd met een nasale stem folksongs. Sommige mensen gooiden wat munten in de hoed die naast hem op de stoep lag. Toen ze niet verder kwam met de puzzel, bladerde Martha door de krant. Ze vond niets wat haar belangstelling wekte. Wachten was helemaal niet fijn. Zo moet het voor soldaten ook zijn, bedacht ze, vlak voordat ze te horen krijgen dat ze in actie mogen komen. Ze hangen rokend en heel stil rond in loopgraven of op een vliegdekschip. Ze had geen flauw idee wat ze zou gaan doen wanneer het voorbij was. Dat was een onderdeel van het gebeuren dat ze volledig aan haar intuïtie overliet. Omdat ze niet wist hoe ze zich zou voelen wanneer het achter de rug was, kon ze nu nog geen plannen maken voor later. Ze hoopte eigenlijk dat de mogelijkheden zichzelf zouden aandienen zodra het zover was.
Ze slenterde heen en weer door Church Street en bekeek de etalages vol gitstenen voorwerpen, prachtig gepolijste zwarte stenen, in goud en zilver gezet, of grotere brokken waaruit sierlijke schaakstukken en tere beeldjes waren gesneden. Rond twaalven had ze alweer trek. Zo goed vulden bloedworst en bacon dus ook weer niet. Omdat ze naar iets anders snakte dan fish-and-chips, dook ze The Black Horse binnen, waar ze een pastei met steak en niertjes bestelde, die ze wegspoelde met een halve pint bier. Daarna rookte ze een sigaret en deed ze een nieuwe poging met de kruiswoordpuzzel. Rond halftwee liep ze weer buiten op straat en vroeg ze zich opnieuw af wat ze met de rest van de dag aan moest. Ze had geen zin om weer helemaal naar St. Mary's te klimmen en al evenmin om doelloos de hele dag door de straten te kuieren.
Vlak bij het kruispunt van Church Street en Bridge Street was een kleine boekwinkel. Toen Martha naar binnen ging, rinkelde er een belletje en een mollig meisje met een bril op glimlachte naar haar vanachter een balie vol stapels facturen en bestelformulieren. De winkel had een ruime, uitgebreide afdeling paperbacks, die Martha van begin tot eind bekeek, beginnend bij de A: Ackroyd, Amis, Austen, Burgess, Chatwin, Dickens, Drabble, Greene, Hardy...
'Kan ik u misschien helpen?' vroeg de assistente, die nu vanachter de balie tevoorschijn kwam en haar bril naar boven schoof.

'Nee, hoor,' antwoordde Martha. Ze schonk haar een glimlachje. 'Ik kijk alleen maar even. Ik vind vast wel iets.'
De vrouw keerde terug naar de stapels papierwerk en Martha bekeek de rest van de titels. Ze zocht een geordende wereld waarin ze even helemaal kon opgaan. Aan moderne boeken had ze niets; de eenentwintigste-eeuwse literatuur met haar stijlexperimenten, pretentieuze kunstzinnigheid en gebrek aan ethiek en orde had haar nooit echt aangesproken. Vroeger had ze het prettig gevonden af en toe weg te vluchten in een misdaadroman – Ruth Rendell, P.D. James –, maar zulke verhalen vond ze nu niet meer zo leuk. Ze overwoog heel even om *Moby Dick* te nemen. Ze had het nooit gelezen en de kust, zeker een oud walvisvaartstadje, was een perfecte plek om ermee te beginnen. Toen ze bij de M keek, kwam ze echter tot de ontdekking dat ze geen exemplaar op voorraad hadden. Het enige boek van Melville dat er stond was *Pierre* en daarvoor was ze niet in de stemming. Haar keus viel uiteindelijk op Jane Austens *Emma*. Ze had het op school voor haar eindexamen gelezen, maar dat leek nu een eeuwigheid geleden. Bij Jane Austen kon je ervan op aan dat de ordentelijke buitenkant hooguit werd verstoord door een enkele sociale misstap of verkeerd geïnterpreteerde romantische bedoelingen.
Wat was er nu fijner dan de middag lezend op het strand door te brengen met *Emma*? Ze hoopte alleen dat ze Keith daar niet zou tegenkomen. Hij had wel gezegd dat hij zou vertrekken, maar hij kon best van gedachten zijn veranderd.
Ze wandelde terug naar de brug. Nu het eb was, was de rivier de Esk gereduceerd tot een smal stroompje in het zand. De boten hingen schots en scheef in het slik. Martha liep verder door St. Ann's Staith en dacht terug aan de tijd waarin de foto van de houten reling was gemaakt. Ze liep langs de speelhallen, viskramen en het Dracula-museum, en aan het eind van Pier Road daalde ze de trap af naar het strand.
Whitby Sands ligt aan de voet van West Cliff en door de eeuwen heen heeft de zee kleine grotten en holten in de steile rotswand uitgesleten. Martha stak haar hoofd om de hoek van een ervan. De holte was niet echt diep, maar was wel bedompt en donker, vol slijmerige rotsblokken, stinkend zeewier en dode, opgedroogde weekdieren die onder haar voeten kraakten. Ze huiverde en draaide zich snel om.
Op het strand zelf was het een drukte vanjewelste – wat ook wel te verwachten was op zo'n prachtige dag –, maar Martha wist toch een plekje te vinden waar ze tegen een rots kon leunen en haar benen kon uitstrekken. Kinderen speelden joelend in het water, waar ze om de beurt dapper bleven staan tot er een golf aan kwam rollen die hen omversmeet. Bezorgde ouders hielden hun ene oog op hun breiwerk of krant gericht en het andere op de kinderen.

Sommige kinderen waren druk in de weer om een enorm zandkasteel met torentjes, kantelen, een slotgracht en een ophaalbrug te bouwen.
Er lagen zelfs mensen te zonnebaden. Een paar tienermeisjes lagen in een piepkleine bikini uitgestrekt op een handdoek. Een groep knullen van ongeveer dezelfde leeftijd die in de buurt cricket speelde, sloeg de bal telkens hun kant op, zodat ze een excuus hadden om met de meiden te flirten.
Het drong opeens tot Martha door dat ze hier getuige was van een totaal andere manier van leven, een totaal andere wereld – of anders een die ze ooit had gekend, maar was kwijtgeraakt. Ze had zich bij de aanblik van verliefde stelletjes die hand in hand liepen, ouders die hun baby voortduwden in een kinderwagen en kinderen die in de branding speelden al een beetje een buitenaardse bezoeker gevoeld, en dat gevoel werd alleen maar sterker nu ze de ingewikkelde kennismakings- en verleidingsrituelen gadesloeg van deze tieners bomvol hormonen.
De eerste paar keer wierp de cricketbal wat zand op de blote buik van de meisjes en ze reageerden scheldend. Iemand die hen gadesloeg, zou haast gaan denken dat ze het niet prettig vonden om zand in hun navel te krijgen. Na een tijdje sloeg de uitgelaten stemming van de spelers echter op hen over. Ze pakten de bal op en gooiden hem naar de zee of renden er vrolijk mee weg om hem in het zand te begraven en lachten de jongens uit. Martha had het belang van herhaling en volharding in het menselijke paringsritueel nooit eerder opgemerkt.
Het was alsof je naar een dier- of insectensoort zat te kijken, dacht Martha bij zichzelf; ze legde Jane Austen weg en stak een sigaret op. Hoeveel vooruitgang we ogenschijnlijk ook hebben geboekt, we volgen nog steeds een primitief patroon dat zo diep is ingeprent dat we het zelf niet herkennen, al zouden we erover vallen. Wat vaak het geval is. Hoewel we beschikken over het wonder der taal kunnen we ons nog steeds beter verstaanbaar maken met betekenisloze geluiden, gebaren, blikken en stiltes.
En achter al die ingewikkelde rituelen om iemand het hof te maken, bedacht Martha, lag een puur dierlijk verlangen en de nauwelijks herkende impuls om de soort voort te zetten. Net als Keiths gedrag de vorige avond. Hij had Martha begeerd. Hij wilde haar naakt in zijn bed leggen en haar binnendringen vanwege het genot dat dit hem verschafte. Al dat gedoe voor vijf minuten gekreun en gesteun – of was het gesop en gezuig, had iemand ooit opgemerkt. Mensen hadden er alles voor over: liegen, bedriegen, stelen, verminken, doden, zelfs sterven.
Het menselijk handelen kwam Martha die dag op het strand ongelooflijk triest en zinloos voor. Mensen waren niets anders dan marionetten die werden gemanipuleerd door krachten die ze niet begrepen of, erger nog, niet

eens waarnamen. Shakespeare had zoals gewoonlijk gelijk: 'Wat vliegen voor baldaad'ge knapen zijn, dat zijn wij voor de goden: zij doden ons voor hun vermaak.' Martha rekende zichzelf daar ook toe. Ze had dat 'vermaak' van de goden immers aan den lijve ondervonden. En hoeveel vrije keus had ze nu eigenlijk echt in het toneelstuk dat ze opvoerde? Zij was net zo goed een marionet. Misschien hing ze aan andere touwtjes, met een kwaadaardiger marionettenspeler, maar ook zij was de controle kwijt. Ondanks de warmte rilde ze. Na een tijdje wist ze zich los te rukken uit deze sombere, filosofische bui. Ze hield zichzelf voor dat ze gewoon zenuwachtig begon te worden en dat een zwak, laf deel van haar karakter haar al haar zelfvertrouwen probeerde af te nemen. Ze moest sterk zijn. Het had geen zin toe te geven aan het gevoel van zinloosheid; één ding hield haar op de been, en pas wanneer dat was volbracht, kon ze het zich veroorloven na te denken over het leven. Wie was zij trouwens helemaal om een dergelijk oordeel te vellen?
Ze sloeg haar benen over elkaar en nam het boek van Jane Austen weer op. Hoewel het een bloedhete dag was, lag zij hier in een spijkerbroek en een shirt dat tot de hals toe was dichtgeknoopt op het strand. Ze had het warm, maar durfde haar kleding niet uit te trekken en bijna naakt tussen die tienermeisjes in hun bikini te liggen. De rituelen en hofmakerij waren eveneens niet voor haar weggelegd. Haar lag een ander soort voldoening te wachten, bedacht ze, die volhardend diende te worden nagestreefd. En dat was precies wat ze zou doen. Diezelfde avond al.

16
Kirsten

Zoals de meeste mensen die slecht nieuws te horen hebben gekregen, doorliep ook Kirsten alle klassieke stadia, inclusief de overtuiging dat een second opinion van een andere arts het ongelijk van de eerste zou aantonen en dat wat volgens hem voorgoed verloren was gegaan op wonderbaarlijke wijze kon worden hersteld. Die eerste nacht overtuigde ze zichzelf ervan dat het allemaal een akelige droom was geweest; het ging wel over. Dat was echter niet zo. Ook in het heldere daglicht van de volgende ochtend bleef alles bij het oude: de hechtingen, de pijn, de wonden, het verlies.

De nachtmerries vol pijnloze, bijna bloedeloze hak- en snijbewegingen hielden aan. Ze werd nooit gillend wakker, maar soms deed ze haar ogen plotseling op een goddeloos tijdstip in de ochtend open om te ontkomen aan de meedogenloze beelden en lag ze er een tijdlang over te piekeren.

Soms lag ze ook de hele nacht wakker. Met name wanneer het regende. Dan probeerde ze haar hoofd leeg te maken en deed ze alsof het harde ziekenhuisbed eigenlijk een bed van dennennaalden was dat diep in het bos achter het huis van haar ouders in Brierley Coombe lag. De regen tikte zachtjes op de bladeren voor haar raam en af en toe stelde ze zich voor dat hij vriendelijk en koel op haar oogleden druppelde, en dan lukte het haar bijna te ontsnappen aan de afschuwelijke situatie waarin ze verkeerde.

Ze was in elk geval niet dood. Ergens had de arts wel gelijk: ze had inderdaad geluk gehad. Als die man zijn hond niet zo laat op de avond had uitgelaten en nieuwsgierig was geworden toen het dier grommend in het struikgewas rondscharrelde, was ze op die zomeravond in het park op slechts honderd meter van haar huis doodgebloed. De man was echter wel blijven staan en daar moest ze dankbaar voor zijn.

Nu was ze gehandicapt, ook al was haar lichaam nog intact – vanbuiten dan. Het gevoel van ontering en verlies was af en toe haast ondraaglijk; een intiem deel van haar lichaam was haar ontnomen en verwoest. Ze huilde en bad, en werd zelfs een keer overvallen door een hysterische lachbui. Uiteindelijk aan-

vaardde ze de situatie echter en zakte ze weg in een diepe depressie. De basis daarvan was die dichte wolk, een ondoorzichtige massa die als een tumor in haar hoofd opzwol, al het licht opzoog en haar treiterde met zijn duisternis en loodzware gewicht.
De arts en verpleegsters verzorgden haar genezende lichaam zo goed mogelijk. De hechtingen losten op, en het vlees rond haar borsten bleef samengetrokken en vol ribbels achter. Felgekleurde littekens in de vorm van een kruis met een lange verticale streep en een korte horizontale dat vanonder haar borsten tot aan haar schaamhaar liep – of waar haar schaamhaar had gezeten, want de verpleegster had haar daarbeneden kaalgeschoren en nu had ze daar alleen maar kriebelende stekeltjes – deelden haar in vieren, precies zoals de dokter had gezegd. Vanbuiten zag de schaamstreek er niet al te vreemd uit. Dat had ze gezien toen ze voor het eerst alleen naar het toilet ging. Hij was rood en gevoelig, en werd bedekt door een netwerk van vervagend hechtwerk, maar ze was op erger voorbereid geweest. De meeste schade was aan de binnenkant aangericht.
Haar ouders kwamen vaak langs: haar moeder, die nog steeds te geschokt was om veel te zeggen, en haar vader, die de last stoïcijns met zich meetorste. Hoofdinspecteur Elswick kwam nogmaals bij haar langs, maar tevergeefs. Ze kon zich nog steeds niet herinneren wat er was gebeurd of hem iets vertellen over degene die haar had aangevallen, op het ruwe gevoel van zijn eeltige handen na.
Sarah bezocht haar ook. Ze zei dat zij de kleine flat wel wilde overnemen als Kirsten naar haar ouders ging om daar aan te sterken. Kirsten stemde ermee in. Nu hoefde ze niet al haar spullen mee te verhuizen wanneer haar ouders haar meenamen. Ze vertelde Sarah niet hoe ernstig haar verwondingen waren. Misschien later. Op dat moment wilde ze er gewoon niet over praten. Ze vroeg haar overigens wel ervoor te zorgen dat de anderen een tijdje niet kwamen.
Een volle week nadat ze het nieuws te horen had gekregen, dook Galen opeens buiten adem op, rechtstreeks van het station, met zijn sluike haar dat over zijn oren wapperde en een bezorgde uitdrukking op zijn magere, knappe gezicht. Hij ging naast haar zitten en pakte haar hand vast. In het begin wisten ze geen van beiden wat ze moesten zeggen.
'Ik ben al eerder langs geweest,' zei Galen ten slotte. 'Ze zeiden dat je bewusteloos was en dat ze niet wisten wanneer je weer bij zou komen. Ik heb elke dag gebeld. Ik kon niet langer blijven. Mijn...'
Kirsten kneep even in zijn hand. 'Dat weet ik. Ik begrijp het wel. Dankjewel dat je bent teruggekomen.'
'Je ziet er al een stuk beter uit. Hoe voel je je nu?'

'Ik kan alweer opstaan en rondlopen. Ze zeggen dat ik binnenkort naar huis mag.' Ze voelde voorzichtig aan haar gezicht. 'De kneuzingen zijn allemaal weg. De zwellingen zijn ook minder geworden.' Hoeveel wist hij precies over wat er was gebeurd? Ze wilde hem niets vertellen wat hij nog niet wist.
Galen boog hoofdschuddend met een somber gezicht zijn hoofd. Hij sloeg met een vuist in zijn handpalm. 'Als ik die klootzak ooit in handen krijg...'
'Niet doen,' zei Kirsten. 'Niet doen, alsjeblieft. Ik wil er liever niet over praten.'
'Sorry. Je kunt je gewoon niet voorstellen hoe ik me voel. Ik neem het mezelf ontzettend kwalijk. Als ik bij je was geweest... Ik had bij je moeten zijn.'
'Doe niet zo gek. Jij kunt er niets aan doen. Het had iedereen kunnen overkomen. Ik kan toch niet van je verwachten dat je me dag en nacht beschermt?'
Galen keek haar aan en glimlachte. Zijn greep om haar hand verstrakte. 'Toch ga ik dat van nu af aan doen,' zei hij. 'Zodra je eenmaal beter bent. Ik beloof je dat ik je nooit meer uit het oog zal verliezen.'
Kirsten wendde haar hoofd af en staarde naar de glanzende torenflats die door de regen van de vorige avond waren schoongespoeld en het zonlicht dat op de schoongepoetste blaadjes danste. 'Hoe zie je dat dan precies voor je?' vroeg ze.
Galen haalde zijn schouders op. 'Dat weet ik nog niet. Ik denk dat ik de rest van de zomer bij mijn moeder blijf. Ze neemt het nog steeds heel zwaar op – de dood van mijn oma. Ik kom je in Brierley opzoeken wanneer ik kan. Zo ver is dat niet en bovendien heb ik dan een auto.'
'Misschien is het beter dat je niet bij me op bezoek komt,' zei Kirsten langzaam. 'In elk geval voorlopig.'
Galen fronste zijn wenkbrauwen en wreef over zijn oorlel. 'Hoezo? Wat bedoel je daarmee?'
'Ik heb gewoon wat tijd voor mezelf nodig, om te herstellen.' Ze glimlachte geforceerd. 'Noem het maar postoperatieve depressiviteit. Ik ben momenteel geen leuk gezelschap.'
'Dat geeft helemaal niet. Je hebt me nodig, Kirstie. En ik wil er graag voor je zijn.'
Ze legde haar vrije hand op zijn onderarm. 'Nee. Voorlopig niet. Alsjeblieft. Gun me alsjeblieft de tijd om alles op een rijtje te zetten.'
Galen stond op en slenterde met zijn handen in zijn zakken naar het raam. Zijn schouders hingen omlaag, zoals altijd wanneer hij om een of andere reden teleurgesteld was. Net een klein jongetje, vond Kirsten.
'Goed dan, als jij dat wilt,' zei hij met zijn rug naar haar toe. 'De... ehm... de psychologische gevolgen zullen wel erger zijn dan de lichamelijke, hè? Ach,

wat weet ik er ook van? Dat kan ik als man natuurlijk helemaal niet inschatten. Maar ik doe echt mijn best om het te begrijpen.' Hij draaide zich weer om en keek haar aan.
'Dat weet ik ook wel,' zei Kirsten. 'Ik denk gewoon dat het beter is als we elkaar een tijdje niet zien. Ik ben ontzettend in de war.'
Ze wist nog steeds niet hoeveel ze hem hadden verteld. Hij wist natuurlijk dat ze was aangevallen, maar waren ze tegenover hem net zo vaag geweest over de aard van de mishandeling? Misschien dacht hij wel dat ze was verkracht. Was dat ook zo? Kirsten wist het zelf niet eens. Voor zover de arts had kunnen zien, zaten er geen sporen van sperma in haar vagina. Het was daar echter zo'n chaos geweest dat ze niet geloofde dat hij er helemaal zeker van kon zijn. Gold penetratie met een kort metalen voorwerp met een scherpe punt als verkrachting, vroeg ze zich af. Uiteindelijk moest ze genoegen nemen met de algemeen heersende mening dat mensen die doen wat deze man haar had aangedaan meestal niet in staat zijn tot echte geslachtsgemeenschap.
'Hoe zit het met Toronto?' vroeg Galen, terwijl hij naar de stoel terugliep en zich over haar heen boog.
'Dat weet ik niet. Ik denk niet dat ik ga, niet zoals het er nu voor staat. In elk geval niet dit jaar.'
'Maar het is pas over een maand. Waarschijnlijk voel je je dan al veel beter.'
'Misschien. Jij kunt wel alvast gaan. Maak je over mij maar geen zorgen.'
'Als jij niet gaat, ga ik ook niet.'
'Galen, wees nou niet zo eigenwijs. Het is nergens voor nodig om je carrière op te geven omwille van mij. Ik kan je op dit moment niets beloven. Ik kan niet eens...' Ze had het hem bijna verteld, maar slikte op het laatste moment haar woorden weer in. 'Ik weet gewoon niet hoe alles zal lopen.' Ze begon te huilen. 'Snap je dat dan niet?'
De moeite die het haar kostte om hem heel voorzichtig te laten vallen en tegelijkertijd haar gevoelens en haar gebrek voor hem verborgen te houden, werd haar te veel. Ze hoopte maar dat hij zou vertrekken. Toen hij zich over haar heen boog om haar te troosten, voelde ze dat ze verstarde. Die reactie verraste haar; het was iets wat ze nog nooit eerder had gedaan. Het kwam van heel diep uit haar binnenste en gebeurde onbewust, als een tic of een reflex. Galen had het ook gemerkt en hij deinsde met een gekwetste blik achteruit.
'Ik begrijp het,' zei hij stijfjes. 'Dat wil zeggen, ik zal het proberen.' Hij streelde even haar hand. 'Zullen we het nu gewoon even laten rusten? Later, wanneer je helemaal beter bent, hebben we nog meer dan genoeg tijd om over onze toekomst na te denken.'
Kirsten knikte en veegde de tranen weg met de rug van haar hand. Galen gaf haar een papieren zakdoekje.

'Kan ik iets voor je doen?' vroeg hij. 'Misschien iets voor je halen of zo?'
'Nee, niet echt.'
'Een boek?'
'Ik heb niet zo'n zin om te lezen. Ik kan me niet echt concentreren. Toch bedankt. Ga nu maar, Galen, ga naar huis en zorg goed voor je moeder. Ik ben blij dat je bent gekomen. Ik weet heus wel dat het niet aan me te merken is, maar ik ben het wel.'
Hij keek teleurgesteld, alsof hij zonder pardon werd weggebonjourd. Kirsten besefte dat het haar niet was gelukt oprecht te klinken. Haar borsten deden pijn en ze voelde dat ze elk moment weer kon gaan huilen. Hij pakte met het gezicht van een klein jongetje dat er niets van begreep haar hand vast en wilde kennelijk niet meer loslaten.
'Ik kom gauw weer,' zei hij. 'Dat beloof ik. Ik blijf hier toch een paar dagen om het een en ander te regelen.'
'Dat is goed. Nu ben ik moe.'
Hij bukte zich en kuste haar voorzichtig op de lippen. Ze ving een vleugje op van de tandpastageur op zijn adem. Hij heeft zeker in de trein zijn tanden gepoetst, dacht ze bij zichzelf, of meteen nadat hij bij het ziekenhuis was aangekomen.
Nadat hij was vertrokken, stortte ze in en liet ze de tranen de vrije loop. Ze had het gevoel dat ze geen toekomst meer had. Er lag in elk geval geen leven voor hem met haar meer in het verschiet. Als hij geluk had, groeiden ze gewoon uit elkaar en vertrok hij in september in zijn eentje naar Toronto. Misschien ontmoette hij zelfs wel iemand anders.
Kirsten had geen flauw idee hoe haar volledige herstel zou aanvoelen, of zelfs maar of zoiets mogelijk was. De arts had niet echt hoopvol geklonken over reconstructieve chirurgie. Vermoedelijk zou ze zich aan de buitenkant oké voelen, maar bleven de littekens zichtbaar en zouden die bedekt moeten worden. Moest ze soms maar vrede leren hebben met de nieuwe situatie, het verleden achter zich laten en verdergaan met haar leven? Misschien zelfs gewoon met Galen naar Toronto gaan?
Hij zou ontzettend veel begrip hebben voor haar handicap, zeker in het begin. Wellicht zou hij zelfs uit liefde en medelijden met haar trouwen, en zou zij na verloop van tijd kies de minnaressen door de vingers zien die hij nodig had voor de dingen die zij hem niet langer kon geven. Ze zou dankbaar zijn dat hij zo onzelfzuchtig was dat hij van een gehandicapte hield.
Nee. Dat klonk helemaal niet goed. Zo'n leven kon gewoon niet, móCht gewoon niet. Ze moest Galen voor zijn eigen bestwil langzaam maar zeker uit haar leven bannen zonder hem de ware reden te vertellen.
Ze viel ten prooi aan een diepe depressie, een soort verdovend fatalisme dat

geen lichtpuntje, geen troost toestond. Ze kon zich niet voorstellen dat het ooit zou ophouden, dat alles ooit weer als vanouds zou worden. De zorgeloze, opgewekte, jonge, pas afgestudeerde studente die vanuit Oastler Hall naar buiten was gestapt, de warme lucht had gekoesterd en zittend op de stenen leeuw de nachtelijke hemel had afgespeurd naar de maan was weg. Helemaal. Voor altijd.

Wie of wat zou haar plaats innemen, vroeg Kirsten zich af. Ze merkte dat vage, verontrustende krachten zich binnen in haar roerden, net fladderende schimmen op plekken die zo diep zaten en zo duister waren dat ze niet eens van hun bestaan had af geweten. Ze voelde zich machteloos, kon er niets tegen doen, precies zoals ze zich had gevoeld toen Galen haar wilde omhelzen en ze verstarde. Ze had zichzelf niet meer onder controle.

Het was echter nog veel erger. Ze wist dat ze zichzelf net voldoende in bedwang had om de geruststellende illusie te scheppen dat ze zichzelf kon beheersen. Op z'n best had ze net als de meeste mensen controle over bepaalde aspecten van haar gedrag. Het betrof voornamelijk goede manieren, zoals geen boeren laten tijdens het avondeten. Haar gewoonten en manier van doen zouden echter niet opvallend mogen veranderen, tenzij ze bewust een poging daartoe deed. Het zou niet zo zijn dat ze op een ochtend wakker werd en plotseling niet meer op haar nagels beet in stresssituaties of niet meer bloosde wanneer ze iemand iets over haar hoorde zeggen. Net zomin als Galen kon voorkomen dat zijn schouders omlaaghingen wanneer hij zijn zin niet kreeg of Sarah dat ze bedrieglijk kalm haar bovenlip naar binnen zoog voordat ze scherp reageerde op een opmerking die ze als beledigend opvatte. Toch was dat kennelijk wel gebeurd. Wat Kirsten had gedaan toen Galen haar wilde omhelzen – voordat ze zelfs maar de tijd had gehad om erover na te denken – was een reactie die ze nog niet eerder had vertoond. Het was een vaste gewoonte van haar een vriend of geliefd familielid altijd te omhelzen. Dat deel van haar – wellicht het deel dat reageerde op genegenheid en liefde – was nu dus verdwenen, veranderd. Ze herkende zichzelf niet langer.

Het was typisch iets voor artsen om het toe te schrijven aan wat haar was overkomen, bedacht ze. Het is te vergelijken met gloeiende kolen aanraken, zouden ze beweren, en terugdeinzen wanneer je hand er de volgende keer weer bij in de buurt komt. Een gewaarschuwd mens telt voor twee. Conditionering. Een pavlovreactie. Het is logisch, zouden ze eraan toevoegen, dat iemand die zo'n gewelddadige aanval heeft ondergaan en het heeft overleefd, achterdochtig reageert wanneer een andere man, hoe vertrouwd ook, haar op een intieme manier benadert.

Ach, misschien hadden ze wel gelijk. Misschien zou het na verloop van tijd slijten. Dieren en mensen die gewend zijn dat ze slecht worden behandeld, zullen aanvankelijk eerst uithalen wanneer iemand hun eindelijk liefde schenkt, maar na een tijdje zullen ze leren die te aanvaarden en degene die hun die liefde schenkt gaan vertrouwen. Zij zou toch zeker ook wel in staat zijn de juiste reacties weer aan te leren? Toch was Kirsten zelf niet overtuigd. Om een of andere reden geloofde ze dat deze instinctieve, angstaanjagende reactie op de bezorgdheid van haar vriend nog maar het begin was, dat er nog meer veranderingen plaatsvonden, nog andere krachten aan het werk waren en dat ze nergens meer grip op had.

Wat zou er van haar worden? Het enige wat ze kon doen, was afwachten. En zelfs dan zou ze waarschijnlijk geen steek wijzer worden, besefte ze, want dan had ze haar oude zelf van zich af geschud en had ze niets meer om het nieuwe mee te vergelijken. Een vlinder herinnert zich vast ook de rups die hij vroeger was niet meer, of wel, dacht ze bij zichzelf.

17
Martha

Die avond ging Martha iets eten in een pizzeria. Gek genoeg kreeg ze van haar nervositeit trek in plaats van vlinders in haar buik. Boven zat een afhaalrestaurantje en bereidden drukke, in een wit jasschort gehulde koks de bestellingen, en in de kelder zat een piepklein restaurant met slechts vier tafels, die elk bedekt waren met een roodgeruit tafelkleed met daarop een brandende kaars in een donkeroranje glas. Heel Italiaans. Martha was de enige klant. De gewitte stenen muren liepen schuin omhoog en eindigden in een gewelfd plafond, en in de gloed die de kaarsen op de ribbels en glooiingen verspreidden, zag de eetgelegenheid eruit als een witte grot of de binnenkant van de walvis die Martha zichzelf in gedachten had zien binnengaan toen ze voor het eerst onder de walviskaak op West Cliff door was gelopen.

Er was niet veel keus: pizza met tomatensaus, champignons of garnalen. Toen het jonge serveerstertje naar haar toe kwam, bestelde Martha die met champignons.

'Wat voor wijn hebben jullie?' vroeg ze.

'We hebben rode en witte.'

'Dat snap ik, maar wat voor wijn is het?'

De serveerster haalde haar schouders op. 'Medium.'

'Wat wil dat zeggen? Droog of zoet?'

'Medium.'

Kennelijk had ze geen flauw benul, of anders wilde ze niet het risico lopen iemand te beledigen. Martha slaakte een zucht. 'Goed, geef me dan maar een glas rode.' Ze hoopte maar dat hij droog was, ongeacht de kwaliteit.

Tijdens het wachten stak ze een sigaret op. Het was kil in de kelder, ook al was het een warme avond, en ze sloeg haar gewatteerde jack om haar schouders. Ze had het die middag op het strand als hoofdsteun gebruikt en toen ze het optilde, vielen een paar zandkorrels die eraan waren blijven kleven op het tafelkleed. Ze veegde ze op de stenen vloer en trok een gezicht vanwege het korrelige gevoel aan haar vingers.

Ze had zitten lezen tot de opkomende vloed haar van het strand verdreef en was toen naar het pension teruggegaan om een bad te nemen. Ze was helemaal bezweet, omdat ze de hele middag in haar spijkerbroek en tot aan haar hals dichtgeknoopte shirt in de zon had gezeten. Daarna had ze zich rusteloos en gespannen gevoeld en had ze een paar uur lang doelloos rondgelopen, totdat honger haar ertoe had aangezet een plek te zoeken om iets te eten.
Terwijl ze op de pizza zat te wachten, tastte ze voor de zoveelste keer die dag in haar weekendtas naar de gladde, harde presse-papier. Ja, hij was er nog. Ze moest hem, haar talisman, aanraken om haar vastberadenheid op te krikken.
Eindelijk keerde de serveerster terug met een kleine pizza met een dunne korst en een glas wijn. Die was droog: een of andere goedkope doorsneechianti, maar in elk geval te drinken. De pizza was vrijwel oneetbaar. De korst leek wel van onbuigzaam karton en in een waterig laagje tomatensaus – zonder kruiden of specerijen – die over de rand druppelde toen ze hem aansneed, lagen zes plakjes champignons uit blik. Tja, het was in elk geval geen fish-and-chips; dat was zeker iets om dankbaar voor te zijn.
Ze at zoveel ze kon en merkte al snel dat ze genoeg had. Er kwam een jong stel binnen dat achterdochtig de grotachtige ruimte in zich opnam en aan een tafeltje in een hoekje in de schemer plaatsnam. Ze hielden elkaars hand vast en hadden alleen oog voor elkaar. Martha voelde zich niet lekker. Ze bestelde een cappuccino, hoewel ze zich afvroeg of die ergens naar zou smaken, en stak een nieuwe sigaret op. Ze moest nog steeds wat tijd doden.
De cappuccino bleek een halve kop Nescafé te zijn met iets wat smaakte als gecondenseerde melk, opgeklopt met een stoomapparaat, met daarbovenop een paar korrels chocolade. Het verliefde stel sprak fluisterend met elkaar, lachte af en toe en streelde elkaars arm op het tafelkleed.
Martha kon het niet langer aanzien. Toen de serveerster met de bestelling van het paartje langs haar schoot, eiste ze op vrij vinnige toon de rekening. Het duurde nog eens ruim tien minuten voordat die werd gebracht. Martha nam het papiertje zonder een fooi achter te laten mee naar boven en rekende af bij een norse jonge vent achter de kassa die er zowaar Italiaans uitzag.
Buiten begon het al donker te worden; in de vettige weerspiegeling van de smalle watergeulen die in de haven waren achtergebleven, wiegden de strengen rode en gele lichtjes kronkelend. Het was bijna negen uur en het was al flink eb aan het worden.
De man die Jack heette, had de pub de vorige avond om kwart voor tien verlaten. Hoewel het tafereel de schijn van een ritueel had gehad, durfde Martha er niet van uit te gaan dat hij precies op hetzelfde tijdstip zou vertrekken en al evenmin dat hij ook echt in de pub zou zijn. Om te beginnen kon de dartswedstrijd – onderdeel van het ritueel – best langer duren. Wat nog erger was,

was dat hij misschien wel samen met zijn vriend zou vertrekken. Maar goed, Martha was alleen maar van plan hem te volgen, als dat mogelijk was, en erachter te komen waar hij woonde. Ook als hij niet alleen vertrok, moest hij uiteindelijk toch naar zijn eigen huis.
Het was haar bedoeling vlak bij de pub in de buurt van de walviskaak boven op West Cliff tegen de ijzeren reling geleund te wachten tot hij naar buiten kwam. Ze zou goed opletten welke kant hij uit ging en achter hem aan lopen. Ze had overwogen om The Lucky Fisherman binnen te gaan, deze keer alleen, maar daarmee zou ze de aandacht op zich vestigen. Misschien sprak hij haar dan wel aan en probeerde hij haar te versieren, en dan zou iedereen hen zien. Het was te gevaarlijk om dat te riskeren.
Als ze er om halftien was, was ze waarschijnlijk ruim op tijd. Vroeger vertrok hij vast niet. Eerder later. Dan had ze nog net genoeg tijd voor een glaasje om haar zenuwen in bedwang te houden. Ze ging de eerste pub binnen die ze tegenkwam, een drukke toeristentrekpleister, en bestelde een dubbele whisky. Ze dronk langzaam, zodat de alcohol haar niet meteen naar het hoofd steeg. Het laatste wat ze wilde, was dronken worden. De kartonnen pizza was vermoedelijk wel voldoende om alles op te nemen wat zich in het komende uur aandiende.
Om kwart over negen hield ze het niet langer uit en ging ze op weg naar The Lucky Fisherman. Het was inmiddels donker en de gebruikelijke stadsverlichting brandde al. Ze had vijf minuten nodig om de plek te bereiken waar ze wilde wachten. Eenmaal daar aangekomen leunde ze voorover op de reling en liet ze haar blik langzaam van St. Mary's, die omhuld in het zandkleurige licht recht tegenover haar stond, naar links glijden, naar de zee achter de klauwvormige havenhoofden, waar het pikkedonker was. Ze zag een dunne witte streep waar de golven kapotsloegen op het zand.
Ze keek op haar horloge. Vijf over halftien. Het duurde voor haar gevoel een eeuwigheid. Tijd voor een sigaret. Zo nu en dan wandelde er een verliefd paartje voorbij. Dat bleef dan even gearmd naast het standbeeld van kapitein Cook staan om naar de zee te turen; soms kusten ze elkaar en uiteindelijk sloegen ze de hoek om bij de witte hotels aan North Terrace. Vanuit de haven kwam een visachtige geur aandrijven. Martha bedacht dat het donderdagavond was. Morgen zouden de vissersboten terugkeren.
Veertien minuten voor tien. Hij was laat. Het kostte hem zeker moeite om de laatste dubbele twintig te gooien, of wat het ook was wat hij nodig had. Ze zag in gedachten al voor zich dat hij zijn lege glas naar de bar bracht en zei: 'Zo, ik zit voor vanavond aan mijn taks. Tot morgen, Bobby.' Ja, natúúrlijk was hij er. Hij had het zelf gezegd, schoot haar nu te binnen: 'Tot mórgen, Bobby.' En dan zei Bobby, zoals gewoonlijk: 'Goeienavond, Jack.' Hij kon nu

elk moment door de deur naar buiten komen. Martha haalde amper adem: haar borst voelde zwaar aan van opwinding en spanning. Ze drukte de sigaret uit en wierp een blik op de pub.

Om tien uur was het zover. De deur ging ratelend open en er kwam een man – de man om wie het haar te doen was – in een donkerblauwe trui en wijde spijkerbroek naar buiten. Ze bleef waar ze was, alsof ze aan de grond genageld stond, met haar handen roerloos om de reling geklemd. Ze moest proberen de indruk te wekken dat ze een doodgewone toerist was, hield ze zichzelf voor, die het nachtelijke uitzicht stond te bewonderen: St. Mary's, de ruïne van de abdij, de lichtjes die in de haven werden weerkaatst. Een zachte bries streek als koude vingers door haar haren en over haar wang.

Hij liep haar kant op, in de richting van het standbeeld van Cook. Ze draaide haar hoofd om, zodat ze hem kon zien. Hoe het precies gebeurde, kon ze niet zeggen. Misschien kwam het door de plotselinge beweging of viel het schijnsel van een straatlantaarn op haar gezicht toen ze zich omdraaide. Hij had haar in elk geval gezien. Ze durfde te zweren dat hij glimlachte en zijn ogen glinsterden meer dan eerst. Hij kwam naar haar toe.

Ze voelde een kille angst, alsof haar beenmerg in ijs was veranderd. Hij bleef naast haar staan en legde zijn handen ook op de reling.

'Hallo,' zei hij met die bekende, schorre stem. 'Wat een prachtige avond, hè?'

Martha kreeg bijna geen adem. Ze trilde zo hevig dat ze de reling stevig moest vasthouden om niet om te vallen. Nu moest ze doorzetten. Het was te laat om terug te krabbelen. Ze draaide zich om en keek hem aan.

'Hallo,' zei ze. Ze hoopte maar dat haar stem niet al te erg beefde. 'Weet je nog wie ik ben?'

18
Kirsten

De arts had erop aangedrongen dat Kirsten het ziekenhuis in een rolstoel verliet, ook al was ze tegen die tijd heel goed in staat om zonder hulp te lopen. De eis werd nog belachelijker toen ze de bovenkant van de trap bereikte en uit de stoel moest opstaan om naar beneden te lopen.

Haar vaders Mercedes stond pal voor de deur geparkeerd. Galen, die haar spullen sjouwde, liep voorop en daarachter volgde Kirsten, aan weerszijden vergezeld door haar ouders.

Bij de auto schudde Galen – die woord had gehouden en haar die week vrijwel elke dag had bezocht – haar vaders hand en nam hij afscheid van haar moeder, die koninklijk haar hoofd neeg; toen gaf hij Kirsten een zoen op haar wang. Hij had geleerd dat hij niet te veel van haar moest verwachten, zag ze, ook al had ze hem nog steeds niet verteld hoe ernstig haar verwondingen waren.

'Weet je heel zeker dat ik je niet een lift kan geven?' vroeg haar vader hem.

'Ja hoor, dank u wel,' zei Galen. 'Het is maar een klein eindje lopen naar het station en u moet ervoor omrijden. Ik red me wel.'

'Achterin of voorin?' vroeg haar vader aan Kirsten.

'Achterin, graag.'

Op de ruime achterbank van de auto kon ze zich helemaal uitstrekken, en met haar hoofd op een kussen dat tegen het raam was gepropt en een deken over haar knieën naar de wereld kijken die aan haar voorbijtrok.

'Weet je zeker dat je wilt dat ik alvast ga?' vroeg Galen haar door het geopende raampje.

Kirsten knikte. 'Wees nou verstandig, Galen. Het heeft geen zin het begin van het semester te missen. Als je zo begint, kun je net zo goed helemaal niet gaan.'

'Kan ik je echt niet overhalen met me mee te gaan?'

'Nee, nog niet. Ik heb je al gezegd dat je je over mij geen zorgen hoeft te maken. Het komt wel goed.'

'Maar je komt toch wel zo snel mogelijk naar me toe, hè?'
'Ja.'
Het was haar eindelijk gelukt hem over te halen naar Toronto te gaan, deels doordat ze had volgehouden dat het prima met haar ging en dat ze alleen maar rust nodig had, en deels door hem te beloven dat ze zich bij hem zou voegen zodra ze zich goed genoeg voelde. Toen hij er ten slotte mee instemde, kon ze niet zeggen of dat kwam door de logica achter haar argumenten of doordat ze hem een gemakkelijke uitweg had geboden. Hij had zich elke dag iets vreemder gedragen – afstandelijk, beschaamd – en Kirsten was er langzaam maar zeker van overtuigd geraakt dat er een kern van waarheid school in wat Sarah had gezegd over mannelijke vrienden die zich 'bizar' gingen gedragen zodra een vrouw het slachtoffer was geworden van seksuele mishandeling. Hugo en Damon hadden via Sarah eveneens nog meer bloemen en berichtjes gestuurd, maar waren haar niet meer komen opzoeken. Kirsten begon zich een beetje een paria te voelen. Ergens kwam dat haar wel goed uit, want voorlopig wilde ze vooral met rust worden gelaten.
Galen stak zijn hand door het raampje en streelde Kirstens hand. 'Pas goed op jezelf,' zei hij. 'Denk eraan dat ik verwacht dat je snel beter wordt.' Kirsten glimlachte naar hem en de auto reed weg. Ze zag dat hij de Mercedes nazwaaide, die door de straat wegreed tot ze een hoek om gingen en ze hem niet langer kon zien.
Haar vader schraapte zijn keel. 'Ik neem aan dat je eerst bij de flat langs wilt om een paar spullen op te halen?' opperde hij.
Kirsten had er eerlijk gezegd niet bepaald behoefte aan haar piepkleine eenkamerflat binnen te gaan, maar ze wilde ook niet dat haar ouders het idee kregen dat ze alle belangstelling voor het leven was verloren. Hoewel een deel van haar diepste gevoelens verdoofd was en ze haar instinct niet langer in de hand had, wilde ze best moeite doen om zich op een normale, algemeen aanvaardbare manier te gedragen. Ze vond hen toch al een beetje neerslachtig. Haar moeder had haar er min of meer van beschuldigd dat ze niet hard genoeg haar best deed om 'het van zich af te zetten' en haar vader was ontzettend berustend en afstandelijk. Als ze helemaal geen interesse toonde voor haar bezittingen, gingen ze zich alleen nog maar meer zorgen maken. Dus zei ze ja en vertelde ze hem hoe hij moest rijden. Uiterlijke schijn was belangrijk voor haar ouders.
De auto zoefde soepel van het sombere victoriaanse ziekenhuis naar de studentenwijk in de stad: lange rijen hoge, oude panden waarin vroeger hele families met hun bedienden hadden gewoond. Ze zagen zwart van tweehonderd jaar industrie en waren leeggelopen na een reeks veranderingen – het gezin dat niet langer de hoeksteen van de samenleving vormde, de Eerste Wereld-

oorlog, de depressie, het onvermogen van de meeste mensen om er nog langer bedienden op na te houden – en waren uiteindelijk in handen gevallen van plaatselijke zakenmannen die de eens zo majestueuze kamers met hun hoge plafonds en rozetten waar ooit een kroonluchter had gehangen tot kleine flats of eenkamerwoningen hadden laten ombouwen – zoveel als ze maar in een gebouw konden proppen – om deze aan studenten te verhuren.
Kirsten had een zolderkamer in een doodlopende straat vlak bij het park. Nadat ze haar eerste jaar diep ongelukkig was geweest in een schel verlicht, rumoerig studentenhuis, had ze het hier de afgelopen twee jaar enorm naar haar zin gehad. Toen ze met hun drieën uit de slanke, zilvergrijze auto stapten, zag ze dat verschillende bewoners van de straat vanachter hun gordijnen stonden te kijken. Het zou wel een fraaie aanblik bieden, veronderstelde ze: een Mercedes in de straat waar de kinderhoofdjes door de verschillende lagen asfalt heen staken.
De stoep en goot waren bezaaid met flarden krantenpapier, frietzakken, lege sigarettenpakjes en plastic snoepwikkels; de tuin werd opgeslokt door onkruid en ongemaaid gras. In de gang, die eruitzag alsof er een maand lang niet was geveegd, lagen keurige stapels post op een gammele oude tafel.
De lichtknop die Kirsten indrukte en die op een timer werkte, onthulde op elke verdieping een kaal peertje en spinnenwebben in de kroonlijsten langs het hoge plafond. De muren waren geverfd in een kleur die het midden hield tussen matblauw en saai groen – maar dat was alweer een aantal jaar geleden gebeurd – en de hoge plafonds waren paarsbruin, een kleur die Sarah als 'aarsbruin' aanduidde. In het licht van de kale gloeilampen zag het pand er nog sjofeler uit dan het in werkelijkheid was.
Terwijl ze de trap op liepen, was Kirsten zich duidelijk bewust van haar moeders hartgrondige afkeuring. Bij binnenkomst had ze hoorbaar haar adem ingehouden en ze had niet meer uitgeademd uit angst dat ze dan de lucht weer moest inademen.
Hoewel het een beetje dwaas aanvoelde, klopte Kirsten eerst aan op haar eigen deur. Ze had weliswaar nog een sleutel, maar de kamer was nu officieel van Sarah en ze kon niet zomaar naar binnen denderen. Ze hoopte maar dat er geen blote vent in Sarahs bed lag.
De deur ging open. Kirsten gluurde opgelucht naar de lege kamer achter Sarah, die niet eens een van haar opzettelijk uitdagende T-shirts droeg. In plaats daarvan had ze een witte broek aan en een wijd sweatshirt met daarop UCLA.
'Kirstie, lieve schat van me!' kraaide ze. Haar tere, porseleinen gelaatstrekken verbreedden zich tot een glimlach waardoor ze zo in scherven uiteen konden spatten en ze sloeg haar armen om Kirsten heen.

Kirsten omhelsde haar ook, maar maakte zich toen voorzichtig los. Ze reageerde er niet zo heftig op als op Galens aanraking, maar toch merkte ze dat ze zich inwendig terugtrok en zich niet helemaal gaf.
'Mijn vader en moeder.' Ze deed een stap opzij en stelde haar ouders voor, die aarzelend in de deuropening waren blijven staan.
'Een kopje thee?' vroeg Sarah.
'Dat zou fijn zijn.' Kirsten keek naar haar vader, die knikte. Haar moeder schudde zacht haar hoofd en wierp een blik op haar horloge. 'Voor mij niet, dankjewel, hoor. We moeten echt snel weer weg als we voor het donker thuis willen zijn.' Ze richtte de opmerking tot haar man.
'Ach, we hebben heus wel even tijd voor een kop thee,' zei hij met een glimlach tegen Sarah, en hij ging in een versleten rode leunstoel met brede armleuningen zitten. Het was Kirstens lievelingsstoel, waarin ze altijd had zitten lezen of aantekeningen had gemaakt voor haar werkstukken.
De L-vormige kamer was net groot genoeg voor vier mensen. Het schaarse meubilair bestond uit twee bij elkaar passende leunstoelen die voor de gashaard stonden, een extra brede matras op de vloer onder het raam, een kleine, ingebouwde kledingkast en tegen de muur daartegenover een bureau met boekenplanken. Op een van de planken stond een draagbare cassetterecorder met daarnaast een rekje met bandjes. Sarah had *Nebraska* van Bruce Springsteen op staan. Ze zette het geluid zachter en liep naar het keukentje dat zich in het korte deel van de L bevond en door een dun rood gordijn van de rest van de ruimte werd gescheiden, om een ketel water op te zetten.
Kirsten ging op de matras zitten, die altijd dienst had gedaan als bank wanneer ze bezoek had. Ze staarde naar de poster aan de muur boven de kussens – een afbeelding van Van Goghs *Zonnebloemen* – en dacht terug aan de eerste keer dat Galen en zij op de avond na het kerstfeest van de vakgroep Engels in hun tweede jaar op diezelfde matras met elkaar hadden gevreeën. Terwijl ze daaraan terugdacht en ook aan alle andere heerlijke keren dat ze daar met elkaar naar bed waren geweest, klopten haar lendenen pijnlijk van verlangen en verlies. Ze zag hem nog steeds voor zich zoals hij daar aan de kant van de weg had staan zwaaien. Ze zou hem nooit meer zien. Voor zijn eigen bestwil.
Haar moeder bleef nadrukkelijk met haar armen stijf over elkaar geslagen bij het raam staan. Kirsten kon niet zeggen of haar interesse uitging naar het uitzicht op het park – de plek des onheils – aan het eind van de straat of dat ze alleen maar een oogje op de Mercedes wilde houden. Haar moeders afkeer van de eenkamerflat was bijna tastbaar. Ze had haar neus in de lucht gestoken en wekte de indruk dat ze elk moment met een vinger over de muur zou kunnen strijken om te zien hoeveel viezigheid ervan af kwam. Als ze dat

deed, dacht Kirsten bij zichzelf, zou ze binnen twee seconden gillend om de werkster wegrennen.
Haar ouders waren nog niet eerder in de flat – of zelfs in de stad – geweest. De eenvoudige uitstraling en leefomstandigheden vormden ongetwijfeld net zo'n grote schok voor hun tere, zuidelijke opvattingen als ze in eerste instantie ook voor haar waren geweest. In twee jaar tijd was ze er echter wel aan gewend geraakt. Bovendien draaide het leven op haar leeftijd eerder om feestjes, boeken, films, toneelstukken en de liefde dan om een smetteloos schoon landhuis als woning. In tegenstelling tot haar moeder was Kirsten nooit bijzonder proper geweest. Ook in haar kamer thuis was het altijd een bende geweest. Zolang ze zich maar vermaakte, had ze zich nooit druk gemaakt om opgeruimde tafels en kasten. Ze waste regelmatig af, en één keer per week stofte ze de boel en ging ze naar de wasserette, en dat was het dan wel. Bovendien waren deze panden zo oud en uitgewoond dat je er bijna niets mee kon beginnen, zelfs als je dat wilde. Het was maar tijdelijk: een plek voor een kort verblijf, niet om je voorgoed te settelen.
Sarah keerde terug met een gebarsten theepot en drie mokken. Kirstens vader nam zijn suikerloze thee netjes aan, maar haar moeder bleef als een standbeeld bij het raam staan. Haar vader kletste over koetjes en kalfjes met Sarah, en Kirsten deed intussen alsof ze de kamer afstruinde, op zoek naar spullen die ze zogenaamd wilde meenemen. Ze pakte het stapeltje post – voornamelijk reclame – van het bureau, en propte een paar kledingstukken en een willekeurige selectie boeken in de oude koffer die in de kast stond. Toen ging ze zitten om haar inmiddels koud geworden thee op te drinken.
'Is dat alles wat je meeneemt?' vroeg Sarah.
'Voorlopig wel. Ik heb thuis nog van alles liggen – kleren en zo.'
'En je boeken dan...?'
'Zou je die even voor me willen bewaren? Ik denk dat ik even afstand moet nemen van literatuur.'
Sarah tuurde naar de planken, die nog steeds voor driekwart vol stonden. 'Het kan misschien geen kwaad dat ik me eens op Shelley en Coleridge stort,' zei ze glimlachend. 'Ook al had ik eigenlijk een zomer met Thomas Hardy en George Eliot gepland. Wat die titels over taalkunde en fonetiek en zo betreft weet ik het zo net nog niet, hoor. Je weet dat ik daar nooit iets van heb gesnapt.'
Kirsten schokschouderde en pakte een boek voor haar. 'Begin hier maar mee. De professor die het heeft geschreven, kan volgens eigen zeggen aan de hand van je accent vertellen uit welke plaats je komt. Ik heb gehoord dat hij er vaak maar hooguit vijftien kilometer naast zit. Zo goed ben ik natuurlijk nooit geweest, maar...'

'Bedankt,' zei Sarah. 'Ik zal eens een poging wagen.'
Iedereen was zich natuurlijk nadrukkelijk bewust van haar moeders aanwezigheid, die hoog boven hen uittorende en een onbehaaglijk stempel op de sfeer drukte, dacht Kirsten bij zichzelf. Onder andere omstandigheden had ze waarschijnlijk wel een van haar preken rond het vaste thema 'Waarom moest je ook zo nodig een schoon, fatsoenlijk thuis verlaten?' gespuid. Ook haar vader had haar er vermoedelijk aan herinnerd dat hij zijn best had gedaan haar over te halen naar een universiteit dichter bij huis te gaan in plaats van naar zo ver weg te verhuizen. Ze moest haar vleugels echter uitslaan. Ze wist dat ze het thuis nooit lang had uitgehouden, terwijl andere studenten vrij waren om voor het eerst hun eigen leven te leiden. Het zou ontzettend vernederend zijn geweest om na een college over Milton meteen terug te moeten hollen naar papa en mama om op tijd thuis te zijn voor het avondeten. Hoe verder weg, hoe beter, had ze gedacht, en daartoe had ze overtuigende argumenten aangevoerd over het niveau van het onderwijs en de reputatie van de docenten.
'Ik denk dat we maar eens moeten gaan, lieverd,' zei haar vader uiteindelijk, en hij zocht een plek om zijn mok neer te zetten.
Kirsten stond op, nam de mok aan en bracht hem naar de keuken. Zij was ook zover. Ze was de spanning en het doen alsof meer dan zat. Als iedereen haar de rest van haar leven ging behandelen alsof ze van suiker was, dan was ze binnen de kortste keren weg. Ze begon een beetje te vermoeden hoe lichamelijk gehandicapten zich moesten voelen wanneer iedereen ontzettend gegeneerd, neerbuigend en meelevend tegen hen deed, en verschrikkelijk hard zijn best deed om hen niet te beledigen of op een of andere manier op hun gebrek te wijzen. Seks en baby's waren vanaf nu onbespreekbare onderwerpen bij haar thuis, besefte ze, evenals alle andere vieze woorden. Taboe. 'Zeg alsjeblieft niets over je-weet-wel,' zou haar moeder bij de deur tegen bezoekers fluisteren, 'anders raakt Kirsten overstuur.' Ze was moe. Ze wilde alleen maar op de achterbank van de auto kruipen en snel en geruisloos naar huis worden gebracht.
Sarah liep met hen mee naar beneden en omhelsde Kirsten op de drempel nogmaals. 'Maak je geen zorgen,' zei ze. 'Ik regel alles wel. O ja, dat zou ik bijna vergeten: wat wil je dat ik met je cassettebandjes doe?'
'Dat komt wel goed, Sarah, bewaar ze nog maar even. Ik heb thuis meer dan genoeg muziek.' Dat was ook zo. In haar ruime slaapkamer stond een super de luxe stereo-installatie, die haar vader voor haar achttiende verjaardag voor haar had gekocht. Het ding was te groot en te duur om helemaal naar de universiteit mee te slepen, dus had ze een draagbare speler meegenomen en de andere thuis laten staan om tijdens de vakanties te gebruiken.

Sarah beloofde dat ze snel zou schrijven en langskwam zodra ze kon, en toen vertrokken ze. Achter de ramen in de straat werd gereikhalsd om hen te kunnen zien. Misschien kwam dat niet eens zozeer door de luxe auto, bedacht Kirsten opeens, maar door haar nieuwe status van bekendheid: 'Dat is het meisje dat zich bijna heeft laten vermoorden door die maniak,' zeiden ze dan bij zichzelf. De woorden klonken haar raar in de oren: 'Dat zich bijna heeft laten vermoorden.' Alsof het gebeurde op een of andere manier haar eigen schuld was.

Haar moeder was zichtbaar opgelucht dat ze de kamer uit was en zich nu weer in de aangename, vertrouwde omgeving van de Mercedes bevond. Haar vader had Kirsten verteld dat ze tijdens haar verblijf in het ziekenhuis in het grote hotel vlak bij het station hadden gelogeerd. Minder rijke of machtige mensen waren beslist niet in staat geweest zo lang van hun werk vrij te nemen of zich die luxe te veroorloven, wist Kirsten. Ze had de rijkdom en status van haar ouders altijd vanzelfsprekend gevonden, zoals dat jonge mensen nu eenmaal eigen is, maar nu was ze zich voor het eerst bewust van haar bevoorrechte leventje: de privékamer in het ziekenhuis; haar ouderlijk huis, een gerenoveerd landhuis in tudorstijl in Brierley Coombe vlak bij Bath; de comfortabele Mercedes die er over de M1 naartoe zoefde.

Ze staarde door de motregen naar het saaie landschap van Zuid-Yorkshire en de roerloze raderen van de mijnen die voorbijflitsten, en al snel kwamen ze langs de afrit voor Nottingham en Derby. Kirstens vader gaf altijd de voorkeur aan snelwegen, en zelfs als dat inhield dat hij moest omrijden, bleef hij over het algemeen zo lang mogelijk op de snelweg en reed hij zo hard als hij kon. Deze keer verliet hij de M1 echter al bij Northampton, vlak voordat de weg in zuidoostelijke richting naar Londen afboog, zag ze, en volgden ze dus de toeristische route. Misschien hoopte hij dat een gezonde dosis fraai, groen platteland een therapeutische uitwerking zou hebben. Nog voordat ze de zuidelijke rand van de Midlands hadden bereikt, nam de regen af en drong de zon door de wolken heen, alsof ze zijn gelijk wilden bewijzen.

Kirsten had het zich gemakkelijk gemaakt op de achterbank. Het leek net of de Mercedes door de lucht zweefde en geen geluid maakte, en na een paar pogingen om een gesprek te beginnen, deden haar ouders er ook het zwijgen toe. Haar vader zette Radio 3 aan en Kirsten luisterde ontspannen naar Busoni's pianomuziek die werd gedraaid. Ze kwamen door Banbury en Chipping Norton, en bereikten al snel de Cotswolds. Het was inmiddels een prachtige dag op het Engelse platteland geworden: een blauwe lucht waaraan een of twee wollige witte wolken langsdreven, ronde, groene heuvels en schilderachtige dorpjes. De zon verwarmde de verweerde kalkstenen cottages met hun leien daken en hun tuinen vol rozen.

Ze reden dwars door Stow-on-the-Wold, waar het een drukte vanjewelste was met geparkeerde auto's en toeristen, en stopten na een tijdje bij een kleine, zestiende-eeuwse pub vlak bij Bourton-on-the-Water voor de lunch. Kirstens moeder voelde zich daar, in die omgeving van welgemanierdheid en glanzend gepoetst koperwerk die zo vertrouwd aandeed, kennelijk erg op haar gemak. Kirsten speelde met haar boerenlunch. Na het infuus en de lange periode van ziekenhuisvoedsel was ze blijkbaar haar eetlust kwijtgeraakt.

Na de lunch maakten ze een wandeling door het plaatsje en liepen ze een stukje langs de rivier, en toen begonnen ze aan het laatste deel van de reis. Terwijl op de radio een eindeloze symfonie van Mahler klonk, dommelde Kirsten onrustig in, en zelfs op klaarlichte dag werd ze lastiggevallen door verontrustende dromen over de donkere man en de lichte man die in haar lichaam sneden. Op de hoge heuvel die hen omlaagvoerde naar Bath voelde ze opeens een brandende pijnscheut die heel diep door haar lendenen schoot. Ze schonk er geen aandacht aan en staarde naar de haar zo bekende stad onder hen met het lichte steen dat glinsterde in de zon. Nog voordat ze Pulteney Road hadden bereikt, sloeg ze echter knarsetandend dubbel op de achterbank vanwege de helse, stekende pijn tussen haar benen.

19
Martha

'Of ik nog weet wie jij bent?' De man keek haar verward aan. Toen gebaarde hij glimlachend met zijn duim naar de pub. 'Jij zat gisteravond met je vriend in The Fisherman. Dat weet ik nog wel.'
'Hij is mijn vriend niet,' zei Martha. 'Hij is trouwens inmiddels vertrokken.'
Martha wist niet of ze kwaad of blij moest zijn dat hij zich haar niet meer herinnerde. Het was weliswaar een belediging, maar wel een die ze in haar eigen voordeel kon gebruiken. Ze beefde niet langer en kreeg het al iets warmer. Zolang ze maar in gedachten hield wat hij was, wat hij had gedaan, zou ze in haar woede en walging ongetwijfeld de moed vinden die ze nodig had. Dit was tenslotte haar lotsbestemming, haar missie; dit was de reden dat zij had overleefd wat een heleboel anderen niet hadden overleefd.
Het kostte haar nog steeds moeite om naar hem te kijken, maar toen ze eenmaal zover was, zag ze in het vage schijnsel van een straatlantaarn dat hij minder oud was dan ze had gedacht: achter in de twintig, hooguit begin dertig. Om een of andere reden had ze verwacht dat hij ouder zou zijn. Hij was maar een paar centimeter langer dan zij, had een warrige donkere haardos en zo'n eeuwige stoppelbaard. Net als de avond ervoor had hij een donkerblauwe Guernsey-visserstrui aan en een wijde, donkere broek die van dikke stof was gemaakt. Hij sprak met een zwaar lokaal accent. De stem klopte, daarvan was ze overtuigd. En het gezicht ook. Verder moest ze op zichzelf en haar intuïtie vertrouwen; profeten vonden nooit hun heilige graal op basis van logica alleen.
'Op vakantie?' vroeg hij, terwijl hij op zijn gemak tegen de reling naast haar leunde.
'Zo zou je het wel kunnen zeggen.' Martha keek terwijl ze dat zei recht voor zich uit. Aan de overkant van het water stond St. Mary's solide en helder als gepoetst zand in het licht van de schijnwerpers. De rode, blauwe en gele lichtjes kronkelden als olievlekken in de donkere haven onder hen. Achter haar klonken tikkende voetstappen – een vrouw op hooggehakte schoenen – en

verder weg, in het centrum van de stad, kwam een groep luidruchtige jongeren schreeuwend en joelend uit een pub. Op zee spetterde er iets in het water.
'Weet je wat het is? De meeste mensen die hier wonen zien niet eens meer hoe mooi het hier is,' ging de man verder. 'Als je iets voortdurend om je heen hebt, zoals de zee, dan ga je er echt niet naar staan staren.'
'Valt het dan zo op?'
Hij lachte. 'Ik blijf zelf ook weleens staan om te kijken, zeker daarginds, waar het helemaal donker is en je soms heel in de verte een piepklein stipje licht ziet bewegen. Ik vraag me vaak af hoe het is om op een van die boten in het donker te zitten.'
'Ben je dan geen visser?'
'Ik? Grote god, nee zeg! Hoe kom je daar nou bij? Ik heb wel een bootje en ik vaar weleens uit, maar dat is puur voor mezelf en altijd overdag.'
'Ik dacht... Och, laat ook maar.'
'Ik ben meubelmaker van beroep. Ik doe ook heel veel voor het theater hier, in het toneelseizoen – hoofddecorbouwer en manusje-van-alles.'
Martha snapte er niets van. Ze was er al die tijd van overtuigd geweest dat haar doelwit visser was. Nu ze er echter eens goed over nadacht, kon ze niet eens meer zeggen hoe ze eigenlijk op dat idee was gekomen. Misschien kwam het door de geur, de visachtige geur. Iemand die aan zee woonde, kon die natuurlijk gemakkelijk ergens hebben opgepikt. Bovendien had hij zelf gezegd dat hij soms viste. Nee, zei ze bij zichzelf, ze zat op het juiste spoor, dat moest gewoon. Geen smoesjes. Instinct.
'Doe je dat al lang?' vroeg ze.
'Wat – meubels maken of het theater?'
Martha haalde haar schouders op. 'Nou ja, allebei.'
'Sinds ik van school ben. Houtbewerking was het enige waar ik goed in was en ik heb het theater altijd al fascinerend gevonden. Niet het acteren, maar de praktische kant – de illusies die toneel creëert. En jij?'
'Werk je ook weleens ergens anders of ben je altijd hier?'
'Ik heb aardig wat afgereisd. Zo'n beetje door het hele land. Hier is niet altijd voldoende werk voor me, maar ik woon hier wel. Dit is mijn thuisbasis, zal ik maar zeggen.'
'Geboren en getogen dus?'
'Aye. Geboren en getogen in Whitby. Je hebt trouwens geen antwoord gegeven op mijn vraag.'
Martha voelde de kilte in de wind die van zee af kwam en sloeg haar jack weer om haar schouders. 'Wat vroeg je dan?'
'Ik vroeg wat jij deed.'
Martha lachte en streek een lok haar naar achteren die in de wind was ver-

schoven. 'O, ik ben niet echt interessant, vrees ik. Ik kom uit Portsmouth, een saaie typiste op een saai kantoor.'
'Dan ben je de zee zeker wel gewend?'
'Sorry?'
'De zee. Portsmouth is toch een bekende marinebasis?'
'O ja, de zee. De enige keer dat ik daar iets mee te maken heb gehad was tijdens een tocht met de hovercraft naar het Isle of Wight. En toen ben ik ziek geworden.'
Hij lachte. 'Zeg, heb je misschien zin om ergens wat te gaan drinken? Ik hoop dat je me niet te vrijpostig vindt of zo, maar...'
'Helemaal niet, hoor.' Martha dacht pijlsnel na. Ze kon onmogelijk met hem naar een pub gaan, dat was een ding dat zeker was. Tot dusver was de enige connectie tussen haar en hem de familiekamer in The Lucky Fisherman en ze kon zich bijna niet voorstellen dat iemand de vorige avond hun vluchtige oogcontact had opgemerkt, behalve Keith dan. Als ze zich nu samen met hem ergens vertoonde, was dat vragen om moeilijkheden.
'Wat zeg je ervan?'
'Ik heb niet echt trek in een drankje. Het is een veel te mooie avond om in een lawaaiige, rokerige kroeg te zitten. Zullen we in plaats daarvan een stukje gaan lopen?'
'Mij best. Waarnaartoe?'
Martha wilde het centrum vermijden, omdat de pubs daar over niet al te lange tijd hele hordes vrolijke, aangeschoten toeristen en stadsbewoners op straat zouden zetten die zich wellicht zouden herinneren dat ze hen samen hadden gezien. Als ze de stillere, gedempt verlichte straatjes aanhielden, zou niemand hen opmerken. Ze moest hem ergens naartoe lokken waar ze alleen waren, waar verder niemand was. Ongetwijfeld had hij precies hetzelfde in gedachten. Hij was echt een koele kikker. Het deed er echter niet toe hoe goed hij toneelspeelde, want ze wist heel zeker dat hij haar wel degelijk had herkend. Hij kon haar onmogelijk zijn vergeten. Net zoals zij onmogelijk kon vergeten wat hij was. Ze dacht aan het strand en de grotten daar.
'Laten we in de richting van de pier wandelen,' stelde ze voor, 'dan zien we daar wel weer verder.'
'Goed. Ik heet trouwens Jack, Jack Grimley.' Hij stak zijn hand uit.
'Martha. Martha Browne.' Ze schudde zijn hand; die voelde ruw en eeltig aan – vast en zeker van al die houten planken die hij had gezaagd en geschuurd – en ze huiverde.
'Aangenaam, Martha.'
Ze namen de trap en staken Khyber Pass over om naar Pier Road te lopen. Het was inmiddels halfelf geweest en alle speelhallen waren al gesloten. Er

liep nog een paar jonge, verliefde stelletjes bij de veilingloodsen, maar die zagen alleen elkaar.
Ze slenterden naar de pier en snoven de zeelucht diep in hun longen. Martha stak een sigaret op en wikkelde haar jack iets strakker om haar hals tegen de kou. Jack had tot dusver geen enkele poging gedaan om haar aan te raken of haar te versieren, maar ze wist dat dat elk moment kon gebeuren. Voorlopig vond hij het kennelijk prima om rustig naast haar te staan terwijl zij rookte en naar de lichtjes in de verte op de donkere zee te kijken. Ze vroeg zich af wanneer hij zou toeslaan. De pier was te open en bloot. Om hen heen was het helemaal donker, maar het gevaarte stak als een soort lang, stenen podium uit boven het water. Het was wel echt een plek waar hij de eerste toenaderingspoging kon doen – een zachte streling of een warme arm om haar schouders om haar een vals gevoel van veiligheid te geven.
'Zullen we naar het strand gaan?' vroeg ze, nadat ze haar peuk op de grond had gegooid en had uitgetrapt. 'Ik luister graag naar het geluid van de golven.'
'Waarom niet?'
Hij liep met haar mee terug naar Pier Road en de stenen trap af naar het verlaten strand. Er was een smalle strook schuim op het strand achtergebleven en daarachter klonk het zuigende, sissende geluid van de zich terugtrekkende zee. De maan, die bijna driekwart vol was, stond hoog aan de hemel en liet zijn zwakke lichtstralen op het water vallen. Het was net alsof ze daar als gloeiende kwallen vlak onder het wateroppervlak bleven drijven.
Ze wandelden langs de rotswand, omdat het zand daar droger was. Het was er aardedonker, op het licht van de maan na. Ze werden door de zachte, holle ronding van de rotsen aan het oog van de stad onttrokken.
Eindelijk pakte Jack voorzichtig haar arm vast. Het is zover, dacht ze bij zichzelf, en ze spande haar spieren. Ze probeerde zich normaal te gedragen en niet te verstijven, zoals ze gewoonlijk altijd deed wanneer een man haar wilde aanraken. Ze moest zijn aandacht afleiden.
'Weet je heel zeker dat je je het niet meer herinnert?' vroeg ze, terwijl ze haar vrije hand in haar weekendtas stak.
'Wat moet ik me dan herinneren?'
'Mij.' Ze vond het een ongelooflijke belediging dat hij nog steeds deed alsof hij haar na alles wat er was gebeurd niet herkende.
'Ik zag er wel iets anders uit,' zei ze. Haar hand sloot zich om de pressepapier. Haar zintuigen werden overspoeld door een warme vastberadenheid.
Hij lachte. 'Martha, ik weet zeker dat ik het nog wel zou hebben geweten als ik je eerder had ontm...'
'Ik heette toen niet Martha.'
Het verliep helemaal niet zoals ze het zich had voorgesteld, zoals ze het in

gedachten al zo vaak voor zich had gezien. Het was de bedoeling dat hij netjes op de grond zou vallen en dat het daarbij bleef. Dat gebeurde echter niet. Toen de presse-papier zijn slaap raakte en een zacht krakend geluid produceerde, zakte hij kreunend op zijn knieën en legde hij ongelovig zijn hand tegen de wond. Bloed druppelde tussen zijn vingers door en glom in het maanlicht. Toen draaide hij zich om en keek hij haar met glanzende, wijd opengesperde ogen aan.

Martha verstarde even. Ze bleef aarzelend staan, ervan overtuigd dat ze het niet kon afmaken. Ze had de situatie in gedachten heel vaak voor zich gezien, zowel wakend als dromend, maar het ging helemaal niet zoals haar bedoeling was. Ze haalde uit angst en woede nogmaals uit, en deze keer klonk het gekraak nog harder. Nu viel hij wel voorover op het zand. Hij bleef alleen niet stil liggen. Zijn lichaam schokte en verkrampte als een losgeslagen marionet; zijn korte, dikke vingers klauwden in het zand. Martha bleef geschokt naar de gedaante staren die liggend op het zand danste. Zijn armen trilden krampachtig en zijn hele lijf schokte alsof het elk moment kon ontploffen en in scherven uiteenspatten. Plotseling hield het op en bleef hij eindelijk doodstil liggen. Het bloed op zijn hoofd zag er kleverig uit in het matte, witte licht.

Martha bukte zich en zette haar handen op haar knieën. Ze haalde een paar keer adem en wachtte tot haar wild jagende hart iets langzamer klopte. Ze had het bijna verpest. De werkelijkheid verliep nooit zoals zij dacht. Ze had een veel te groot deel van het plan aan haar intuïtie en verbeelding overgelaten, en ze had moeten weten dat ze er rekening mee moest houden dat niet alles precies volgens plan zou verlopen. Het was in elk geval gebeurd en hij lag aan haar voeten, ook al was de daad zelf veel gruwelijker en beangstigender geweest dan ze had verwacht. Ze was er echter nog niet. Ze kon hem niet zomaar op het strand achterlaten en ze mocht hier zelf ook niet al te lang meer blijven. Martha gluurde zenuwachtig om zich heen, vermande zich en ging aan de slag.

Hijgend tilde ze het zware lichaam op en sleepte ze het traag naar de opening van de dichtstbijzijnde grot. De ingang werd gevormd door een ruwe boog van een meter of twee hoog, maar daarna werd de holte al snel smaller. Die stak in een flauwe bocht hooguit vijf meter diep de rotswand in en liep aan het eind spits toe, maar het was meer dan voldoende voor Martha. De donkere wanden waren bedekt met glinsterend slijm, alsof de rotsen zelf verwachtingsvol transpireerden.

Nadat ze het lichaam naar binnen had gesleurd, bleef Martha staan om te luisteren. Het was inmiddels na elven. De pubs waren dicht en misschien waren er wel mensen die zin hadden in een dronken wandeling over het strand.

Even later giechelde er iemand op de pier en hoorde ze stemmen dichterbij komen. Ze zette zich snel schrap en sjorde het lichaam aan de enkels verder de grot in, voorbij de flauwe bocht halverwege. Ze gilde het bijna uit toen een gescheurde nagel aan een van zijn wollen sokken bleef haken en ze hem slechts met moeite los wist te krijgen.
Ten slotte had ze hem zo diep mogelijk de holte in gesleept. De inspanning had haar uitgeput – er stonden zweetdruppels op haar voorhoofd –, maar nu was ze in elk geval veilig. De schuine stralen van de maan verlichtten alleen de eerste anderhalve meter van de grot en werden daarna tegengehouden door de bovenkant van de ronde opening.
Martha keek voorzichtig om een rotsblok heen en zag door de opening van de grot het silhouet van een jong stelletje. Ze hield haar adem in. Ze stonden een meter of tien bij haar vandaan bij de golven die op het strand sloegen. Ondanks de afstand ving ze flarden op van hun gesprek.
'... laat. Kom, dan gaan we...'
'... nog eventjes... lekker rustig... geef me...'
'Nee! ... koud... Kom nou mee!'
Er volgde nog meer gelach en toen holde de jongen achter het meisje aan terug naar de trap.
Martha ademde uit. Het was weer stil. Om zich ervan te vergewissen dat er niet nog meer pierewaaiers kwamen die haar werk konden verstoren, bleef ze bijna een kwartier lang oppervlakkig ademend wachten. Toen er echter verder niets gebeurde, sleepte ze het lichaam naar de poel maanlicht vlak bij de ingang van de grot om te controleren of hij wel echt dood was.
Grimleys lichaam schuurde knerpend over de dode, opgedroogde schelpdieren die als botjes in het maanlicht glansden. Slierten droog zeewier kraakten onder Martha's voeten en de geur van uit zee aangespoelde dingen, zout en rotte vis drong diep in haar neusgaten door. In de schaduwen achter haar stoof een kleine, donkere gedaante weg over het zand. Ze rilde. Buiten klonk alleen het gelijkmatige, kalme ritme van de golven die op het zand sloegen en zich terugtrokken.
Martha waste de presse-papier in een kleine kom in een rots, droogde hem af aan haar shirt en borg hem weer op in haar weekendtas. Ze onderzocht haar handen en kleren, maar kon geen bloed ontdekken. Ze moest straks, wanneer ze terug was op haar kamer, alles nog een keer goed nakijken.
Ten slotte dwong ze zichzelf naar het lichaam te kijken. Eén kant van zijn gezicht zat verborgen onder een laag bloed, en zijn oog puilde uit de kas en leek haar recht aan te staren. Zijn linkerslaap was verbrijzeld. Martha drukte er vol afschuw een vinger tegenaan en voelde de botscherven als een kapotte eierschaal verschuiven onder haar aanraking. De tweede klap had hem boven

op zijn schedel geraakt en ze liet haar vinger door de diepe inham glijden. Ook hier was het bot versplinterd, en deze keer raakte haar vinger iets zompigs aan wat bedekt was met haar. Ze beefde en begon te kokhalzen, en een schreeuw bleef in haar keel steken. Ze knielde naast hem neer en gaf over op het zand tot ze bang was dat het nooit zou ophouden.

De oeroude, verrotte zeelucht bleef in haar neus hangen, en haar vingers zaten vol bloedspetters en stukjes hersenen. Toen ze weer op adem was gekomen, waste ze haar handen in het poeltje in de rots en bleef hijgend op haar hurken zitten tot ze haar hartslag weer onder controle had. Ze wilde geen seconde langer in de buurt van het lichaam blijven, dus kroop ze naar de opening en luisterde ze even ingespannen. Het was stil op het strand, op het geraas en gesis van de golven na. Martha glipte als een geest in het maanlicht de grot uit en keerde terug naar het pension.

20
Kirsten

'Je moet er rekening mee houden dat het af en toe pijn doet,' zei dokter Craven, terwijl ze met een zwarte pen iets op haar receptenblok schreef. 'Dergelijke zware verwondingen veroorzaken vaak extreem veel pijn. Maar wees maar niet bang, dat duurt niet eeuwig. Ik zal je een recept geven voor een pijnstiller. Dat zou moeten helpen.' Ze leunde naar achteren en overhandigde Kirsten het velletje papier.

Achter de dokter, een barse vrouw van begin veertig met heel kortgeknipt grijs haar, ernstige blauwe ogen en een kromme neus, zag Kirsten de kleine, Normandische kerk en het stadspark met de twee schitterende rode beuken, de rozenbedden, het lage witte hek en de parkbankjes waarop bejaarden zaten te kletsen. Ze hoorde door het open raam vinken en mezen kwetteren. Brierley Coombe. Thuis.

Het was haar de avond ervoor gelukt de pijn voor haar ouders verborgen te houden. Ze had na de reis vermoeidheid voorgewend, had vier aspirines geslikt en een lang, warm bad genomen, en was toen in bed gekropen. De pijn was weggeëbd en ze had zelfs voor het eerst sinds de aanval weer goed geslapen.

Dokter Craven boog zich weer naar voren en tikte op een blauwe map. De stethoscoop om haar nek zwaaide mee en raakte de rand van het bureau. 'Ik heb hier al je gegevens, Kirsten,' zei ze, 'en ik heb dokter Masterson van het ziekenhuis gesproken. Als je ook maar iets dwarszit, aarzel dan alsjeblieft niet en kom naar me toe. Ik wil ook graag dat je elke week even langskomt, alleen om te zien hoe het met je gaat. Goed?'

Kirsten knikte. Dokter Masterson? Ze had de naam van de man die waarschijnlijk haar leven had gered nooit geweten. Een van haar weldoeners, in elk geval. Ze wist evenmin de naam van degene die de pech had gehad dat hij op de avond van de aanval met zijn hond aan het wandelen was geweest. Maar dokter Masterson? Ze herinnerde zich zijn donkere uiterlijk en het voorhoofd met de diepe rimpel, herinnerde zich dat hij er altijd heel chag-

rijnig had uitgezien, maar zich verlegen en zachtaardig gedroeg. Om de tijd te doden had ze zelfs verhaaltjes over hem verzonnen. Zijn vader had beslist als legerofficier in India gediend, bedacht ze – hoogstwaarschijnlijk kapitein van het medisch korps – en was met een Indiase vrouw uit een hoge kaste getrouwd. Na de onafhankelijkheid waren ze naar Engeland gekomen...
Het gemak waarmee ze zonder ook maar over enige informatie te beschikken verhalen over mensen kon verzinnen, verbaasde haar telkens weer. Het was een talent of een vloek die ze al van heel jonge leeftijd had gehad, en ze had in haar jeugd talloze opschrijfboekjes volgekrabbeld met primitieve poppetjes en de familiegeschiedenis van zelfbedachte personages. Als ze voor anderen een heel leven bij elkaar kon verzinnen, dacht ze bij zichzelf, dan moest dat voor haarzelf toch ook lukken? Dat was beslist vele malen beter dan iedereen die ze ontmoette de waarheid vertellen. Toen ze die ochtend op weg was naar de praktijk van de huisarts viel het haar op dat de buren – mensen die haar als klein kind al hadden gekend – haar een meelevende blik toewierpen. Wat nog veel erger was, was dat een van hen – Carrie Linton, een verwaande bemoeial die ze nooit had gemogen – haar met een heel andere blik had aangekeken: eerder beschuldigend dan medelijdend.
'Kirsten?'
'Wat? O, sorry, dokter. Ik zat te dagdromen.'
'Ik zei dat je erop moet letten dat je goed eet en veel rust. Het genezingsproces verloopt voorspoedig, anders had dokter Masterson je nooit naar huis laten gaan, maar je bent nog steeds patiënt en dat mag je niet vergeten.'
'Nee, natuurlijk niet.'
'Als je er problemen mee hebt je aan je situatie aan te passen kan ik je een heel goede arts in Bath aanbevelen, een specialist.'
Aanpassen? Situatie? Grote god, dacht Kirsten bij zichzelf, het klinkt net alsof ik zwanger ben of zoiets.
'Ik bedoel op mentaal en emotioneel vlak,' vervolgde dokter Craven, die haar blik op de schematekening van het menselijke bloedvatenstelsel op de muur had gevestigd. 'Het kan een lange, moeilijke weg zijn.'
'Een psychiater?'
Dokter Craven trommelde met haar pen op het bureau. 'Alleen als jij daar behoefte aan hebt. Zo iemand kan je echt helpen. Er rust tegenwoordig niet meer zo'n taboe op, vooral niet bij...'
Ze geneert zich, dacht Kirsten bij zichzelf. Net als al die anderen. Ze weten niet wat ze met me aan moeten. 'Vooral niet bij gevallen zoals ik?' maakte ze de zin af.
'Ehm, ja.' Kennelijk was de ironie in Kirstens stem dokter Craven ontgaan. Haar mondhoeken krulden zich in een van haar zeldzame, korte glimlachjes.

'Je bent tamelijk uniek, moet je weten. Er zijn maar weinig vrouwen die een aanval van zo'n maniak hebben overleefd.'
'Misschien wel,' zei Kirsten langzaam. 'Zo had ik er nog niet naar gekeken. Iemand als Jack the Ripper, bedoelt u? Heeft een van zijn slachtoffers het overleefd?'
'Dat weet ik helaas niet. Criminologie is niet mijn sterkste kant.' Ze boog zich weer naar voren. 'Wat ik eigenlijk wil zeggen, Kirsten, is dat er wellicht emotioneel trauma uit voortvloeit. Ik wil dat je weet dat er hulp beschikbaar is. Je hoeft er alleen maar om te vragen.'
'Dank u wel.'
De dokter liet zich weer achteroverzakken in haar stoel en tuurde Kirsten over de rand van haar halvemaanvormige brillenglazen aan. 'Hoe voel je je eigenlijk?' vroeg ze.
'Hoe ik me voel? Het gaat wel. De pijn is al iets minder geworden.'
'Nee, ik bedoel geestelijk. Wat voel je precies?'
'Wat ik voel? Dat weet ik eigenlijk niet. Leeg, verdoofd. Ik kan me helemaal niets van de aanval zelf herinneren.'
'Ga je in gedachten de gebeurtenissen telkens opnieuw langs?'
'Ja, maar ik kan het me nog steeds niet herinneren. Soms lig ik er wakker van. Ik kan me er slecht door concentreren. Ik kan zelfs niet eens rustig een boek lezen. Ik was altijd gek op lezen.'
'Het geheugenverlies kan tijdelijk zijn.'
'Ik weet niet eens of ik het me wel *wíl* herinneren.'
'Dat is heel begrijpelijk. Net als alles wat je momenteel voelt. Je hebt een enorme schok te verwerken gehad, Kirsten. Niet alleen fysiek, maar in alle opzichten. Alle symptomen: emotionele gevoelloosheid, nachtmerries, onvermogen je te concentreren... Gezien de omstandigheden is dat allemaal volstrekt normaal. Vreselijk, maar normaal. Ik zou me juist veel meer zorgen maken als dat niet zo was. Ben je niet kwaad, woedend?'
'Nee. Moet dat dan?'
'Dat komt nog wel.'
'Nou ja, ik kan hem wel vermoorden, die vent die me dit heeft aangedaan, maar het is eerder een kil gevoel dan een kwaad gevoel, als u begrijpt wat ik bedoel.' Ze haalde haar schouders op. 'Ach, ik neem aan dat ik daar toch de kans niet voor krijg. Ik zou hem niet eens herkennen, al stond hij vlak voor mijn neus.'
'Nee. Laten we maar hopen dat de politie hem snel oppakt.'
'Voordat hij iemand anders kan aanvallen?'
'Zulke mensen houden meestal niet na één keer op. Het volgende slachtoffer zou weleens minder geluk kunnen hebben dan jij.' Dokter Craven stond op

en stak haar hand uit. 'Denk aan wat ik heb gezegd. Zorg goed voor jezelf, en tot volgende week.' Kirsten schudde haar hand en vertrok.
Buiten stond de zon stralend tegen de knalblauwe lucht. De ronde heuvels die het dorp omringden, leken lichtgroen te gloeien door een soort inwendig licht, alsof ze de achtergrond vormden van het visioen van een schilder. Kirsten slenterde met haar handen in haar zakken door High Street. Die had eigenlijk niet veel om het lijf: een pub, het dorpshuis (een gebouw uit 1852, het meest recente in Brierley Coombe) en wat winkels (voornamelijk verbouwde cottages) – het postkantoor, de kruidenier, de bakker, de drogisterij en de tabakswinkel.
Het dorp lag aan de rand van de Mendips tussen Bath en Wells, en telde een flink aantal rieten daken en met prijzen overladen tuinen. De geordende chaos van rozen, petunia's, maagdenpalm, stokrozen en Oost-Indische kers overweldigde Kirstens zintuigen toen ze langs de keurige hekjes kwam. Het plaatsje deed haar altijd denken aan de schilderachtige dorpjes uit Engelse misdaadverhalen – het St. Mary Mead van Miss Marple, bijvoorbeeld –, waar iedereen zijn of haar plek kende en nooit iets veranderde. In Brierley Coombe werd alleen nooit iemand vermoord.
Kirsten haalde het recept uit haar zak en ging de apotheek binnen. Het was een klein pand, eerder voor de show dan echt praktisch, en een van de weinige apotheken waar nog altijd van die grote rode, groene en blauwe flessen op een plank hoog in de etalage stonden. Het zonlicht scheen erdoorheen op het gerimpelde gezicht van meneer Hayes. Hij had een uitstekende apotheek, wist Kirsten, met name voor vrouwenkwaaltjes.
'Hallo, Kirsten,' zei hij glimlachend. 'Ik had al gezien dat je thuis was. Ik vind het heel erg te moeten horen dat jou zoveel akeligs is overkomen.'
'Dank u wel,' zei Kirsten. Ze hoopte van harte dat hij er niet verder op zou doorgaan en haar niet zou voorhouden dat je tegenwoordig niet voorzichtig genoeg kon zijn. Zo iemand was hij namelijk wel. Wellicht had iets in haar stem of de uitdrukking op haar gezicht hem van zijn à propos gebracht. Hij keek in elk geval verward en verdween meteen om het recept klaar te maken.
Met de pijnstillers in haar zak keerde Kirsten terug naar huis. Brierley Coombe was haar thuis geweest sinds het gezin op haar zesde uit Bath was weggetrokken. Hoewel het dorp even ver van Bristol af lag als van Bath, gingen ze altijd naar Bath om te winkelen en uit te gaan. Haar moeder vond Bristol – een grote stad en ooit een drukke haven – te vulgair en als gevolg daarvan was Kirsten er in haar hele leven pas twee keer geweest. Ze had er geen slechte indruk van gehad, maar dat gold ook voor het noorden van Engeland.
Kirsten had geen vriendinnen meer in Brierley Coombe en zoals ze zich nu

voelde, was dat een zegen; het laatste wat ze wilde, was dat ze iedereen tekst en uitleg moest geven. Ze moest zelfs heel diep in haar geheugen graven om zich te herinneren of ze hier wel ooit vrienden had gehad of jonge mensen was tegengekomen. Ook in dat opzicht was het net een dorpje uit het werk van Agatha Christie: er waren geen kinderen en ze kon zich ook geen kinderen herinneren. Het was absurd, dat besefte ze zelf ook, want ze had hier zelf als kind gewoond en had in die tijd ook met anderen gespeeld, maar er was geen dorpsschool, en hoe hard ze ook haar best deed, ze kon zich met de beste wil van de wereld niet herinneren dat ze ooit het gejoel van spelende kinderen op het dorpsplein had gehoord. Door de jaren heen waren ze uit elkaar gegroeid. Ze waren natuurlijk eerst naar de middenschool gegaan en vervolgens naar kostschool, net als zijzelf, want in Brierley Coombe woonden geen arme mensen. Vervolgens door naar de universiteit – meestal Oxford of Cambridge – en een baan in het financiële hart van Londen. Misschien kwamen ze wel allemaal terug zodra ze het huis van hun ouders erfden en een fortuin hadden vergaard of met pensioen gingen en de rest van hun dagen wilden slijten met tuinieren en bridgen.

De vredige rust die Kirsten bij haar ouders thuis vond in de daar doorgebrachte lange zomer- en paasvakanties was haar na het hectische sociale leven op de universiteit altijd uitstekend bevallen. Ze was een ijverig, intelligent meisje dat hele bergen werk kon verzetten, maar snel werd afgeleid door een goede film, een feestje of een paar drankjes en een goed gesprek met vrienden. Thuis had ze vaak achterstallig werk ingehaald en vooruitgewerkt voor het volgende semester.

Hoe moest ze haar tijd nu doorkomen? Haar studietijd lag achter haar; haar leven was ingrijpend veranderd, om niet te zeggen grondig verpest. Ze wist nog niet of het haar zou lukken de brokstukken op te rapen, laat staan om ze weer aan elkaar te lijmen. Ze wist trouwens niet eens of er nog wel brokstukken over waren. Misschien kon het haar niet eens schelen ook.

Die gedachte schoot door haar hoofd toen ze het hekje openmaakte en over het brede pad naar het huis liep – eerder een landhuis dan een cottage. Haar moeder was in de tuin bezig de kamperfoelie iets heel akeligs aan te doen met een snoeischaar. Tuinieren en bridgen, dat waren de strenge grenzen van haar moeders bestaan.

Toen ze Kirsten zag aankomen, veegde ze haar voorhoofd af en legde ze de snoeischaar neer, die glinsterde in het licht; ze schermde haar ogen af tegen de zon en keek naar haar dochter. Een moeizame glimlach dwong de hoeken van haar mond naar boven, maar bereikte haar ogen niet. De genezing zou een lang proces worden, bedacht Kirsten met een plotselinge kille huivering. Het zou beslist niet gemakkelijk worden.

21
Martha

De zeemeeuwen waren grillig vervormd en niet langer de ranke, witte vogels met een ronde kop. Hun veren waren asgrauw gevlekt en hun lijf was bijna onherkenbaar opgezwollen. Ze konden amper op hun poten staan. Hun pezige poten, die boven de zwemvliezen geel als eidooier waren, konden hun uitgedijde lijf, dat zo strak was opgeblazen dat er een patroon van blauwe aderen door het grijze en witte vederdek zichtbaar was, amper dragen. Toen ze probeerden op te vliegen, klapten hun vleugels krakend als oude, door motten aangevreten luifels in een storm.
Het was echter vooral hun kop die anders was. Ze hadden nog steeds meeuwenogen – kille, donkere gaten die geen genade of medelijden kenden –, maar hun snavel was een lange, geleiachtige punt die onder het bloed zat.
Ze klonken nog wel als zeemeeuwen. Omdat ze niet langer konden vliegen, waggelden ze over het donkere zand en krijsten ze jammerend als de geest van een miljoen gekwelde zielen.
Martha werd heel vroeg op de ochtend badend in het zweet wakker. Buiten vlogen de meeuwen krassend in het rond. Waarschijnlijk waren ze al een tijdje aan de gang, dacht ze bij zichzelf, terwijl haar hartslag weer normaal werd. Ze had ze natuurlijk in haar slaap gehoord en haar geest had het geluid omgezet in de beelden van haar droom. Het was hetzelfde als dromen dat je op zoek bent naar een toilet wanneer je iets te veel hebt gedronken en je lichaam probeert je wakker te maken voordat je blaas het begeeft.
Door de gedachte aan vocht kreeg Martha dorst. Ze stond op om een glas water te drinken en kroop nog altijd met de zure smaak van braaksel in haar mond weer in bed. Toen ze niet onmiddellijk weer in slaap viel, bedacht ze dat ze de meeuwen als haar bondgenoten beschouwde. Ze zag in gedachten voor zich dat ze met hun spitse, kromme snavel in het lichaam in de grot pikten en eraan rukten, een oogbal lostrokken of tot bloedens toe in een oor hapten. Hielden ze dan nooit op? Voor hen was het leven vast één groot feest:

zo'n feest waarbij je je eten zelf moest vangen en levend in stukken scheuren. Was zij net als die vogels geworden?
Martha wierp een blik op haar horloge: 6.29 uur. Vandaag werd de vloed volgens het schoolbord om 0658 verwacht, schoot haar nu te binnen, dus konden de meeuwen het lichaam niet hebben gevonden, tenzij het aan het wateroppervlak dreef. De koude Noordzee had zijn tong al in de grot gestoken en Jack Grimleys lijk in zijn opengesperde bek meegezogen.
Martha draaide zich rillend van afschuw over wat ze had gedaan op haar zij, trok het beddengoed op tot aan haar kin en viel met de presse-papier in haar hand geklemd op de schrille klanken van de bekvechtende meeuwen in haar oren in een onrustige slaap.

22
Kirsten

Die nacht dienden ze zich opnieuw aan en drongen ze Kirstens kinderkamer binnen: de dromen over de hak- en snijbewegingen. De witte ridder en de zwarte ridder, zoals ze hen beiden was gaan noemen, allebei zonder gezicht. Deze keer was het net alsof ze haar iets wilden leren. De zwarte ridder gaf haar een mes met een lang, ivoren handvat, dat ze zelf in het zachte vlees van haar bovenbeen stak. Het zonk erin weg alsof het was was. Er welde een klein beetje bloed op langs de randen van de snede, maar niet veel. Ze trok het lemmet er heel langzaam uit en zag dat de randen van de doorboorde huid zich traag sloten als lippen die werden dichtgeknepen. Een roze bubbel zwol en barstte open. En al die tijd voelde ze niets. Echt helemaal niets. Op een of andere manier wist ze dat de gezichtsloze witte ridder glimlachend op haar neerkeek.

23
Martha

De dode vissen staarden met dof glinsterende ogen naar Martha. Om hun kieuwen en bek zat rozerood bloed, en het zonlicht glom op hun zilveren schubben en bleke buik. De vissengeur hing zwaar in de lucht en verdrong zelfs de frisse zeelucht. Vakantiegangers die door St. Ann's Staith kwamen, bleven staan om foto's te maken van de visverkoop. De mensen die daarbij betrokken waren, waren het ongetwijfeld gewend om als cameravoer te dienen voor toeristen, want ze keken niet op of om.

In de veilingloodsen was het die vrijdagochtend een enorme drukte. Heel vroeg op de ochtend, toen Martha nog lag te slapen, waren de boten binnengekomen en hadden de vissers hun vangst in kisten met ijs geladen en klaargemaakt voor de verkoop. Naast de loodsen lagen de krabbenfuiken opgestapeld en waren de netten uitgespreid. Terwijl Martha stond toe te kijken, spoelde een man vissenschubben van de stenen kade. Meeuwen hadden zich in een rumoerige wolk in de lucht boven hem verzameld, en zo nu en dan dook een ervan omlaag achter een gevallen vis aan.

Ze verkochten de vis hier natuurlijk alleen maar, dacht Martha bij zichzelf; ze maakten hem niet schoon, ontdeden hem niet van de ingewanden. Dat werd ongetwijfeld ergens anders gedaan – misschien in de conservenfabrieken waar de volgeladen vrachtwagens naartoe reden. Wat wist ze eigenlijk weinig van het hele gebeuren af.

Dat deed er nu toch ook niet meer toe? Vreemd dat hij achteraf toch geen visser bleek te zijn. Maar ja, je kunt ook niet altijd alles goed hebben. Toch nam ze de groepen vissers langs de reling, en de veilingmeesters en de kopers in de open loodsen aandachtig in zich op toen ze erlangs kwam en de verkoop gadesloeg. Dat had ze zich nu eenmaal voorgenomen en, ook al was het niet langer nodig, ze deed het toch.

Martha wandelde verdoofd en een beetje licht in het hoofd langs de kolenpier in de haven naar de brug. Nadat de meeuwen haar hadden gewekt, had ze niet goed meer kunnen slapen en de gedachte aan wat ze had gedaan bleef

haar achtervolgen. Tijdens het ontbijt had ze zoveel honger gehad dat ze zelfs het gefrituurde brood had opgegeten dat ze anders meestal liet liggen.
Het bejaarde echtpaar aan het tafeltje bij het raam was er nog steeds; de man knipoogde zelfs met een brede grijns naar haar, terwijl zijn vrouw haar met haar kraaloogjes nijdig aankeek. De rest was allemaal vertrokken en hun plaats was door anderen ingenomen. Martha vond het lastig om het allemaal bij te houden. De gasten gingen steeds meer op elkaar lijken: ernstig kijkende, jonge pasgehuwden; vermoeide, maar optimistische stellen met ondeugende kleuters; bejaarden met grijs haar en een ochtendhoestje. Ze had hetzelfde gevoel als die ene keer dat ze met marihuana had geëxperimenteerd. Ze zag en voelde meer dan anders, elke rimpel op het gezicht, de kleurvlekjes in de ogen, maar uiteindelijk kwam het allemaal op hetzelfde neer. Hoe individueler mensen voor haar werden, des te meer ze op elkaar gingen lijken.
Ze stak de brug over, kocht een krant en liep Church Street in. Het begon een gewoonte te worden. Op deze ochtend had ze nog sterker behoefte aan iets om wakker te worden dan anders: ze moest een paar belangrijke beslissingen nemen. In Monk's Haven dronk ze met kleine slokjes haar sterke zwarte koffie en rookte ze een sigaret, terwijl ze zich intussen het hoofd brak over de kruiswoordpuzzel. Daarna bladerde ze snel langs de koppen om te kijken of er nog iets interessants gaande was in de rest van de wereld. Dat was niet het geval.
Toen ze de krant uit had, maar nog wat koffie had staan en de sigaret nog niet had opgerookt, stond ze zichzelf even, heel even maar, toe na te denken over de vorige avond. Het was afschuwelijk geweest, veel en veel erger dan wat ze zich had voorgesteld. Ze kon de losse stukjes bot nog steeds onder haar vingers voelen schuiven en de zachte, pulpachtige massa die als een natte spons boven op zijn hoofd had gezeten. Ze had absoluut geen medelijden met hem – het was zijn verdiende loon geweest –, maar ze vond het verschrikkelijk en verbijsterend dat ze het echt had gedaan. Nadat ze het lichaam in de grot had achtergelaten, was ze naar de zee gerend om haar handen en de presse-papier schoon te spoelen voordat ze naar het pension terugkeerde. Ze was onderweg niemand tegengekomen. De voordeur zwaaide geluidloos open op goed geoliede scharnieren en de vloerbedekking dempte haar klim naar haar kamer. Eenmaal veilig binnen had ze haar tanden drie keer gepoetst, maar ze had de bittere smaak van braaksel niet uit haar mond kunnen verdrijven. Zelfs nu, na het ontbijt, de koffie en de sigaretten, kreeg ze nog steeds braakneigingen wanneer ze terugdacht aan Grimleys lichaam dat schokkend op het zand had gelegen en aan die lange minuten in de bedompte, stinkende grot met het bloed en het starende oog.
Het getij had het lichaam inmiddels ongetwijfeld meegevoerd naar zee. Ze

hoopte dat het snel werd gevonden, wilde erbij zijn om te genieten van alle heisa. Niet uit arrogantie of trots, maar omdat de ontdekking deel uitmaakte van een en dezelfde gebeurtenis. Nu vertrekken zou hetzelfde zijn als een boek niet uitlezen. Martha las altijd alle boeken uit waaraan ze begon, ook als ze er niets aan vond. Zodra ze de identiteit van de dode man hadden achterhaald, gingen ze natuurlijk naar zijn huis, en daar zouden ze vast wel iets aantreffen wat hem in verband bracht met de gruwelijkheden die hij had begaan. Dat moest toch haast wel? Het kon gewoon niet zo zijn dat een man als hij niet een of ander bewijs achterliet. Martha wilde erbij zijn wanneer het verhaal in geuren en kleuren in de kranten kwam. Hoewel het niet helemaal zonder risico was, wilde ze blijven om de roddels en het gefluister in de pubs en de haven te horen – in de wetenschap dat zij degene was die de wereld van dat monster had bevrijd.

Ze wist niets af van getijden en stromingen, maar hoopte dat het lichaam snel ergens in de buurt zou aanspoelen. Het was misschien iets te veel gevraagd om te denken dat het bij Whitby Sands zou worden gevonden, maar misschien dreef het maar een klein stukje verder langs de kust tot aan Redcar, Saltburn, Runswick Bay of Staithes, of nog iets verder weg naar Robin Hood's Bay, Scarborough, Flamborough Head of Bridlington. Ze hoopte gewoon dat het niet al te lang zou duren voordat het ergens, waar dan ook, opdook.

Ze dronk haar koffie op en drukte haar sigaret uit. Het was al elf uur. Nu ze het belangrijkste deel van het doel van haar bezoek hier had volbracht, verstreek de tijd traag; ze kon nu alleen maar afwachten, een veel passievere bezigheid dan onderzoek doen en plannen smeden.

Om de tijd tot de lunch te doden, beklom ze nogmaals de 199 traptreden naar St. Mary's en de ruïne van de abdij. Deze keer waren er zelfs nog meer mensen: kinderen die om het hardst naar boven holden – 'Vierentachtig, vijfentachtig, zesentachtig...' –, bejaarden met steunkousen die hijgend en piepend naar boven strompelden, honden die met de tong uit de bek heen en weer joegen alsof ze boven niet van onder konden onderscheiden.

Martha liep heel rustig en telde binnensmonds. Ze kwam weer uit op 199, ook al beweerde de legende dat het niet meeviel om twee keer op hetzelfde aantal uit te komen. Helemaal bovenaan stond het kruisbeeld van Caedmon, een dun stuk steen van zeven meter hoog dat bovenaan taps toeliep met op de punt een klein kruis. In de steen stonden middeleeuwse gedaanten gekerfd – David, Hilda en Caedmon zelf –, als een soort stenen totempaal, en onderaan stond een inscriptie: 'Ter ere van God en ter nagedachtenis aan Caedmon, vader van het gewijde Engelse lied, in 680 in eeuwige slaap verzonken.' Martha wist wel dat het beeld zelf niet zo oud was; het was in 1898 gemaakt en neergezet, niet ten tijde van Caedmon zelf. Toch ging er kracht vanuit. Ze vond met name de onnadrukkelijke eenvoud van 'in eeuwige slaap verzonken' erg mooi. Als zij moest sterven, dan wilde ze graag dat het zo ging. Ze moest weer aan Jack Grimley denken en huiverde alsof er precies op dat moment iemand over haar graf liep.

Om na de lange klim op adem te komen – wat minder gemakkelijk ging nu ze rookte – bleef ze op het kerkhof staan en tuurde ze naar de stad die zich achter en onder het kruisbeeld uitstrekte. Ze kon de kolossale donkere toren van St. Hilda's aan het begin van haar straat en de deftige rij witte, vier verdiepingen tellende hotels aan de zeezijde van East Terrace duidelijk onderscheiden. Ze zag ook de walviskaak, die toegangspoort tot een andere wereld. Op de voorgrond stonden de ruwe, zanderige grafzerken met hun verbrand ogende, oneffen bovenkant; door een speling in het perspectief leken ze groter dan de huizen aan de overkant van de haven.

Martha draaide zich om en liep de kerk weer in. In de sacristie werd de opname van een preek afgespeeld. De opname klonk blikkerig, omdat hij voortdurend werd gedraaid. Ze merkte dat ze bijna onbewust naar de voorkant van de kerk werd gedreven, waar ze vlak voor de hoge, sierlijke preekstoel een gesloten kerkbank binnenglipte met een bordje ALLEEN VOOR VREEMDELINGEN. Het was dezelfde waar ze eerder ook had gezeten en ze ervoer opnieuw het gevoel van aangename afzondering en welbehagen. Zelfs het lawaai van de toeristen in de kerk met hun gefluisterde opmerkingen en klikkende fototoestellen was nu amper hoorbaar. In de diepe stilte streek ze met haar vingers over de groene baaien stof en ze knielde op een rood gedessineerd kussen. Daar, op die plek waar ze van de buitenwereld was afgesloten, zei ze in stilte een soort gebed op.

24
Kirsten

Kirsten bleef de volgende ochtend lang in bed liggen. Buiten voor het raam zongen en kwetterden de vogels in de bomen en in het dorp ging alles rustig zijn gewone gangetje. Voor zover er tenminste iets te doen was. Af en toe hoorde ze het gezoef van fietswielen die voorbijkwamen of het geronk van de motor van een bestelbusje. Ze zette de lege koffiekop terug op het dienblad – ontbijt op bed, een ideetje van haar moeder – en stond op om de gordijnen open te schuiven. Zonlicht viel naar binnen en belichtte de wolk van stofdeeltjes die in de lucht rondtolden. Allemaal dode huidcellen, dacht Kirsten bij zichzelf, en ze vroeg zich af waar ze dat in vredesnaam had gehoord. Waarschijnlijk in een van de leerzame televisieprogramma's die wetenschap begrijpelijk maakten voor het grote publiek. Ze deed het raam open en werd begroet door warme lucht met de zware geur van kamperfoelie. Om de opening zoemde een dikke bij, die uiteindelijk besloot dat er binnen niets voor hem te halen viel en in plaats daarvan de tuin in zweefde.
Kirstens kamer vormde een weerspiegeling van vrijwel elke fase van de overgang van kind naar wereldwijze studente taal en letterkunde. Zelfs haar teddybeer zat nog tegen de muur geleund op de toilettafel. Ze rekte zich uit en slenterde wat rond; ze raakte de spulletjes een voor een aan en haar voeten zakten diep weg in de vaste vloerbedekking. De muren en het plafond waren zeegroen geverfd, of was het blauw? Dat hing eigenlijk van het licht af, vond Kirsten. Al die groenblauwe tinten leken op elkaar: turquoise, hemelsblauw, azuur, ultramarijn. Die dag viel het licht er glinsterend op als op de golven van de oceaan en was het beslist de kleur van de Middellandse Zee die ze zich herinnerde van een vakantie aan de Rivièra met haar ouders. Het was net of de muren zacht kolkten en deinden als het water op een schilderij van een zwembad van Hockney. Kirsten bleef midden in de kamer staan en had even het gevoel dat ze in een grot van water dreef of gevangenzat, net als een bloem in het hart van een presse-papier.
Eigenlijk waren het twee kamers. Het bed zelf met de brede matras, die veel

te zacht was naar Kirstens smaak, stond in een kleine alkoof boven aan een trap die vanuit de grote kamer naar boven voerde, vlak onder het kleine raam. Daar stonden ook de toilettafel en de wandkasten voor haar kleren. Onder aan de trap bevond zich een ruime studeerkamer die tevens dienstdeed als zitkamer. Haar bureau stond in een hoek van negentig graden naast het grote raam, zodat ze tijdens het werken alleen maar haar hoofd opzij hoefde te draaien om de ronde, groene Mendip Hills te zien. Daar had ze tijdens de zomervakanties haar werkstukken geschreven en alvast aantekeningen gemaakt voor het volgende semester.
Boven het bureau had haar vader een paar boekenplanken aan haken aan de muur gehangen. Naast een paar oude favorieten uit haar jeugd, zoals *Black Beauty*, *De geheime tuin*, de sprookjes van Grimm en een paar titels van Enid Blyton – *De Vijf*, *De Grote 7* – waren het vooral boeken die te maken hadden met vakken die ze aan de universiteit had gevolgd. Ze gingen over onderwerpen die ze de afgelopen drie jaar had bestudeerd en naar huis had gebracht om ruimte te besparen in haar eenkamerflat of boeken die ze tweedehands had aangeschaft, meestal in Bath, voor colleges die ze nog wilde volgen. Bijvoorbeeld die over middeleeuwse geschiedenis en literatuur – waaronder Beda's *Historia ecclesiastica gentis Anglorum*, Julian van Norwichs *Revelations of Divine Love* en het anonieme *The Cloud of Unknowing*. Kirsten had het vak echter nooit gevolgd. In plaats daarvan had ze er op het laatste moment voor gekozen een speciale werkgroep over Coleridge te volgen die werd gegeven door een gastdocent die dé expert was op dat gebied, een Amerikaanse professor die ongelooflijk saai bleek te zijn en veel liever onder de rokken van de vrouwen op de eerste rij gluurde dan zich bezig te houden met de wijsheden in de *Biographia Literaria*.
Naast de planken hing een kurken prikbord dat was volgehangen met oude ansichtkaarten van vrienden die op vakantie waren in Kenia, Nepal of Finland, foto's van haarzelf met Sarah en Galen, en gedichten die ze uit het boekenkatern van de *Times* had geknipt. Er hingen geen posters van popsterren in de kamer. Die had ze het jaar ervoor allemaal weggehaald, omdat ze zichzelf daar veel te volwassen voor vond. Het enige kunstwerk dat de muren sierde, was een prachtige prent van Monet die er wonderbaarlijk echt uitzag in het zonlicht dat eroverheen stroomde.
Er stond ook een leunstoel met een voetenbankje om in te lezen en de dure stereo-installatie. Haar platencollectie was voornamelijk een mengeling van populaire klassieke stukken – Beethovens negende, Tsjaikovski's *Pathétique* (die ze had aangeschaft nadat ze in het filmtheater van de universiteit Ken Russells *The Music Lovers* had gezien) en de filmmuziek van *Amadeus* – en verder nog een paar oude popalbums: Rolling Stones, Wham, U2, David

Bowie, Kate Bush, Tom Waits. Deze konden haar echter niet bekoren en het viel niet mee te bedenken welke muziek ze dan wel wilde horen. Haar keus viel uiteindelijk op de *Pathétique,* en terwijl de muziek na het trage, rustige begin versnelde en aanzwol, kleedde ze zich aan.

Het beviel haar echter totaal niet. Zodra het weelderige romantische thema werd ingezet, griste ze de naald van de pick-up en veroorzaakte ze een kras op de plaat. De brandende pijn in haar lendenen was iets minder geworden, maar ze had hoofdpijn en daardoor was muziek moeilijk te verdragen. Ze was ervan overtuigd dat die pijn werd veroorzaakt door de donkere massa die zich in haar hoofd had genesteld. Als ze haar ogen dichtdeed, kon ze hem zelfs zien: een bol die zwarter was dan de andere duisternis achter haar ogen, een zwart gat dat alles opslokte en binnenstebuiten keerde, of het begin van een emotioneel of spiritueel soort tumor die zich door haar hele wezen verspreidde.

Kirsten ging in kleermakerszit op de vloer zitten en hield haar hoofd met beide handen vast. Nu de muziek was opgehouden, kon ze de vogels weer horen. Buiten op straat riep iemand een groet. Ze hoorde haar moeder beneden rondscharrelen.

Het was na tienen en zo'n heerlijke dag dat ze vond dat ze eigenlijk een wandeling moest gaan maken. Normaal gesproken was ze voor het ontbijt al opgestaan en het bos achter het huis in gelopen voor een rustige wandeling onder de met licht gevlekte bomen. Vandaag echter niet. Na tienen, en ze had nog steeds geen flauw idee wat ze met zichzelf aan moest.

Ze probeerde vooruit te kijken naar de toekomst, maar zag alleen maar duisternis. Vóór die avond in het park had ze er nooit echt bij stilgestaan. Op een of andere manier had ze altijd gedacht dat de toekomst zich vanzelf zou regelen en net zo vol privileges, vrolijk en opwindend zou zijn als het verleden. Nu had ze echter geen idee wat ze met haar leven wilde. Zodra ze over dergelijke dingen peinsde, begon haar hoofd zelfs nog meer pijn te doen, alsof de luchtbel binnenin groter werd en tegen de binnenkant van haar schedel drukte. Ze kon zich niet voldoende concentreren om een boek te lezen. Ze verdroeg geen muziek. Wat moest ze dan verdorie doen? Ze drukte haar vuisten tegen haar slapen en verstijfde. Haar hoofd klopte en bonkte. Ze kon wel gillen. Ze wilde haar schedel openbreken en haar hersenen er met haar nagels uit krabben.

De woede en pijn ebden weer weg. Ze kwam langzaam overeind en liep de trap op naar de slaapkamer. Daar trok ze haar kleren uit, slikte ze zonder water drie op recept verkregen pijnstillers en kroop terug in bed.

25
Martha

Op zaterdag kreeg Martha twee belangrijke nieuwtjes te horen: een bericht dat ze had verwacht en een dat alles op zijn kop zette.
De dag was zoals gebruikelijk bij het ontbijt begonnen met een knipoog van de oude man en een nijdige blik van zijn vrouw. Martha had niet echt trek, dus liet ze de ontbijtgranen staan en speelde ze wat met haar bacon en eieren. Ze vroeg zich af of ze die dag zou vertrekken en in een ander deel van de stad onderdak moest zoeken. Het leek een verstandig idee. De mensen hier begonnen veel te veel aan haar gewend te raken en straks werden er nog lastige vragen gesteld.
Na het ontbijt ging ze terug naar haar kamer, waar ze haar spullen in de weekendtas pakte. Ze rookte nog een laatste sigaret en keek, leunend op het raamkozijn van links naar rechts, van de nadrukkelijk aanwezige St. Hilda's dichtbij naar St. Mary's in de verte. Het was de eerste bewolkte dag van de week. Er was een kille wind vanaf de Noordzee komen aanwaaien die de geur van regen met zich had meegebracht. Het miezerde al een beetje, net een dunne mist die het plaatsje omsloot. Het zicht was slecht en St. Mary's was een vage grijze schim op de top van de heuvel.
Nadat ze de kamer nog eenmaal had rondgekeken om er zeker van te zijn dat ze niets was vergeten, liep Martha naar beneden en ging ze op zoek naar de eigenaar, die zijn vrouw hielp de vuile vaat naar de keuken te brengen.
'Ik wil graag afrekenen, als dat kan,' zei ze.
'Natuurlijk.' Hij veegde zijn handen af aan het smoezelige witte schort dat hij had voorgebonden. 'Ik zal de rekening opmaken.'
Martha bleef in de hal wachten. Op een glanzend geboende houten tafel lag een gastenboek met daarnaast de gebruikelijke foldertjes over de fraaie omgeving, de restaurantjes en wat er in Whitby allemaal te doen was. Aan de muur erboven hing een spiegel. Martha bekeek zichzelf onderzoekend. Wat zij had gedaan, had haar uiterlijk niet veranderd. Ze zag er nog precies hetzelfde uit als toen ze hier aankwam: dezelfde smalle lippen, naar boven

wijzende neus en amandelvormige ogen, hetzelfde warrige lichtbruine haar. Het enige wat eraan ontbrak, waren de puntige oren, dacht ze bij zichzelf; verder kon ze zo voor een Vulcan doorgaan.
'Kijkt u eens.' De man overhandigde haar de rekening en keek haar geamuseerd aan. Martha controleerde het totaalbedrag en haalde gepast geld uit haar portemonnee.
'Contant?' Hij klonk verbaasd.
'Inderdaad.' Ze wilde geen cheques of creditcard gebruiken; die konden gemakkelijk worden nagetrokken. Voordat ze naar Whitby was vertrokken, had ze de cheque van haar vader verzilverd en haar bankrekening leeggehaald, dus ze had aardig wat geld bij zich – dat puilde niet allemaal opvallend uit haar portemonnee, maar zat diep weggestopt in een geheim vak van de weekendtas.
'Ik neem aan dat u wel een bonnetje wilt hebben?'
Ze keek hem even vragend aan. Waarom zou ze een bonnetje willen hebben?
'Voor de belastingdienst,' zei hij ter verduidelijking.
'O. Ja, graag.'
'Een ogenblikje.'
De belastingdienst? Natuurlijk. Ze was hier zogenaamd als schrijfster die research kwam doen. Ze kon haar uitgaven van de belasting aftrekken. Ze begon slordig te worden, dingen te vergeten.
De man kwam terug en overhandigde haar een velletje papier. 'Ik hoop dat het boek een succes wordt,' zei hij. 'Whitby heeft in elk geval genoeg sfeer. Ik lees zelf geen romans, maar mijn vrouw wel. We zullen ernaar uitkijken.'
'Dat zou fijn zijn,' zei Martha. Ze had hem het liefst verteld dat het een wetenschappelijk, geschiedkundig werk zou worden, maar op een of andere manier was dat nu niet belangrijk meer. Het was toch allemaal gelogen: roman of geschiedkundig, wat deed dat er nog toe? 'Heel hartelijk bedankt,' zei ze en ze liep naar buiten.
Buiten was het echt fris. Ze was van plan geweest haar gewatteerde jack over haar arm mee te nemen, maar nu trok ze het toch maar aan voordat ze aan haar vaste ochtendwandeling naar Monk's Haven begon. Ze wist niet zo goed wat ze de rest van de dag moest doen. Misschien kon ze weer naar St. Mary's gaan en zichzelf opsluiten in de kerkbank. Ze had zich in jaren nergens zo veilig en beschut gevoeld als de vorige dag op die bank. Ook moest ze een nieuw pension zoeken.
De regen rook naar dode vis en zeewier. De mensen die in Silver Street en Flowergate liepen te grasduinen, droegen een plastic regenjas of hadden een plu bij zich, en vaders hielden de hand van hun kinderen vast. Dat vond Martha vreemd. Wanneer de zon scheen, was iedereen heel ontspannen en

renden overal kinderen rond die wild met een emmer en schep zwaaiden of over de stoep dansten en tegen mensen op botsten. Zodra het regende, kropen de voetgangers echter bij elkaar en hielden ze elkaar stevig vast. Waarschijnlijk was het een soort oerangst, bedacht ze, een teruggrijpen op een primitief instinct. Ze waren zich er niet eens van bewust dat ze het deden. De mens was tenslotte gewoon een van de vele diersoorten, ondanks al zijn zelfingenomen ideeën over zijn plek in het grotere geheel der dingen. Mensen hadden geen flauw benul waarom ze zich op een bepaalde manier gedroegen. Een groot deel van de tijd waren ze net als zij slechts het slachtoffer van krachten die hun controle en begrip ver te boven gingen.

Je kon maar tot op zekere hoogte vertrouwen op rede en structuur, had Martha ontdekt, en daarachter woonden monsters. Soms moest je over de grens heen stappen en een tijdje bij de monsters wonen. Soms had je geen keus.

Bij haar vaste tabakswinkeltje op de hoek net voorbij de brug kocht ze een regionale krant en de *Independent*, en daarna ging ze op zoek naar een warme plek voor koffie en een sigaret.

Ze sloeg eerst de regionale krant open en op de voorpagina vond ze wat ze zocht. Het was niet veel, een korte alinea die helemaal onderaan was weggestopt, maar het vormde het zaadje waaruit spoedig een groter verhaal zou groeien. LICHAAM AANGESPOELD BIJ SANDSEND, luidde de kop in grote letters. Sandsend was maar zo'n zes kilometer verderop. Dat was beter dan ze had durven hopen. Ze had echt gedacht dat het veel verder zou worden meegesleurd, en een dergelijke gebeurtenis zou in een grotere stad als Scarborough lang niet zoveel aandacht trekken. Ze las verder:

> Gisteravond heeft een jong stel op een verlaten stuk strand vlak bij Sandsend het lichaam van een man ontdekt. Volgens de politie is de identiteit van de man tot dusver onbekend. Hoofdinspecteur Charles Kallen verzoekt iedereen die informatie heeft over een vermiste persoon zich direct te melden en contact op te nemen met de politie. Het tijdstip van overlijden wordt op donderdag of later geschat en het lichaam heeft kennelijk al die tijd in zee gelegen. De politie weigert een uitspraak te doen over de doodsoorzaak.

Ze wisten niet veel. En als ze wel meer wisten, lieten ze dat niet doorschemeren. Martha had gedacht dat het overduidelijk was hoe de man aan zijn eind was gekomen. De zee deed natuurlijk wel rare dingen, hield ze zichzelf voor. Misschien dacht de politie dat de wonden aan zijn hoofd door rotsen waren veroorzaakt. De leden van de forensische dienst waren echter slim en zouden er bij de lijkschouwing snel genoeg achter komen wat er werkelijk was gebeurd.

Een tikje teleurgesteld over het feit dat het een wel heel mager artikel was, bestelde Martha nog een kop koffie en stak ze haar derde sigaret van die dag op. Moest ze in de stad blijven tot het echte nieuws bekend werd, vroeg ze zich af. Dit verslag was wel erg summier en een grote anticlimax. Ze moest toch op z'n minst blijven tot zijn identiteit bekend was. Aan de andere kant haalde het nieuws vast de landelijke dagbladen nog wel en die kon ze overal krijgen. Nee, het was het best om nog even te blijven. Om aanwezig te zijn op de plek waar alles was gebeurd. Ze was zover gegaan dat het onzinnig was om zich nu terug te trekken.
Ze richtte haar aandacht op de *Independent*. Ze verwachtte niet dat daar iets in zou staan over de ontdekking van Grimleys lichaam, maar ze keek toch. Helemaal onder aan de tweede bladzijde, weggestopt als een krankzinnig familielid in een kelder, stond een kort berichtje dat haar aandacht trok. Er stond een eenvoudige kop boven: OPNIEUW DODE GEVONDEN. Misschien was dat het wel. Martha vouwde de krant om en begon te lezen:

> Gisteravond heeft de politie bekendgemaakt dat op een stuk braakliggend terrein in de buurt van de universiteit van Sheffield het lichaam van een negentienjarige vrouw is aangetroffen. Sporen lijken uit te wijzen dat het meisje, een studente aan de universiteit, vrijdagavond kort na het invallen van de duisternis om het leven is gebracht. Hoofdinspecteur Elswick, die de leiding heeft over het onderzoek, heeft onze verslaggever verteld dat de aanwijzingen erop duiden dat de nog onbekende vrouw het zesde slachtoffer is van de moordenaar die de bijnaam 'de studentenslachter' heeft gekregen. Alle slachtoffers waren vrouwelijke studenten aan een universiteit in het noorden van het land. De politie weigert de precieze aard van de verwondingen van het meisje vrij te geven. De moordenaar is inmiddels al ruim een jaar actief in het noorden en er is veel kritiek op de werkwijze van de politie. Op de vraag waarom de moordenaar nog steeds niet is opgepakt, gaf hoofdinspecteur Elswick geen commentaar.

Martha voelde zich helemaal koud worden. De gesprekken om haar heen veranderden in een betekenisloos gebrom op de achtergrond. Het enige wat ze heel duidelijk hoorde, was de opsomming van namen die door haar hoofd gonsde: Margaret Snell, Kathleen Shannon, Jane Pitcombe, Kim Waterford, Jill Sarsden. En nu weer een, naam onbekend. Ze stak met trillende handen met de peuk van haar sigaret een nieuwe op en las het artikel nogmaals door. Daar stond precies hetzelfde in, woord voor woord. De 'studentenslachter' had weer toegeslagen. Ze had een fout gemaakt met Grimley. Ze had de verkeerde man vermoord.

Ze drong het opwellende braaksel terug, drukte haar sigaret uit, rende naar het piepkleine toilet en deed de deur achter zich op slot. Nadat ze haar ontbijt had opgegeven, bette ze haar gezicht met ijskoud water en leunde ze gejaagd, diep ademend tegen de wasbak. Ze was nog steeds duizelig. Alles om haar heen tolde, alsof ze op een heel hoog balkon stond en last had van hoogtevrees. Haar huid voelde koud en klam aan; haar mond was droog en zuur. Ze haalde heel diep adem en hield haar adem even in. Nogmaals. En nogmaals. Haar hartslag werd iets rustiger.

De verkeerde man, dacht ze bij zichzelf, terwijl ze op de wc ging zitten en haar hoofd in haar handen liet zakken. En ze was nog wel zo zeker van haar zaak geweest. De schorre stem, het accent, de eeltige handen, de lange, donkere pony, de glinsterende ogen – alles klopte. Waar was ze dan de fout in gegaan? Ze had vast niet helder nagedacht. Het was eerder al bij haar opgekomen dat haar oorspronkelijke theorie – dat hij visser was – niet klopte, maar ze had toch doorgezet. Haar zoektocht was gebaseerd op aanwijzingen die al vanaf het begin heel mager waren geweest. Een ander zou allang hebben gezegd dat ze op zoek was naar een speld in een hooiberg en, erger nog: dat ze geen flauw idee had in welke hooiberg ze moest zoeken. Martha had echter vertrouwd op haar intuïtie. Ze was ervan overtuigd geweest dat ze hem zou vinden en dat ze meteen zou weten dat hij het was zodra ze hem vond. Nou, die verrekte intuïtie van haar had haar behoorlijk in de steek gelaten.

Nu ze erop terugkeek, besefte ze dat ze beter had moeten weten, dat het beeld dat ze had gehad onjuist was. Om te beginnen was hij veel te jong geweest en hoewel zijn stem er veel op leek, zeker wat het accent betreft, had hij zwaarder en minder rauw geklonken. De ogen en handen waren hetzelfde, maar hij had geen diepe groeven in zijn gezicht gehad.

Hoe had ze zich zo kunnen laten gaan? Nu was ze gewoon een moordenaar. Ze had geen enkel excuus. Ze dacht huiverend terug aan Grimleys lichaam, dat schokkend in het maanlicht op het zand had gelegen, de verbrijzelde botten en de kleverige klonten hersenen tussen haar vingertoppen, en de verstikkende stank van zeewier in de grot. Ze had een onschuldige man gedood. Een man die zich uiteindelijk waarschijnlijk wel aan haar zou hebben opgedrongen, dat was waar – maar desondanks een onschuldige man. Daar moest ze mee leren leven.

Ze stond op, dronk wat water uit de kraan en waste haar gezicht. Ze zag bleek, maar niet zo erg dat het echt opviel. Ze haalde nog een keer diep adem, deed de deur open en ging terug naar haar tafel. Ze liep met vaste tred. Ze hoopte dat niemand in het cafeetje haar paniekaanval had gezien. Nou ja, ze zouden toch niet weten wat de aanleiding was. Haar koffie was koud geworden, maar de sigaret was niet helemaal uitgedrukt en gloeide nog na in de

asbak. Het artikel in de opengevouwen krant staarde haar aan. Ze draaide de krant om en tuurde door het raam. Vakantiegangers zweefden als schimmen in het voorgeborchte voorbij. 'Ik wist niet dat de dood zo velen had ontzield,' dacht ze onwillekeurig bij zichzelf, maar ze kon zich niet herinneren waar die woorden uit kwamen.
Moest ze de jacht staken en terugkeren naar huis, naar het lege leven dat ze daar leidde? Nee. Zelfs nu, op dit dieptepunt, wist ze dat ze dat niet moest doen. Als ze dat wel deed, was alles voor niets geweest. Dan was Grimley voor niets gestorven. Alleen als ze haar doel bereikte en deed wat ze moest doen, kreeg het allemaal betekenis. Ze was er nog steeds van overtuigd dat ze zich op de juiste plek bevond: in Whitby zou ze de man vinden, of anders ergens heel dichtbij. Hij was er nog steeds.
Ze rouwde om Jack Grimley, zou er alles voor overhebben om ongedaan te maken wat ze had gedaan. Maar, zo hield ze zichzelf voor, dit was net een oorlog, en in een oorlog waren er geen onschuldige omstanders. Het was heel goed mogelijk dat Grimley een goed mens was geweest, maar hij was en bleef een man. Wat Martha betreft waren alle mannen in wezen hetzelfde als de man die zij zocht. Als Grimley de kans had gehad, had hij haar meegenomen naar een van de grotten en daar geprobeerd haar kleren van haar lijf te rukken en... Ze wilde er niet aan denken. Mannen waren allemaal één pot nat, stuk voor stuk schenders en moordenaars van vrouwen. De echte 'studentenslachter' was uiterlijk ongetwijfeld een doodgewone, gerespecteerde burger. Wie weet had hij zelfs wel een vrouw en kinderen. Dat kon Martha allemaal niets schelen. Ze wilde hem alleen maar vermoorden.
Waarom reisde hij zo vaak landinwaarts? Puur en alleen omdat de universiteiten daar waren, of had het iets te maken met zijn werk? Ze kon er tenslotte niet langer van op aan dat hij visser was, dus misschien was hij wel handelsreiziger met Whitby als uitvalsbasis. Dit was precies wat ze nu moest doen: opnieuw nadenken, plannen, handelen. Ze mocht zich niet door één fout laten tegenhouden, hoe afschuwelijk die ook was. Ze was gewoon te gretig geweest, te zelfverzekerd, te ongeduldig. Ze moest zich beter concentreren op de taak die voor haar lag, haar intelligentie in overeenstemming brengen met haar intuïtie. Begin dus maar met nadenken, hield ze zichzelf voor. Hij trekt regelmatig het land in. Waarom? Dat was tenminste iets concreets, een plek om te beginnen.
'Verder nog iets, liefje?'
'Wat?'
Het was de serveerster die de lege tafel naast haar opruimde. 'Nog een kop koffie?'
'Ja, graag.' De vorige was koud geworden, herinnerde Martha zich.

'Blijf maar lekker zitten, dan kom ik hem wel brengen, liefje. Je ziet er een beetje pips uit. Slecht nieuws gekregen?'
Martha schudde haar hoofd. 'Dank je. Nee, nee hoor. Niets ernstigs.' Ze moest voorzichtiger zijn, begreep ze. Het was onverstandig om zich opvallend te gedragen in het stadje. Dan zouden de mensen zich haar zeker herinneren.
Toen de serveerster de koffie had gebracht, dacht Martha verder na. Ze wist dat hoofdinspecteur Elswick en zijn hulpjes hun tijd verspilden met het zoeken naar het motief van de moordenaar en een profielschets opstellen. Het had hun immers nog niet veel opgeleverd, hé? Dat die vent misschien een ongelukkige jeugd had gehad of zijn dode oma een afscheidszoen had moeten geven, kon haar geen barst schelen. Misschien had zijn moeder hem wel in de steek gelaten om te gaan studeren. Wellicht was dat wel de reden dat hij het altijd op jonge studentes had voorzien. Of had hij een dochter die als studente het verkeerde pad op was gegaan. Of misschien vond hij gewoon dat elke universiteitscampus een poel van verderf was, vol sletten en seksbeluste krengen, een plek waar hij vermoedelijk lichtzinnige vrouwen kon vinden – en ook geëmancipeerde vrouwen, die nonchalant of dwaas genoeg waren om in het donker alleen naar huis te lopen. Ook dat kon haar geen barst schelen. Als zij hem vond, liet ze geen psychoanalyse op hem los. Dan vermoordde ze hem. Zo eenvoudig was het.
Martha werd iets vrolijker van deze gedachtestroom. Het toonde aan dat haar brein weer helder nadacht en dat ze zich niet door haar ervaringen klein liet krijgen, en dat was precies wat ze nodig had. Wanneer ze terugdacht aan wat ze had gedaan, overigens zonder de gruwelijkste beelden toe te laten, zag ze dat er ook goede kanten aan zaten. Het was eigenlijk helemaal geen verspilde moeite geweest. Als ze het positief bekeek, begreep ze dat het doden van Grimley een soort generale repetitie was geweest voor de grote daad zelf. Misschien een akelige gedachte, maar nu wist ze tenminste dat ze het kon. De moord op Grimley had als een soort inwijdingsritueel gediend, een bloeddoop. Ze had al eens iemand vermoord; daarom zou ze het de volgende keer weer kunnen. Alleen zou ze er dan voor zorgen dat ze zeker wist dat ze de juiste voor zich had, dacht ze bij zichzelf, terwijl ze naar de presse-papier in haar weekendtas tastte.

26
Kirsten

Kirsten wist nog goed dat ze vroeger dol was op het ragfijne licht in het bos, fijne straaltjes groen en zilver die op de blaadjes dansten, hier en daar door de gaten in het bladerdak schenen en op kluitjes boshyacinten of kleine vergeet-mij-nietjes bij de beek vielen, waardoor ze opeens aan een geschilderd stilleven deden denken in plaats van levende, groeiende planten.
Op deze dag ervoer ze echter geen verrukking toen ze over het kronkelende pad onder de hoge bomen door slenterde. Nadat ze zich eerst twee dagen lang op haar zolderkamer had verstopt, had ze zichzelf gedwongen eropuit te trekken – voornamelijk voor haar ouders, niet voor haarzelf. Haar vader zag er inmiddels nog magerder uit dan anders en haar moeder werd met de minuut ongeduldiger. Ze waren door haar houding bijna ten einde raad, wist ze. Ze hadden het liefst tegen haar gezegd dat ze alle ellende achter zich moest laten, moest ophouden met kniezen en verder moest gaan met haar leven. Het enige wat hen daarvan weerhield was medelijden. Ze hadden nog steeds met haar te doen en dat was een verdriet dat ze niet onder woorden konden brengen. Dus was ze het bos in gegaan, zodat ze haar met rust zouden laten. Als ze deed alsof er niets aan de hand was, zouden ze niets doorhebben.
Het was gelukt. Toen ze de vorige avond naar beneden was gekomen, keken ze meteen een stuk opgewekter; ze hadden iets te drinken voor haar gehaald en daarna hadden ze gezellig samen televisiegekeken. Die ochtend was haar vader weer naar zijn werk gegaan, ook al ging dat met grote tegenzin gepaard, en had haar moeder aangekondigd dat ze naar Wells ging om te winkelen, omdat Bath haar de laatste tijd een veel te sjofele toeristenplaats werd.
Kirsten was echter ongevoelig voor de natuur. Tijdens het lopen was haar een frase uit Coleridges ode 'Treurnis' te binnen geschoten:

Verdriet zonder pijn, hol, donker en onaangenaam,
Een verstikt, verdoofd verdriet zonder bezieling,

Dat geen natuurlijke uitweg vindt noch verlichting,
In woord, zucht of traan.

Kijkend naar de bloemen in het zonlicht voelde ze met Coleridge mee, die had geschreven: 'Ik zie hun schoonheid, maar voel haar niet! ... Voor mij niet de hoop van de buitenkant der dingen te verkrijgen / De passie en het leven die als bron binnen in hen verblijven.' Dat was maar al te waar, vond Kirsten. Het licht dat tussen de bladeren danste, kon haar niets geven en haar innerlijke bronnen waren allemaal opgedroogd, door de donkere ster in haar gedachten opgezogen en in bloed veranderd.
Het had geen zin om verder te lopen. Halverwege haar vaste route draaide ze zich om en liep ze terug naar huis. Haar kamer was de beste plek om te zijn en het zou stil zijn in huis nu iedereen weg was. Misschien verdwenen de leegte en de pijn na een paar weken wel en werd ze dan weer normaal. Het kostte haar echter moeite zich voor de geest te halen wat normaal precies inhield.
Twee zwart-witte koeien staarden haar met hun droevige ogen na toen ze de smalle grasstrook tussen het bos en het hek aan de achterkant van het huis overstak. Haar hoofd deed nog steeds pijn en haar neerslachtige stemming voelde opeens beklemmender aan dan anders.
Eenmaal thuis slenterde ze een tijdje doelloos van kamer naar kamer; ze overwoog even een paar boterhammen te smeren, maar besloot toen dat ze geen trek had. Dronken worden leek haar aanvankelijk een uitstekend idee, maar toen kreeg ze een nog veel betere ingeving.
Ze haalde een plastic tas uit de kast onder de trap, liep naar de badkamer en deed het medicijnkastje open. Daar stonden de gebruikelijke spullen in: aspirine, antihistamine, maagzuurtabletten, een middel tegen verkoudheid, hoestdrank en wat oude, op recept verkregen antibiotica. Ze liet de hoestsiroop staan, maar gooide de rest in de tas.
Daarna sloop ze naar de slaapkamer van haar ouders. Ze bewaarden hun verschillende soorten pillen in de bovenste lade van het nachtkastje. Ze pakte haar moeders kalmeringstabletten, de Mogadon-slaaptabletten en haar vaders bloeddrukpillen, en stopte die eveneens in de plastic tas.
In haar eigen kamer maakte ze haar schoudertas open waarin de pijnstillers zaten die de dokter haar had voorgeschreven. Het was dezelfde tas die ze ook op de avond van de aanval bij zich had gehad en het drong opeens tot haar door dat ze zich eigenlijk nooit had afgevraagd wat ermee was gebeurd. De politie had hem ongetwijfeld onderzocht en hem daarna waarschijnlijk naar haar kamer in het ziekenhuis gebracht toen ze nog buiten bewustzijn was. Ze leegde de tas op haar bed en vond een strip met nog een halve maand aan

anticonceptiepillen. Met een glimlach om de ironie daarvan voegde ze ze toe aan de volle tas, die ze vervolgens mee terugnam naar beneden.
De woonkamer was over twee niveaus verdeeld. Aan de voorkant was een erkerraam dat uitkeek op het gazon, de kamperfoelie, de rozenbedden en High Street achter het witte tuinhek; aan de achterkant gaven openslaande tuindeuren toegang tot de grote tuin met in het midden de rode beuk, nog meer bloembedden en een croquetveldje. Daarachter begon het bos. Kirsten zette de ramen open om de zon binnen te laten en ging in het schijnsel op de vloerbedekking zitten. Ze had een fles van haar vaders beste whisky uit het kastje met sterkedrank gehaald – Glen-waar-ben-ik noemde hij die altijd – en zette die nu naast zich neer.
Ze pakte de plastic tas en spreidde de verzameling pillen voor zich uit op de vloer. Ze hadden alle kleuren van de regenboog: blauw, groen, rood, wit, geel, roze, oranje. Ze raapte er een paar op die een fraai kleurenpalet in haar hand vormden, nam ze in en spoelde ze weg met een teug Schotse whisky uit de fles.
Het was bijna idyllisch zoals ze daar in kleermakerszit in het honinggele zonlicht zat, terwijl aan de andere kant van de tuindeuren bijen zoemend van bloem naar bloem vlogen. Kirsten had de hele dag niets gegeten en voelde zich al snel licht in het hoofd – licht, behalve dan de donkere wolk, die veel massiever was dan mogelijk leek voor zo'n klein iets. Althans, die dag was hij klein. Soms zwol hij als een ballon op, maar nu was hij net een gemene zwarte knikker. Als ze hem in haar hand hield, dacht ze bij zichzelf, brandde hij door het gewicht vast zo door haar vlees heen.
Een rode, een blauwe, een gele, gevolgd door een flinke slok bijtende whisky. Zo ging het maar door; de fles werd steeds leger en de berg pillen op de beige vloerbedekking nam met handenvol tegelijk af. Al snel tolde Kirstens hoofd. Achter haar gesloten oogleden dansten lichtvlekjes. Toen ze haar ogen weer opendeed en naar de met zonlicht overgoten tuin keek, had ze durven zweren dat het buiten sneeuwde.

27
Martha

Toen Martha om een uur of een 's middags op het station vlak bij Valley Bridge Road in Scarborough uit de bus stapte, ging ze eerst naar de dichtstbijzijnde pub, een stille, armoedige tent met plakkerige tafels, om een broodje met ham en kaas te eten en een halve pint bier met limoensap te drinken. Ze voelde zich veel rustiger dan eerder die dag. Het nieuws had haar zo overvallen dat ze de moed bijna had opgegeven, maar uiteindelijk had het haar alleen maar in haar voornemen gesterkt. Ze kon niet terug zonder haar doel te hebben bereikt. Ze wist nu ook dat haar geliefde intuïtie niet onfeilbaar was en dat ze de volgende keer echt zeker van haar zaak moest zijn. Hoe ze naast haar herinnering aan zijn uiterlijk en stem aan bewijs moest komen wist ze nog niet. Misschien moest ze hem ertoe verleiden en hem er dan mee confronteren. Toen Grimley zei dat hij zich haar niet herinnerde, had hij de waarheid gesproken. De echte moordenaar zou zich haar wel degelijk herinneren en als ze hem zover kon krijgen dat hij dat toegaf, had ze zekerheid. Ze wilde geen trits lijken in haar spoor achterlaten totdat ze de juiste te pakken had. Ze huiverde bij het vooruitzicht dat ze zelf in het soort monster zou veranderen dat ze juist uit de weg wilde ruimen.

Ze drukte haar sigaret uit en stond op om te vertrekken. Het was allemaal minder eenvoudig dan een paar dagen geleden. Er bestond een kans dat de politie Grimleys identiteit snel zou achterhalen en zijn dood zou onderzoeken. Martha mocht zichzelf niet laten oppakken. Ze had de kamer aan Abbey Terrace al verlaten, maar moest nog een paar andere dingen doen om haar vrijheid te waarborgen voordat ze naar Whitby terugkeerde.

Ze wandelde langs het treinstation en sloeg rechts af Westborough in, waar het vrij druk was. De stratengids die ze in Whitby had gekocht, gaf haar tijdens het bekijken van de zijstraatjes een aardig idee waar ze was, maar vermeldde niet waar de grote winkelstraten waren. Voor zover ze zelf kon zien, zat alles wat ze nodig had echter in de buurt. Het weer was hier net zo grauw als eerder die dag in Whitby, hoewel de motregen was opgehouden en het

inmiddels warm genoeg was om haar gewatteerde jack uit te trekken en over haar arm te slaan.
Ze zocht eerst een groot warenhuis. De Marks & Spencer was prima, dacht ze toen ze de voorgevel ontdekte: de kleding daar was van goede kwaliteit en netjes, maar niet te duur. Nadat ze een tijdje over de afdeling Dameskleding had gelopen en de rekken met kledingstukken had bekeken, koos ze een effen zwarte plooirok die tot over haar knieën viel met een bijpassende zwarte panty met een motiefje en een crèmekleurige katoenen bloes die helemaal tot aan de hals kon worden dichtgeknoopt. Ook nam ze een donkerblauw vest mee voor het geval het zou afkoelen.
Op de schoenenafdeling vond ze een paar zakelijke pumps – degelijke schoenen, zou haar moeder hebben gezegd – onverwoestbaar en prettig om op te lopen. Nadat ze haar aankopen had betaald, zocht ze buiten een openbaar toilet om zich om te kleden, en haar oude spullen – spijkerbroek, T-shirt, sportschoenen en gewatteerde jack – stopte ze in haar weekendtas. Het was niet nodig de kleding weg te gooien, dacht ze bij zichzelf. Het leek haar niet erg waarschijnlijk dat iemand haar tas zou willen doorzoeken en ze kon de kleren vaker dragen. Ze keurde zichzelf in de spiegel en was tevreden met wat ze zag. Een aardig meisje, een secretaresse of receptioniste of zoiets. Het was precies het onopvallende, anonieme effect dat ze zocht. Om haar nieuwe uiterlijk kracht bij te zetten, kon ze ook haar bril dragen in plaats van contactlenzen.
De zon had een paar rafelige gaten in het wolkendek geboord en heel wat gezinnen waren nu via Eastborough op weg naar South Beach. De kinderen hingen niet langer aan de hand van hun ouders, maar treuzelden kibbelend, terwijl ze met hun felgekleurde plastic emmer en schep zwaaiden. Af en toe slenterde een verliefd stelletje hand in hand voorbij, dat geen haast had om ergens te komen zolang ze maar bij elkaar waren.
Martha zocht een Boots en liep regelrecht naar de afdeling Make-up. Daar sloeg ze wat basisspullen in: lippenstift, oogschaduw, mascara, foundation, rouge – allemaal in doodgewone, behoudende kleuren. In het toilet van het cafeetje aan de overkant van de straat stond ze naast een andere vrouw die haar gezicht opmaakte. De vrouw glimlachte, en begon een praatje over het weer en het eeuwige geklaag van mannen dat vrouwen altijd zo lang nodig hadden op het toilet.
'Zal ik je eens wat zeggen?' ging ze verder, terwijl ze haar ogen opensperde en een dikke laag mascara aanbracht. 'Volgens mij zien ze niet eens verschil wanneer we terugkomen. Wat denken ze eigenlijk dat we hier al die tijd aan het doen zijn? Geloven ze soms dat we langer nodig hebben om onze blaas te legen?' Ze grinnikte en slaakte toen een zucht. 'Ik vraag me weleens af of het

de moeite waard is.' Ze deed een laagje glanzende rode lippenstift op en bette haar lippen met een papieren zakdoekje om het overtollige goedje te verwijderen. Toen trok ze ze een paar keer strak en tuitte ze, voor alle zekerheid.
Martha keek haar aan en ontdekte een rode vlek op haar voortanden. Het deed haar aan vampiers denken. 'Ik zou het niet weten,' antwoordde ze. 'Dat hangt af van wat je zelf wilt.'
Dit was te diepzinnig voor de vrouw. Ze kneep het besmeurde zakdoekje tot een prop en gooide het in de afvalbak. Ze fronste haar wenkbrauwen, zuchtte nogmaals, streek haar haren glad en vertrok.
Martha deed haar best. Ze was nooit echt handig geweest met cosmetica en maakte zich zelden op, behalve voor dansfeesten en studentenfeestjes. Deze keer was het doel echter niet om zichzelf in een onweerstaanbare schoonheid te veranderen, maar om er anders uit te zien dan de jonge vrouw die diezelfde ochtend Whitby had verlaten. Dat bleek verbazingwekkend gemakkelijk. De oogschaduw en mascara benadrukten haar ogen, maar hielpen ook de vorm te veranderen. De rouge accentueerde haar jukbeenderen en toverde schaduwen op haar wangen eronder die haar gezicht een andere vorm leken te geven. Door de lippenstift leken haar lippen dikker en langer, zodat haar mond groter en voller oogde. Al met al best geslaagd, dacht ze bij zichzelf terwijl ze het resultaat in zich opnam. Ze zag er nu al uit als iemand anders en ze was nog niet eens klaar. Ze besloot haar bril voorlopig nog niet op te zetten. Je kon het ook overdrijven.
In het volgende warenhuis bezocht ze de kleine pruikenafdeling. Ze wilde niet iets opvallends hebben, geen helblond of gitzwart, maar iets wat bijvoorbeeld net iets donkerder was dan haar eigen haarkleur. De pruik moest natuurlijk wel langer zijn dan haar eigen haren en er echt uitzien.
'Kan ik u ergens mee helpen, mevrouw?' vroeg een verkoopster.
'Ik kijk alleen maar even.' Martha had er geen behoefte aan dat iemand haar hielp met het op- en afzetten van pruiken, en haar iets opdrong. Dat was precies iets wat een verkoopster zich zou herinneren. Gelukkig arriveerde er net een nieuwe klant, een oudere vrouw die hele plukken haar miste, alsof ze chemotherapie had gehad, en het meisje liep naar haar toe. Er ontspon zich een ingewikkelde discussie over de precieze wensen en toen bracht de verkoopster de vrouw naar een stoel die voor een spiegel stond.
Martha had nog nooit een pruik gekocht; ze had er zelfs nog nooit een opgehad. Ze pakte voorzichtig een asblond exemplaar op om te zien hoe dat haar stond. Het resultaat was verbijsterend. De make-up had al wonderen verricht, maar in combinatie met de pruik veranderde haar uiterlijk echt totaal: ze leek een compleet ander iemand, met een andere levensgeschiedenis en karakter. Martha stond een tijdje naar zichzelf te staren en verzon een

verhaal over de jonge vrouw die ze voor zich zag: ze was geboren in King's Lynn in Norfolk en had op een exclusieve meisjeskostschool gezeten; sexy, onafhankelijk, de eigenaresse van een keten boetieks of iets dergelijks, en ze zat vaak in het buitenland om spullen in te kopen. Plotseling werd ze bang dat er mensen naar haar stonden te kijken, dus maakte ze abrupt een eind aan het spelletje en concentreerde ze zich weer op de reden van haar bezoek. Nadat ze zich ervan had vergewist dat er niemand op haar lette, probeerde ze nog een aantal andere pruiken uit en ten slotte vond ze er een die bij haar paste. De pruik was kastanjebruin, maar zonder een onnatuurlijke glans, en krulde net boven haar schouders naar binnen. Hij had ook een korte pony die over haar voorhoofd viel en op een of andere manier zagen haar ogen er nu weer anders uit. Ze nam de pruik mee naar de dichtstbijzijnde kassa om te betalen.

Daarna ging ze met de roltrap naar de damestoiletten op de vierde verdieping. Toen ze de deur openduwde, sprong er een breekbaar ogende vrouw met een iel lichaam en een groot hoofd op van de rand van de wasbak waarop ze had gezeten. Ze verborg snel haar hand achter haar rug. Martha zag dat ze het uniform van een verkoopassistente droeg – een blauw mantelpakje met een witte bloes en een koperen naamplaatje op het jasje met daarop de naam Sylvia Wield – en ze keek heel schuldig, net een schoolkind dat rokend is betrapt achter de fietsenstalling. Toen ze in de gaten kreeg dat het een klant was, ontspande ze zich en legde ze haar vrije hand op haar borst.

'U laat me flink schrikken,' zei ze. 'Ik dacht dat het de bedrijfsleidster was. Wist u dat we tegenwoordig niet eens mogen roken in onze eigen kantine? Daarom moet ik me telkens verstoppen als ik een peuk wil roken. Het is hier op de afdeling Woningtextiel gelukkig meestal heel rustig.'

Martha glimlachte begrijpend en ging in een hokje zitten wachten tot de verkoopster weg was. Door de schok van de onverwachte ontmoeting was haar eigen hart ook sneller gaan kloppen. Toen het weer stil was, zette ze de pruik op en nadat ze eerst om een hoekje van de deur had gekeken om er zeker van te zijn dat niemand op haar lette, glipte ze over de dichtstbijzijnde trap naar buiten.

Ze wist dat ze snel weer naar Whitby moest terugkeren om daar een nieuw pension te zoeken, maar nu ze toch in Scarborough was, kon ze de verleiding niet weerstaan om even naar de haven te lopen, voor het geval dat.

Er werd daar vrijwel niet gewerkt. De krabbenfuiken lagen opgestapeld op de kade en er waren maar een paar bewoners te zien die hun boot stonden te schilderen of met de motor rommelden. De geur van vis was hier sterker dan in Whitby. Hij vermengde zich met de walm van dieselolie en maakte haar misselijk. Zodra ze in de gaten kreeg dat een jonge knul die vlak bij haar

tegen de muur stond geleund naar haar keek, besloot ze dat het tijdverspilling was en liep ze terug naar het busstation.
Tijdens de terugreis naar Whitby las ze *Jude the Obscure*, dat ze in hetzelfde boekwinkeltje in Church Street had gekocht toen ze *Emma* uit had. Binnen een halfuur was het alweer tijd om uit te stappen. Deze keer klom ze niet naar de top van West Cliff, maar wandelde ze naar het gebied achter het station, een ander deel van de stad dat bekendstond om vakantieaccommodaties. Bij een rij hoge, donkere pensions tegenover de treinsporen die allemaal een bordje met KAMERS VRIJ achter het raam hadden staan, koos ze de middelste. Vrijwel meteen nadat ze had aangebeld, kwam er een jonge vrouw met een expressief gezicht ergens van achter uit het huis aangesneld om de deur open te doen. Haar handen waren nat, en ze zag er moe en druk uit, alsof ze probeerde tien huishoudelijke klusjes tegelijk te doen, maar toen Martha vertelde dat ze een kamer zocht, glimlachte ze. Ze was waarschijnlijk pas in de twintig, schatte Martha, maar was door hard werken, veel kinderen en zorgen snel oud geworden.
'Voor één persoon?' Haar stem had een eentonige, zeurderige klank.
'Ja, graag. Een zolderkamer is uitstekend, als u die hebt.' Martha had graag een kamer met balken en een schuin dak boven in een pand.
'Sorry,' zei de vrouw, terwijl ze haar handen aan haar schort afdroogde. 'De enige eenpersoonskamer die we hebben is een kleine kamer aan de achterkant.'
'Ik wil hem graag even zien,' zei Martha.
Hij lag op de tweede verdieping, een deprimerend kamertje met wit structuurbehang dat uitkeek op achtertuinen vol vuilnisvaten en jagende katten.
'Het is hier heel rustig,' zei de vrouw. 'Omdat hij aan de achterkant ligt, hoor je de treinen hier bijna niet. Niet dat er tegenwoordig nog veel rijden.'
Ze deed heel hard haar best haar tevreden te stellen. Martha vermoedde dat haar man en zij hier nog niet heel lang zaten en moeite hadden de eindjes aan elkaar te knopen. De vrouw had duidelijk geprobeerd de hal en de kamers een vrolijk aanzien te geven, maar het huis zelf was grauw en oud; het wekte de indruk dat het er vochtig en kil was, ook al was dat niet zo, en de nabijheid van de spoorweg stond de meeste mensen waarschijnlijk tegen. Martha stoorde zich er niet echt aan. Het was afgelegen, anoniem. Hoewel het geen uitzicht bood op St. Mary's was dit een knusse schuilplek. Ze mocht de vrouw met haar vermoeide ogen en door het vele wassen rood geworden handen wel en had medelijden met haar. Op een bepaalde manier beschouwde Martha zichzelf als een voorvechtster voor juist zulke vrouwen – niet alleen misbruikte, aangevallen en mishandelde vrouwen, maar ook uitgeputte, onderdrukte, moedeloze vrouwen.

'Hoeveel kost hij?' vroeg ze.
'Acht pond vijftig. En we verzorgen geen avondmaaltijden. Het spijt me.'
'Dat geeft niet. 's Avonds ben ik toch meestal weg.' Martha dacht pijlsnel na: de kamer was goedkoop en onopvallend, en de vrouw had geen onprettige vragen gesteld over de reden van haar eenzame verblijf in Whitby. Er was ongetwijfeld ergens een echtgenoot, maar die had waarschijnlijk gewoon een baan en met een beetje geluk zou ze hem niet vaak zien. De man in het andere pension had zich ook vrijwel niet laten zien, alleen toen ze aankwam en vertrok. 'Ik neem hem,' zei ze, en ze zette haar groene weekendtas op de lichtgroene sprei.
De vrouw keek opgelucht. 'Fijn. Als je even met me meeloopt naar beneden om je in te schrijven, geef ik je meteen de sleutels.'
Martha liep achter haar aan naar beneden en merkte op dat de traptreden hier en daar kraakten. Dat kon een probleem worden als ze laat terugkwam, zoals al eens eerder was gebeurd. Als ze op de eerste dag tijdens het naar boven en beneden lopen echter even goed oplette, kwam ze er wel achter welke treden ze precies moest vermijden.
De hal was veel kaler dan die in Abbey Terrace. Er hing geen spiegel en de reclamefoldertjes zagen er stoffig uit, met omgekrulde hoeken.
'Ik ben trouwens mevrouw Cummings,' zei de vrouw, terwijl ze Martha een kaart overhandigde om in te vullen. 'Het spijt me als ik een beetje gejaagd overkom, maar mijn man zit meestal op een van zijn boten, dus moet ik de boel hier min of meer in mijn eentje zien te redden.'
'Op de boten? Is hij visser?'
'Nou ja, niet echt. Hij neemt groepen toeristen mee die een ochtend of middag willen vissen. Ze vangen natuurlijk niet genoeg om te verkopen, maar sommigen willen gewoon graag een boottocht maken. In het zomerseizoen verdient hij niet slecht. Het betekent natuurlijk wel dat hij voor zonsopgang al opstaat en meestal pas na het avondeten weer terug is. Dat hangt af van de getijden en hoeveel mensen er mee willen. Hij heeft goede dagen en slechte. We redden het net.'
Het zou wel heel ironisch zijn, te ironisch om waar te kunnen zijn, als ze in hetzelfde huis bleek te logeren als de man die ze zocht, bedacht Martha. Maar hij wist natuurlijk wel waar de vissers in hun vrije tijd rondhingen en welke andere lokale bedrijfstakken nauwe banden hadden met de visserij. Ze moest hem wel voorzichtig uithoren, gewoon als belangstellende toerist, maar het was misschien de moeite waard.
'Het ontbijt is van acht uur tot halfnegen,' zei mevrouw Cummings. 'Dat moet een beetje snel worden afgehandeld, zodat ik de kinderen naar school kan brengen. Hier zijn de sleutels.' Ze gaf Martha een sleutelring met twee

sleutels. 'De grote is van de voordeur. We sluiten de boel altijd rond halfelf af, maar je kunt binnenkomen wanneer je wilt. De yale is voor jouw kamer. Op de begane grond is een kleine zitkamer – het staat aangegeven – met een waterkoker en een televisie. Zwart-wit, ben ik bang. Er zijn theezakjes en een pot Nescafé. Je kunt er zelf koffie of thee zetten wanneer je daar zin in hebt.'
'Dank u wel,' zei Martha glimlachend. 'Ik red me wel.'
Mevrouw Cummings pakte de kaart aan die Martha haar aanreikte. 'Ga je er nu meteen op uit?'
'Ja, ik wil voor het avondeten eigenlijk nog even een stukje gaan wandelen.'
'Een prima idee. Goed, dan zie ik je straks wel... ehm...' Ze tuurde naar de kaart. 'Susan?'
'Ja, dat klopt. Tot ziens.' En Susan Bridehead liep aan het eind van de middag Whitby in.

28
Kirsten

'Ja, ik weet heel zeker dat Kirstens maag niet hoeft te worden leeggepompt,' herhaalde dokter Craven geduldig. 'U hebt zelf gezien dat ze de pillen heeft uitgebraakt voordat ze tijd hadden om haar bloedstroom te bereiken. In het ergste geval zal ze zich een tijdje misselijk en duizelig voelen – dat heeft ze dan helemaal aan zichzelf te danken – en waarschijnlijk houdt ze er een stevige hoofdpijn aan over.'
Ze stonden in Kirstens kamer om het bed waarin Kirsten lag ingestopt. Haar moeder liep druk rond en wrong in haar handen als een personage uit een victoriaans melodrama.
'Het is volkomen logisch dat u van streek bent,' vervolgde de dokter. 'Misschien is het verstandig dat u zelf een kalmeringstablet neemt en even gaat liggen.'
'Ja.' Kirstens moeder knikte en fronste toen haar wenkbrauwen. 'O, dat gaat natuurlijk niet.' Ze keek haar dochter aan. 'Die heeft zij allemaal ingeslikt.'
Het was niet als beschuldiging bedoeld, wist Kirsten, maar toch kreeg ze opnieuw het gevoel dat ze anderen sinds haar thuiskomst alleen maar tot last was geweest: eerst had ze geweigerd naar buiten te gaan, toen had ze overgegeven op de vloerbedekking in de woonkamer en nu ontnam ze haar moeder de vergetelheid waarnaar het arme mens zo hevig verlangde om de akelige spelingen van het lot die haar leven de laatste tijd overhoopgooiden aan te kunnen. Gelukkig pakte dokter Craven haar tas en schoot ze haar te hulp.
'Monstertjes,' zei ze. Ze gaf haar een doordrukstrip. Er zaten vier gele pillen in, elk in zijn eigen vakje. 'Ik zal ook een nieuw recept voor u uitschrijven om de andere te vervangen. Kirsten heeft nu rust nodig.'
Ze krabbelde wat op haar schrijfblok, scheurde het blaadje af en overhandigde het. De zakelijke klank in haar stem en het kortaffe gebaar drongen zowaar door tot Kirstens moeder, die meestal ongevoelig was voor hints dat haar aanwezigheid niet vereist was.

'Ja... goed...' Ze drentelde met het pakje en het recept in haar hand geklemd naar de deur. 'Ja... dan ga ik maar een glas water halen en even liggen...'
Toen ze eindelijk weg was, slaakte de dokter een zucht en nam naast Kirsten plaats op de rand van het bed. 'Ze bedoelt het goed, hoor,' zei ze.
Kirsten knikte. 'Weet ik.'
Dokter Craven liet een lange stilte vallen en zei toen met een veel vriendelijker klank in haar stem dan Kirsten bij haar voor mogelijk had gehouden: 'Dat was echt een stomme zet van je, hè?'
Kirsten gaf geen antwoord. Ze wist het zelf eigenlijk niet zo goed.
'Luister eens,' ging dokter Craven verder, 'ik zal niet doen alsof ik weet hoe jij je voelt na wat je is overkomen. Ik kan me niet eens een voorstelling maken van wat je hebt doorgemaakt, wat je nog steeds doormaakt, maar één ding kan ik je wel zeggen: zelfmoord lost niets op. Waarom heb je het gedaan?'
'Ik weet het niet,' zei Kirsten. 'Het leek me op dat moment gewoon een goed idee. Dat zeg ik heus niet voor de grap. Ik wist gewoon niet wat ik anders moest.'
Dokter Craven keek haar onderzoekend aan. 'Wat bedoel je daar precies mee?'
'Ik vond er buiten helemaal niets aan. Ik had niet echt trek. Ik had geen zin om een boek te lezen of televisie te kijken. Ik liep een beetje met mijn ziel onder mijn arm. Toen bedacht ik dat ik me wel kon bezatten en... Ik slaap heel slecht.'
'Er zijn heus andere opties, Kirsten. Hou dat in gedachten. Het verbaast me trouwens niet eens zo heel erg dat je zo'n domme streek hebt uitgehaald. Zoals ik net al zei, kan ik me niet voorstellen hoe je je voelt, maar ik weet wel dat het verschrikkelijk moet zijn. Wat je nu moet doen, is inzien dat er geen snelle, gemakkelijke genezing mogelijk is. Je lichaam zorgt goed voor zichzelf, maar je emoties, je gevoelens zijn eveneens beschadigd, misschien zelfs wel erger dan wij beseffen. Rust zal ongetwijfeld helpen en de tijd ook, maar je kunt je niet eeuwig blijven verstoppen. Er komt een moment dat je je zult moeten inspannen om weer te gaan leven, om eropuit te gaan, mensen te ontmoeten, het leven te omarmen. Ik begrijp best dat het op dit moment waarschijnlijk allemaal heel eng klinkt, maar dat moet je als je doel zien. Als je je angsten de overhand laat krijgen, ben je verloren. Je mag er niet aan toegeven, je moet je ertegen verzetten. Snap je wat ik je probeer duidelijk te maken?'
'Ik denk het wel,' zei Kirsten. 'Ik... Ik weet alleen niet of ik dat kan. Ik weet niet hoe het moet.'
'Zo, einde van de preek.' Dokter Cravens lippen plooiden zich weer tot een lachje. 'Tijd voor een paar praktische zaken. Niemand kan je ertoe dwingen, maar ik raad je sterk aan om een specialist in Bath te bezoeken, iemand die be-

kend is met wat jij voelt. Ik kan een geschikte kandidaat aanbevelen.'
'Een psychiater, zoals u al eerder hebt gezegd?'
'Ja. Ik heb het idee dat het nu nog belangrijker is geworden. Ik zal een afspraak voor je maken, maar wat ik van jou wil weten, Kirsten, is of je ook gaat.'
Kirsten draaide haar hoofd weg en staarde door het kleine raam naar de lucht en de boomtoppen. Het was in elk geval opgehouden met sneeuwen, dacht ze bij zichzelf. Dat was het laatste wat ze had gezien voordat ze helemaal wee was geworden en had overgegeven op de vloerbedekking: wat vreemd dat het in augustus sneeuwde. Het had natuurlijk helemaal niet gesneeuwd; haar zicht was gewoon helemaal in de war geweest.
Ze keek naar dokter Craven. 'Goed,' zei ze, 'ik zal gaan. Ik neem aan dat ik niets meer te verliezen heb.'
'Je hebt er juist heel wat bij te winnen, jongedame,' zei de dokter met een klopje op haar hand. 'Mooi. Ik zal een afspraak voor je maken en die aan je doorgeven. Weet je heel zeker dat je je lichamelijk goed voelt? Geen bijwerkingen of zo?'
'Nee hoor, ik voel me uitstekend. Alleen een beetje duf. Ik voel me vooral heel dom.'
'Dat mag ook wel.' De dokter, die weer helemaal haar oude vertrouwde zelf was, stond op en liep naar de slaapkamerdeur. Voordat ze vertrok, draaide ze zich nog één keer om en ze zei: 'Je mag tot morgenochtend in bed blijven liggen, dat is heel redelijk voor iemand die heeft gedaan wat jij net hebt gedaan, maar ik wil dat je daarna opstaat en naar buiten gaat. Begrepen?'
Kirsten knikte. Toen ze alleen was, trok ze de lakens op tot haar kin en staarde ze naar de lange, dunne barst in het plafond. Haar hoofd bonsde nog steeds en haar buik deed pijn, maar afgezien daarvan leek alles ondanks de mengeling van pillen en de hoeveelheid alcohol die ze had ingenomen nog gewoon te werken. Zoals dokter Craven al had gezegd, hadden de medicijnen geen tijd gehad om echt schade aan te richten en leed ze vooral onder de gevolgen van de whisky, het enige wat de maagwand had kunnen opnemen.
Ze zou naar de specialist in Bath gaan, nam ze zich voor. Hoewel ze in haar eerste studiejaar tijdens een algemene introductiecursus zowel Freud als Jung had bestudeerd – en verworpen – en weinig vertrouwen had in psychiaters, was ze wanhopig genoeg om werkelijk alles te willen proberen. Misschien kon hij de donkere wolk uit haar hoofd verdrijven en haar iets – wat dan ook – geven wat de afschuwelijke kille leegte verving die ze bij alles voelde. Ze bleef niet binnen en in bed omdat ze bang was, maar omdat ze apathisch was. Ze had nergens zin in, echt helemaal nergens in. Ze voelde zich dwaas en verachtelijk, en dat was het wel zo'n beetje. Met een beetje geluk kon de specialist haar echt helpen. Misschien kon hij haar een reden geven om voor te leven.

29
Susan

De zeemeeuwen in het zuidelijke deel van de haven waren 's nachts net zo luidruchtig als die bij West Cliff, maar het ontbijt in het etablissement van mevrouw Cummings was een beduidend minder uitgebreide aangelegenheid. Om te beginnen waren er geen ontbijtgranen, alleen een klein glas nogal waterig sinaasappelsap per persoon. Er kon evenmin worden gekozen tussen thee of koffie, want er was alleen thee. Het hoofdbestanddeel bestond uit een gebakken ei met een uitlopende dooier, twee dunne plakjes bacon en een snee gefrituurd brood; er zaten geen gegrilde tomaten, champignons of plakjes bloedworst bij. Wel was er uiteraard een ruime hoeveelheid koude geroosterde boterhammen en marmelade.
De maaltijd speelde zich ook in versneld tempo af. Sue kwam een beetje aan de late kant beneden, omdat ze eerst haar gezicht in orde moest maken en haar pruik moest vastzetten. Ze zat nog niet of er werd al een bord voor haar neergezet. De thee stond al een tijdje te trekken en was inmiddels zo bitter dat ze haar toevlucht moest nemen tot suiker. Aan het sinaasappelsap kwam ze niet eens toe.
De andere gasten waren een verfomfaaid uitziende vrijgezel in een grijze spencer met een V-hals en twee verveeld kijkende tienermeisjes met veelkleurige haarpieken en een dikke laag make-up. Sue at snel, ging terug naar haar kamer om een sigaret te roken, pakte toen haar weekendtas en wandelde naar buiten. Het was opnieuw een grijze dag, maar het vage licht was bijzonder schel. Sue vond zulk weer altijd verbazingwekkend. Er was geen zon te bekennen, geen blauwe lucht, geen schittering op het water, maar toch moest ze haar ogen half dichtknijpen om te voorkomen dat ze begonnen te tranen. Ze overwoog even om een zonnebril te kopen en misschien zelfs een breedgerande hoed, maar besloot uiteindelijk het toch niet te doen. Het was wel genoeg zo; het was onverstandig het te overdrijven en er dan alsnog als iemand in vermomming uit te zien.
Ze haalde sigaretten en kranten in de dichtstbijzijnde kiosk en ging toen op

zoek naar een nieuw cafeetje in Church Street om koffie te drinken. Ze had in misdaadromans gelezen over mensen die hun uiterlijk veranderden, maar toch werden gepakt omdat ze zo stom waren om zich verder aan hun vaste patroon te houden.
Toen ze de regionale krant opensloeg, kwam ze tot de ontdekking dat het de late zaterdageditie was die ze nog niet had gezien. Natuurlijk! Vandaag was het zondag; dan verschenen er geen regionale kranten, alleen maar landelijke. In de sectie met het allerlaatste nieuws onder aan de linkerkolom op pagina 1 zag ze een aanvulling op het artikel over Grimley:

> De politie is er niet van overtuigd dat het lichaam dat gisteravond op het strand van Sandsend is aangespoeld en inmiddels is geïdentificeerd als de heer Jack Grimley, een natuurlijke dood is gestorven. Inspecteur Cromer heeft aan onze verslaggever gemeld dat er opdracht is gegeven tot een lijkschouwing. De heer Grimley is voor het laatst levend gezien toen hij op donderdagavond om een uur of kwart voor tien The Lucky Fisherman, een pub in Whitby, verliet. Iedereen die informatie heeft, wordt verzocht zo snel mogelijk contact op te nemen met de plaatselijke politie. De heer Grimley (30) was zelfstandig meubelmaker en parttime assistent in het theater van Whitby. Hij woonde alleen.

Sue beet tijdens het lezen op haar lip. Ze kwamen langzaam maar zeker steeds dichter bij de waarheid en de politie wist altijd meer dan ze de kranten vertelde. Ze voelde een vacuüm heel diep in haar buik, alsof ze boven een bodemloze kloof hing. Ze hield zichzelf voor dat ze niet in paniek mocht raken. Ze had dan misschien net iets minder tijd dan ze had gehoopt, zeker als ze met de politie in een race tegen de klok verwikkeld was, maar ze moest rustig blijven.
Ze stak een sigaret op en pakte de *Sunday Times*. Die stond nu niet direct bekend om zijn sappige, sensationele, schandelijke nieuwsberichten, maar volgde vast wel de nieuwste ontwikkelingen in het onderzoek naar de 'studentenslachter'. En jawel. De politie wilde alleen maar bevestigen dat de moord die op vrijdagavond had plaatsgevonden het werk was van dezelfde dader die in het afgelopen jaar al vijf andere meisjes op dezelfde wijze van het leven had beroofd. Ze gaven geen details vrij, maar maakten deze keer wel een naam bekend. Susan voegde hem toe aan de andere vijf die ze uit haar hoofd kende, een nieuwe geest die haar zou leiden: Margaret Snell, Kathleen Shannon, Jane Pitcombe, Kim Waterford, Jill Sarsden en nu een zesde, Brenda Fawley.
Sue bleef een tijdlang met de krant voor zich zitten zonder echt iets te lezen,

en halverwege de ochtend had ze bedacht wat ze die dag ging doen. Het werd tijd om de naburige vissersdorpen te bekijken. Ze keerde terug over de brug en haalde bij het busstation een overzicht van vertrektijden. Het duurde even voordat ze had uitgeknobbeld hoe het schema werkte, maar uiteindelijk ontdekte ze dat er op zondag geen bussen in noordelijke richting langs de kust reden. De enige dienst liep van Loftus tot Middlesbrough iets verderop in het noorden en ging die dag niet verder.
Ze overwoog een auto te huren, ook al begreep ze dat dit op zondag eveneens niet zou meevallen. En áls ze er al een vond, bedacht ze, leverde dat natuurlijk weer de nodige problemen op met identificatie – rijbewijs, verzekering, betaalmiddel – en dat wilde ze juist voorkomen.
Er ging geen trein, dus het was de bus of niets. Toen ze bij de dienst tussen Scarborough en Whitby keek, zag ze dat er wel elk uur een bus naar Robin Hood's Bay ging. Die vertrok om vijf voor half en deed er nog geen halfuur over. De terugreis was eveneens eenvoudig. Ze kon om 17.19 of 18.19 uur of zelfs nog later, uiterlijk tot 23.19, bij de halte bij Robin Hood's Bay verderop aan de hoofdweg de bus pakken. Het werd dus Robin Hood's Bay.
Sue had geen flauw idee wat ze kon verwachten, maar het plaatsje moest toch een keer worden nagetrokken. Ze was ervan overtuigd dat degene die ze zocht uit Whitby kwam en iets in de visserij deed, maar het was heel goed mogelijk dat hij in het stadje woonde en in een van de kleinere omliggende dorpjes werkte, of misschien juist wel andersom.
Bovendien snakte ze ernaar om even uit Whitby weg te kunnen. Ze kende de plaats inmiddels op haar duimpje en was het zat om telkens weer door dezelfde straten te moeten slenteren. De stad begon benauwend aan te voelen, alsof ze aan alle kanten werd ingesloten.
Het ontbijt bij het gezin Cummings was ook al een deprimerende, verstikkende aangelegenheid geweest – de voelbare armoede, het rumoer van de kinderen, de gebrekkige hygiëne (theevlekken in de kopjes en eiervlekken op haar niet goed afgewassen bord) en de drukke, jachtige sfeer die haar zelfs nu nog oprispingen bezorgde. Ja, een tochtje buiten Whitby was een uitstekend idee.
Ze controleerde nogmaals het tijdsschema en zag nu dat ze de bus van vijf voor halfelf had gemist. Dat gaf niet, dacht ze bij zichzelf, terwijl ze haar Kenco-koffie opdronk; ze had geen haast. Ze kon de kranten lezen en de kruiswoordpuzzels maken, ze had genoeg om zichzelf voorlopig bezig te houden. Ze kon zelfs naar St. Mary's wandelen en een tijdje op haar lievelingskerkbank doorbrengen als ze dat wilde.

30
Kirsten

'Kom binnen, Kirsten. Ga zitten. Maak het jezelf gemakkelijk.'
Het kantoor van dokter Henderson bevond zich op de tweede verdieping van een oud huis en het raam, dat zo'n vijftien centimeter openstond, keek uit op de rivier de Avon en de enorme abdij. Het was de laatste grote, middeleeuwse kerk die in Engeland was gebouwd en hij werd nog steeds regelmatig gebruikt.
In plaats van een sofa zag Kirsten een zachte draaistoel tegenover de dokter staan, die zelf aan de andere kant van haar rommelige bureau met haar rug naar het raam zat. Rechts van Kirsten stonden dossierkasten en links boekenkasten met glazen deurtjes die voornamelijk tijdschriften bevatten. Vanaf één plank staarde een vergeelde schedel de kamer in. Het leek net alsof hij naar haar grijnsde. Achter haar was de deur en daarnaast een oude staande kapstok.
Dokter Henderson leunde ontspannen achterover in haar stoel en had haar handen gevouwen op haar schoot gelegd. Ja, natuurlijk was het een vrouw, dacht Kirsten bij zichzelf; ze zouden haar na wat er was gebeurd nooit naar een man hebben gestuurd. Ze had echter niet verwacht dat de vrouw zo jong zou zijn. Dokter Henderson zag er nauwelijks ouder uit dan Kirsten zelf, ook al moest ze toch minstens dertig zijn. Ze had kort, zwart haar dat netjes was geknipt, zodat het niet in de weg zat, haar wat hoekige gezicht mooi omlijstte en haar hoge jukbeenderen benadrukte. Ze had donkerblauwe ogen, vriendelijk en met een glimpje ondeugende humor erin. Haar stem was zacht, hees en laag, met een heel licht Noord-Engels accent, en haar mondhoeken wezen een beetje naar boven, alsof ze voortdurend glimlachte. Op haar kleine neus en de strak over haar jukbeenderen gespannen huid lag een verzameling sproetjes.
Kirsten ging op de draaistoel zitten en na een nerveuze blik door de ruimte keek ze de dokter aan, die naar haar glimlachte.
'En, Kirsten, hoe voel je je nu?'
'Wel goed, hoor.'
Dokter Henderson sloeg een map op haar bureau open en deed net alsof ze

iets las. Kirsten kon aan haar zien dat ze de inhoud allang kende en dit alleen maar voor de vorm deed. 'Dokter Craven heeft me alle medische gegevens bezorgd, maar die interesseren me niet. Vertel me eens in je eigen woorden wat er is gebeurd.' Ze leunde weer naar achteren en vouwde opnieuw haar handen. Toen ze zich bewoog, kraakten de veren van haar stoel.
Kirsten voelde dat haar mond droog werd. 'Wat bedoelt u? Welke gegevens?'
Dokter Henderson haalde haar schouders op. 'Misschien kun je beginnen bij de aanval zelf.'
'Ik was op weg naar huis. Iemand greep me vast en toen werd alles zwart. Meer weet ik niet.'
'Hmm.' De dokter speelde met een elastiekje en rekte het tussen haar vingers uit, zoals de stilte in de kamer zich ook rekte. Kirsten verschoof een stukje op haar stoel. Buiten op de rivier de Avon roeide een jong stel voorbij. Kirsten hoorde hen lachen en ving het geplas van de riemen in het water op.
'Nou?' zei Kirsten toen ze de spanning niet langer kon verdragen.
Dokter Henderson sperde haar ogen open. 'Nou wat?'
'Ik heb u verteld wat er is gebeurd. Wat denkt u ervan? Wat voor goede raad hebt u voor me?'
'Wacht eens even, Kirsten.' Dokter Henderson legde het elastiekje neer en sprak heel zacht. 'Dat is niet wat ik doe. Als iemand je aanleiding heeft gegeven om te denken dat je bij mij een of andere magische toverformule kunt halen zodat alles binnen een mum van tijd weer bij het oude is, dan hebben ze je echt de verkeerde indruk gegeven.'
'Wat doet u dan wel?'
'Je kunt de situatie het best bekijken vanuit het standpunt dat jij hier bent en dat is wat telt. Jij bent hier omdat je problemen hebt die je in je eentje niet aankunt. Ik ben hier natuurlijk wel om jou te helpen, maar je zult het allemaal zelf moeten doen. Neem nu bijvoorbeeld jouw beschrijving van wat er is gebeurd – die was aan de magere kant, vind je zelf ook niet?'
'Daar kan ik toch niets aan doen? Ik kan u toch alleen maar vertellen wat ik me herinner?'
'Hoe voel je je eronder?'
'Wat denkt u zelf?'
'Zeg jij het maar. Je beschrijving klonk opmerkelijk vlak en emotieloos.'
Kirsten schokschouderde. 'Nou, dan zal ik me wel zo voelen, hè?'
'Kun je goed met je ouders overweg?'
'Ik begrijp niet wat dat hiermee te maken heeft.'
'Heb je hun over je gevoelens verteld?'
'Ik zeg net dat ik niet begrijp wat dat hiermee te maken heeft. Natuurlijk heb ik hun niets verteld. Dacht u soms dat ik...?'

'Wat?'
'Laat maar.'
'Kirsten, kon je hiervoor wel met je ouders over je gevoelens praten?'
'Ja, natuurlijk.'
'Wanneer dan?'
'Hoe bedoelt u?'
'Geef eens een voorbeeld van iets wat je met hen hebt besproken.'
'Ik... Ik... Nou, ik kan zo gauw niets bedenken. U brengt me in de war.'
'Oké.' Dokter Henderson ging rechtop zitten. 'Dan zullen we het iets rustiger aan doen.' Ze glimlachte weer. Kirsten merkte dat ze zich onwillekeurig ontspande. De dokter haalde een pakje Embassy Regal met tien sigaretten uit de lade van haar bureau. 'Heb je er bezwaar tegen als ik rook?'
Kirsten schudde haar hoofd. Ze vond het schokkend om een echte dokter te zien roken – zeker zo'n jonge, vrouwelijke dokter –, maar ze had er geen bezwaar tegen. Dokter Henderson draaide zich om op haar stoel en zette het raam iets verder open.
'Mag ik er ook een?' vroeg Kirsten.
'Natuurlijk.' De dokter schoof het pakje naar haar toe. 'Ik wist niet dat je rookte.'
Kirsten zei bijna: 'Ik rook ook niet', maar ze slikte de woorden nog net op tijd in. 'Af en toe,' zei ze. Ze stak een sigaret op. Hoewel de eerste trekjes een beetje pijn deden, zette ze zichzelf niet voor schut door te gaan hoesten, kuchen of huilen. Ze had weleens eerder gerookt, gewoon om te zien hoe het was. Ze werd in het begin duizelig en misselijk van de rook, maar haar lichaam paste zich kennelijk heel snel aan.
'Ik heet trouwens Laura,' zei de dokter. 'Ik zou graag willen dat we vriendinnen worden.' Ze schonk twee koppen koffie in uit een thermosfles op het bureau en schoof een ervan naar Kirsten toe. 'Melk? Suiker?'
Kirsten schudde haar hoofd.
'Zwart, dus. Goed, ik begrijp dat je eigenlijk met niemand echt hebt kunnen praten over wat er met je is gebeurd.'
'Nee. Ik kan het me namelijk niet herinneren, echt niet. Het is alsof alles is opgeslagen in een dichte, zwarte wolk in mijn hoofd waar ik niet in kan kijken.'
'Ik bedoel eigenlijk niet zozeer de gebeurtenis zelf als wel je gevoelens erover,' zei Laura.
'Volgens mij voel ik helemaal niets.'
'Waarom heb je die pillen geslikt? Kwam dat door die wolk?'
'Gedeeltelijk wel, denk ik. Maar vooral doordat ik het gevoel heb dat ik niet echt leef. Ik kan niet meer van dingen genieten, zoals vroeger. Lezen...

gezelschap... en ik slaap ook slecht. Ik heb last van akelige dromen die steeds terugkomen. Ik dacht dat het misschien het beste was als ik...'
'Juist, ja.' Dokter Henderson noteerde iets in het dossier. 'Hoe belangrijk zijn seks en kinderen in jouw leven, Kirsten?'
Kirsten slikte iets weg, van haar stuk gebracht door deze plotselinge wending. Haar mond was al droog en dat werd nog erger door de bittere koffie. Ze draaide haar hoofd weg. 'Daar heb ik nooit echt bij stilgestaan. Ik neem aan dat je dat pas doet wanneer... wanneer...'
'Wanneer de mogelijkheden daartoe er niet meer zijn?'
'Ja.'
'Heb je er weleens over nagedacht of je kinderen zou willen?'
Kirsten schudde haar hoofd. 'Ooit wel. Ik ben er altijd van uitgegaan dat ik ooit wel kinderen zou krijgen. Maar voorlopig nog niet.'
'En seks? Ging je regelmatig met je vriend naar bed?'
Kirsten bloosde ondanks zichzelf toen ze dokter Henderson over Galen vertelde en dat ze nu probeerde hem uit haar leven te bannen. De dokter luisterde en maakte nog een paar aantekeningen in het dossier.
'Voor zover ik heb begrepen,' zei ze, 'heeft dokter Masterson je verteld dat geslachtsgemeenschap pijnlijk, zo niet onmogelijk zou zijn. Klopt dat?'
Kirsten knikte.
'Maar seks houdt meer in dan alleen dat. Ja, toch?'
'Hoe bedoelt u?'
'Wat ik bedoel,' zei de dokter, 'is dat je misschien eens moet nadenken over de fijne dingen die je wél kunt doen, in plaats van aan de dingen die je niet meer kunt. Ik zal je niet in verlegenheid brengen door er nu verder op in te gaan, maar er bestaan handboeken voor. Wat ik probeer te zeggen is dat je het verlies van je volledige seksualiteit weliswaar zult moeten accepteren, maar dat je niet moet denken dat dit het einde van alle sensuele, erotische genoegens betekent. Het is belangrijk om te weten dat je die gevoelens nog steeds kunt hebben en op een bepaalde manier kunt bevredigen – je kunt nog steeds aanraken en je kunt nog steeds voelen.'
Kirsten staarde naar de vloer. Ze had er nog niet eerder over nagedacht. Ze had sinds haar vertrek uit het ziekenhuis juist geprobeerd helemaal niet aan seks te denken, en ze wist niet wat ze moest zeggen. Het was waarschijnlijk het best om het even te laten bezinken.
'Denk maar eens na over wat ik heb gezegd,' zei de dokter. 'Het zal misschien wel even duren, Kirsten, maar als je volhoudt, krijgen we je hier wel uit. Als je ooit met iemand wilt praten, waar en wanneer dan ook, bel me dan alsjeblieft. Dat meen ik echt. Heb je me begrepen?'
Kirsten knikte.

'Hoe zit het met die dromen? Je zei net dat je telkens akelige dromen hebt over wat er is gebeurd.'
Kirsten vertelde haar over de zwarte en de witte gedaante die haar in haar steeds terugkerende droom opensneden en op haar inhakten.
'Zijn het nachtmerries?' vroeg Laura. 'Word je gillend wakker?'
'Nee, dat niet.'
'Hoe reageer je er dan wel op?'
'Niet, eigenlijk. Het is allemaal heel gewoon. Een beetje eng, dat wel, maar er is geen pijn. Het is alsof ik er helemaal buiten sta en alleen maar toekijk.'
'Waarom denk je zelf dat je telkens hetzelfde droomt?'
'Geen idee. Ik neem aan dat het een of andere versie is van wat er is gebeurd. Alleen heb ik niets gezien, dus kan het niet echt zijn.'
'Waarom zijn er twee gedaanten, een zwarte en een witte?'
'Ze doen allebei hetzelfde.'
'Jawel, maar waarom twee?'
'Dat weet ik niet. Zoals ik net al zei, kan het onmogelijk iets te maken hebben met wat er is gebeurd. Ik heb immers niets gezien.'
De dokter drukte haar sigaret uit en nam nog een slokje koffie. 'De menselijke geest is heel bijzonder,' merkte ze op. 'Hij herinnert zich zelfs dingen die gebeuren terwijl je slaapt of bewusteloos bent. Als je ogen dicht zijn, zie je uiteraard niets, maar je kunt bijvoorbeeld wel horen en ruiken. Sommige gebeurtenissen keren in dromen terug. De fantasie zet ze om in beelden die gebaseerd zijn op die gewaarwordingen en de gevoelens die je erbij hebt. Ik ben geen aanhanger van Freud, maar ik geloof wel dat dromen ons heel veel kunnen vertellen. De twee gedaanten die je snijden, wie zijn dat volgens jou?'
'Ik denk dat een van hen – de zwarte – de dader is, degene die... u weet wel. Of misschien zijn ze het allebei wel.'
'De witte en de zwarte?'
'Ja. Maar als wat u zegt waar is en ik me ook dingen herinner van toen ik bewusteloos was, dan is die witte misschien wel de arts. Ze hebben me heel lang geopereerd, in me gesneden, zal ik maar zeggen. Wit en zwart. Een voor het goede, een voor het slechte.' Ze was heel tevreden over zichzelf, alsof ze eindelijk een bijzonder lastige code had gekraakt, maar zo te zien was Laura niet onder de indruk.
'Het zou kunnen,' zei ze. 'Wat denk je dat er in die wolk zit?'
'Ik heb geen idee. Alles.'
'Alles?'
'Wat er die avond is gebeurd.'
'Denk je dat je een deel van de tijd bij bewustzijn bent geweest? Dat je de

man hebt gezien en je tegen hem hebt verzet, en dat je die herinnering nu hebt verdrongen?'
'Ik weet het niet zeker, maar dat moet haast wel, hè? Want waarom voel ik anders dat er iets in me zit waar ik niet bij kan?'
'Wil je er wel bij komen?'
Kirsten sloeg haar armen over elkaar en trok zich in zichzelf terug. 'Dat weet ik niet.'
'Misschien zul je wel moeten. Om vooruitgang te boeken.'
'Ik weet het niet.'
De dokter schreef weer iets in het dossier, klapte het toen dicht en legde het in een overvol postvak – of het 'inkomend', 'uitgaand' of 'in behandeling' was, durfde Kirsten niet te zeggen. Ze had zo het vermoeden dat Laura Henderson geen efficiënt systeem had voor de afhandeling van papierwerk.
'Tja,' zei Laura, 'het doet er op dit moment ook niet echt toe, denk ik zo. Kom je nog een keer terug?'
'Heb ik een keus?'
'Jazeker. Je moet uit eigen vrije wil komen.'
'Oké.'
'Mooi.' Laura stond op. Kirsten zag dat ze een bijzonder slank, gezond lichaam had, zelfs onder haar wijde witte jas. Ze voelde zich zelf erg onaantrekkelijk. In het ziekenhuis had haar huid de geelgrijze kleur gekregen die je vaak bij zieke mensen zag en het zware eten had haar figuur ook al geen goedgedaan. Toen ze later haar eetlust kwijtraakte, was ze weer afgevallen en nu voelde haar huid rimpelig en los aan. Haar gezicht zat ook vol puistjes, iets wat sinds haar veertiende niet meer was voorgekomen, en zelfs haar haar hing er futloos en droog bij.
Ze liepen naar de deur en Laura hield hem voor haar open. 'Kirsten,' zei ze tot slot, 'onthou dit goed: je mag best dingen voelen, ook slechte dingen. Je mag best haat en woede voelen jegens degene die je dit heeft aangedaan. Als je beter wilt worden, moet dat zelfs. Die gevoelens zijn er nu eenmaal, ze zitten in je, en je kunt er maar beter eerlijk voor uitkomen.'
Kirsten knikte en vertrok. Terwijl ze naar buiten liep en Pulteney Bridge overstak naar Grand Parade, merkte ze dat de woorden van de dokter een zaadje van genezing in haar hadden geplant. Ze sloeg de ondernemende kanovaarders gade die overeind probeerden te blijven in het woeste water bij de lage waterkering in het centrum en dacht terug aan de laatste opmerking van de dokter: 'Je mag hem best haten, je mag hem best haten.' Dat deed ze ook. Binnen in haar begon iets te stollen tot een kille, aanhoudende haat jegens de man die haar toekomst had verwoest en haar geslachtsorganen had verminkt. Onder haar manoeuvreerden de kanovaarders behendig verder en veroor-

zaakten bizarre tekeningen op het water. Kirsten voegde zich bij de menigte en bleef nog een tijdje naar hen staan kijken. Om een of andere onverklaarbare reden deden ze haar denken aan een paar dichtregels van Yeats: 'Als een langpootmug op de stroom / Beweegt zijn gemoed op de stilte.'

31
Susan

Op maandagochtend nam Sue de bus van 10.53 uur die langs de kust naar Staithes reed. Ze was van plan daar te lunchen, een kijkje in het plaatsje te nemen, daarna een kilometer of vier langs de Cleveland Way naar Runswick Bay te lopen en daar 's avonds te eten. Daarvandaan zou ze de bus van 18.25 uur naar Whitby pakken.

Hoewel Robin Hood's Bay bijzonder schilderachtig was met zijn rommelige allegaartje van pastelkleurige cottages, die bijna boven op elkaar leken gebouwd, was Sue erg teleurgesteld geweest. Ze had niet alleen geen sporen van een actieve vissersgemeenschap kunnen ontdekken, maar ook nog eens heel sterk het gevoel gehad dat ze in dit plaatsje geen tijd moest verspillen.

Die avond was ze in haar eentje naar de zitkamer gegaan om televisie te kijken en een kop oploskoffie voor zichzelf te maken, en meneer Cummings had haar kort gezelschap gehouden. Hij was een vriendelijke jonge vent met een rood gezicht die haar best het een en ander over de visindustrie in Whitby en omgeving wilde vertellen. Blijkbaar waren er met die bedrijfstak meer banen gemoeid dan Sue ooit had kunnen denken – de conservenfabrieken, het invriezen, verwerken en verschepen – en het was wellicht de moeite waard daar wat tijd aan te besteden. Staithes bezat echter ook een flinke vissersgemeenschap en ze kon het zich niet veroorloven die te negeren.

De kustweg naar Staithes liep dwars door een glooiend landbouwgebied, dat abrupt eindigde bij de steile kliffen aan de Noordzee. In het westen lag een lappendeken van met heggen omheinde velden. Sommige zagen bruin na de oogst, andere waren nog altijd goudgeel met niet-gedorste tarwe en gerst, en weer andere waren vlakke groene weidevelden waar zwarte en witte koeien graasden. De bus passeerde een dorpje in de verte, een groepje huizen van licht steen met rode pannendaken dat bijna aan het oog werd onttrokken door een aantal bomen in een dal. De zon scheen uitbundig en de kleuren van het landschap leken bijna doorschijnend in het overvloedige licht. In een veld naast de plaatselijke vuilstortplaats aan de zeezijde zaten honderden witte

meeuwen, bolrond en voldaan van het eten. Sue walgde van de aanblik en gal steeg op in haar keel. Ze staarde over de vogels heen naar de helderblauwe zee, waarin de zon glinsterend op schepen in de verte weerkaatste.
De bus stopte in een modern deel van het dorp aan de doorgaande weg en Sue moest anderhalve kilometer lopen om in het dorpje zelf te komen. De straat, die langs Roxby Beck liep, was zo steil dat er geen auto's langs naar beneden mochten. De huizen onder haar, een mengeling van steensoorten, kleuren en stijlen, leken over elkaar heen naar de zee te rollen. Onderweg ging ze even bij een tabakswinkel naar binnen om een regionale krant en een *Daily Mirror* te kopen.
Het dorp aan de voet van de heuvel werd aan beide zijden ingesloten door hoge rotswanden en steile, bovenop met gras begroeide kliffen waarin door de eeuwen heen door wind en regen horizontale stroken licht zandsteen en roodbruine kleilagen waren blootgelegd. Het enige uitzicht vanaf de boulevard was op de rotsen die aan weerszijden boven alles uittorenden, of op de zee zelf. Er was geen sterveling te bekennen; het was doodstil in het plaatsje. Zelfs de meeuwen scheerden en klapwiekten zwijgend door de lucht, en er hing een doordringende walm van rotte vis in de lucht.
Sue ging bij The Cod and Lobster naar binnen, een gewitte pub die op de dikke rotswand aan zee stond. Ze bestelde bier met limoensap, kreeg tot haar verbazing te horen dat ze geen maaltijden serveerden en ging toen zitten om een sigaret te roken en wat te lezen. Er waren niet veel mensen aanwezig: een man met een T-shirt van de Yorkshire Dales die de nek van zijn bruine setter krauwde, twee knullen in een donkerblauwe trui, een wijde spijkerbroek en waterlaarzen die met het jonge meisje achter de bar stonden te flirten, en dat was het dan. Ze was vrijwel geen toeristen tegengekomen, zelfs niet tijdens de wandeling naar de voet van de helling. Kennelijk was Staithes in tegenstelling tot Robin Hood's Bay een stil, afgelegen dorpje dat nog niet door het toerisme was ontdekt. Het had er veel van weg dat ze hier weleens meer geluk kon hebben met het zoeken naar de man die ze zocht.
Sue bekeek al rokend de foto's aan de muren. Op sommige was de vreselijke storm vastgelegd die in 1953 over Staithes was getrokken en de pub zwaar had beschadigd. Op andere foto's stonden groepjes lokale vissers, en Sue bestudeerde hen aandachtig. Ze wist dat ze bij haar zoektocht niet op haar visuele geheugen mocht afgaan, maar ze had in het maanlicht wel degelijk een glimp van hem opgevangen en herinnerde zich de zware, zwarte wenkbrauwen die halverwege het voorhoofd in elkaar overgingen, de ogen van de Oude Zeeman en het dikke, donkere haar. Op de foto's stond niemand die op hem leek, dus vestigde ze haar aandacht op de kranten.
De regionale krant had niets nieuws te melden over het lijk van Sandsend.

Het politieonderzoek was kennelijk vastgelopen en de verslaggevers konden natuurlijk moeilijk elke dag met hetzelfde verhaal aankomen. Dat wilde niet zeggen dat het onderzoek stilstond, besefte ze. De politie was beslist nog druk in de weer met mensen verhoren en naar bewijzen speuren. Bij het idee dat ze misschien steeds dichterbij kwamen, kreeg ze kriebels in haar buik.
Ze had de *Mirror* gekocht, omdat ze hoopte dat die meer nieuws zou bevatten over de studentenslachter. Eén pagina was helemaal gewijd aan een overzicht van zijn daden, dat werd vergezeld door de gebruikelijke onscherpe foto's met het gezicht van de slachtoffers, afkomstig van een oude collegekaart of van een paspoort (dat van Sue stond er uiteraard niet bij, want zij was nooit officieel als zijn eerste slachtoffer aangemerkt). Daar stonden ze: Kathleen Shannon met haar lange, golvende haar; Jane Pitcombe met haar grote, ver uit elkaar staande ogen; Margaret Snell met haar scheve glimlach... en nog drie anderen. Afgezien van wat vage toespelingen op wat hij met de aantrekkelijke, jonge lichamen uithaalde (waarbij tussen de regels door werd gesuggereerd dat sommigen er ook wel om hadden gevraagd) en een aantal artikelen waarin de politie werd aangespoord om vaart te maken en hem snel op te pakken ('Dit kan ook úw dochter overkomen!'), stond er verder geen echte informatie in. Sue staarde naar de zes gezichten. Ze had geen van de vrouwen ooit ontmoet, maar voelde zich nauwer met hen verbonden dan met wie ook. Soms stelde ze zich laat op de avond weleens voor dat ze hen in haar oor hoorde fluisteren. Ze hielpen haar, steunden haar wanneer ze zich zwak en verloren voelde, en ze moest dit niet alleen voor zichzelf, maar vooral ook voor hen tot een goed einde brengen.
Ze had trek, dus drukte ze haar sigaret uit en dronk haar glas leeg. Iets verderop aan de haven, een stukje bij The Cod and Lobster vandaan, zat een restaurantje dat bij een privéhotel hoorde. Ze ging naar binnen en trof een kleine ruimte vol tafels aan die allemaal bezet waren, met slechts één serveerster om alle bestellingen op te nemen. Hoewel ze het overduidelijk razenddruk had met zes of zeven zojuist gearriveerde gasten, werkte de vrouw alles zo snel mogelijk en met een glimlach af. Toen de tussendeur openzwaaide, ving Sue een glimp op van de keuken, waar zo te zien ook maar één kok aan het werk was. Het menu bood weinig variatie. De dagspecialiteit was kabeljauw met friet. Dat bestelde Sue dan maar.
Er mocht in het restaurant niet worden gerookt, dus bracht ze de twintig minuten die ze moest wachten tot haar lunch klaar was door met de kruiswoordpuzzels en de berichten in de *Mirror* over de seksuele uitspattingen van bekende televisiepersoonlijkheden en popsterren. Toen het eten eindelijk voor haar stond, smaakte het haar uitstekend. Sue besefte dat ze in Whitby voortdurend haar best had gedaan fish-and-chips te vermijden – omdat dat

kennelijk het enige was wat daar te krijgen was – terwijl ze het eigenlijk best lekker vond, zolang het maar met mate was. Tijdens het eten dacht ze terug aan de friettent vlak bij de universiteit waar haar vrienden en zij op weg van de pub naar huis vaak even binnen waren gewipt, om vervolgens al lopend uit een krant te eten. Als haar moeder haar toen had kunnen zien, had ze beslist een hartverzakking gekregen. In het noorden barstte het echter van de fish-and-chips-zaakjes, dus wat moest je anders? Hoewel ze er indertijd nooit bij had stilgestaan, vermoedde ze nu dat een groot deel van de vis uit stadjes als Whitby en Scarborough kwam, of zelfs uit kleinere plaatsjes als Staithes. Kwam? Nou ja, werd aangevoerd dan. De vis kwam natuurlijk niet vanzelf binnenwandelen. Een hele karavaan vrachtwagens pendelde heen en weer tussen de kust en het westelijk deel van het land om steden en dorpen te voorzien. Haar vork bleef even in de lucht hangen toen de eenvoud ervan in volle omvang tot haar doordrong: het laatste puzzelstuk. Ja, natuurlijk! Hoe had ze zo dom kunnen zijn? Ze wist nu precies wat haar te doen stond.

Toen ze klaar was met eten, schoof ze het lege bord opzij en stak ze een sigaret op. Eén of twee medebezoekers wierpen haar een afkeurende blik toe, maar er kwam niemand naar haar toe om haar te vragen of ze hem wilde uitmaken. De serveerster schonk ook geen aandacht aan haar. Ze had te veel andere dingen aan haar hoofd om klanten te verzoeken niet in de zaak te roken. Na een tijdje vroeg Sue om de rekening. Ze betaalde en liep de zeelucht in. De geur van rotte vis had zich nu vermengd met die van zeewier en frisse lucht, en een vleugje dieselolie van de boten.

Het had geen zin om langer in Staithes te blijven, bedacht ze, terwijl ze langs de havenmuur wandelde. Diep in haar hart had ze altijd geweten dat ze hem in Whitby zou vinden. Nu werd haar intuïtie gesteund door haar gezonde verstand.

Alleen was het best fijn om in het zonnetje te lopen en naar de kalme, blauwe zee te kijken. Nu ze eenmaal had besloten dat ze zo kon vertrekken, deed het plaatsje minder benauwend aan. Ze kon best even wachten tot de lunch was gezakt. Het enige wat haar dwarszat, was dat haar schedel jeukte onder de warme pruik.

Ze ging op de zeemuur zitten en liet haar benen over de rand bungelen. Ze leunde op gestrekte armen met haar handen op het warme asfalt naar achteren en liet de zon haar gesloten oogleden verwarmen. Nog één sigaret, nam ze zich voor, en dan liep ze de hoge heuvel weer op naar het busstation. Ze verschoof een stukje, keek op het schema met de vertrektijden en zag dat er om 14.18 uur een bus ging. Het was nu twintig over een, dus de bus ervoor had ze net gemist. Ze had ruim de tijd.

Terwijl ze naar een vrachtschip tuurde dat in de verte langs de horizon voer, voelde ze dat er iemand naar haar stond te kijken. De haartjes in haar nek onder de pruik gingen rechtovereind staan. Aanvankelijk wuifde ze het gevoel weg. Ze was immers zojuist tot de conclusie gekomen dat ze de man in Whitby zou vinden? Hij kon dus onmogelijk hier zijn. Toen raakte ze even in paniek. Stel dat het de politie was? Stel dat ze haar op een of andere manier hadden ontmaskerd? Of dat ze haar waren gevolgd om haar in de gaten te houden? Ze kon er niet langer tegen. Ze draaide haar hoofd langzaam en nonchalant om naar de reling voor The Cod and Lobster waar hij volgens haar moest staan en ontdekte daar een lange, gebruinde gedaante.

Het was Keith McLaren, de Australiër die ze in het pension aan Abbey Terrace had ontmoet. Hij had haar ook herkend. Toen ze naar hem keek, zwaaide hij en vervolgens kwam hij met een brede glimlach naar haar toe.

32
Kirsten

Augustus ging over in september en de nachten werden frisser. Terwijl de weken verstreken, begon Kirsten uit te kijken naar haar afspraken met Laura Henderson. Dan rookten ze samen een sigaret of twee en dronken ze vreselijk vieze koffie in de knusse kamer die uitkeek op de Avon. Het uitzicht was Kirsten inmiddels heel vertrouwd, alsof ze het haar hele leven al kende: Robert Adams Pulteney Bridge met aan weerszijden een rij winkels die allemaal waren gebouwd van stenen uit de Cotswolds, de gigantische vierkante, laatgotische toren van de abdij, het stadhuis en andere overheidsgebouwen. Vaak staarde ze tijdens de lange stiltes over Laura's schouder of stond ze bij het raam, terwijl Laura een artikel opzocht in een tijdschrift. Soms, als het gesprek erg uitliep, haalde Laura een fles whisky uit een dossierkast en schonk ze voor hen beiden een glas in.

Ze spraken vaak over Kirstens jeugd, haar ouders en haar gevoelens over seks. Volgens Laura ging Kirsten vooruit. En dat was ook zo. Ze vond het nog steeds niet prettig om het huis uit te gaan en met andere mensen te praten, maar kreeg langzaam maar zeker wel weer plezier in eenvoudige dingen: voornamelijk dingen die ze alleen kon doen, zoals een wandeling maken in het bos, naar muziek luisteren, en zo nu en dan een roman lezen. Ze merkte zelfs dat ze zich beter kon concentreren en ook beter sliep. Hoewel ze niet langer met de gedachte aan zelfmoord speelde, hield haar kille haat onverminderd stand en klopte de donkere wolk nog altijd in haar hoofd. Soms kreeg ze er hoofdpijn van. Laura en zij spraken niet over de aanval. Dat kwam nog wel, wist Kirsten, maar pas wanneer Laura dacht dat zij het aankon.

Haar moeder bleef thuis redderen en piekeren, en bekeek haar dochter vaak met een mengeling van gêne en medelijden. Kirsten raakte eraan gewend. Ze ontliepen elkaar zo veel mogelijk. Dat was niet moeilijk. Haar moeder was druk met de tuin, croquet, bridgefeestjes en talrijke sociale afspraken.

Hugo en Damon stuurden kaartjes om haar beterschap te wensen, en Galen belde in augustus een paar keer. In het begin droeg Kirsten haar moeder op

hem te vertellen dat ze niet thuis was. Het drong echter al snel tot haar door dat dat niet eerlijk was. Ze stond hem te woord en probeerde hem gerust te stellen zonder hem aan te moedigen. Op een vrijdag kwam hij haar opzoeken en deed hij opnieuw een poging Kirsten over te halen toch met hem naar Toronto te gaan. Ze liepen in het bos en ze stond toe dat hij haar hand vasthield, ook al bleef ze gevoelloos onder zijn aanraking. Het was nog niet te laat, zei hij, ze waren allebei toegelaten en het studiejaar begon pas over een paar weken. Ze weigerde vriendelijk, zei dat ze later wel zou komen en stuurde hem enigszins tevredengesteld weg. Begin september vertrok hij dan toch eindelijk naar Canada en hij stuurde haar meteen na aankomst in Toronto een ansichtkaart. Ze had hem nooit verteld wat haar werkelijk mankeerde; ze had hem evenmin over haar zelfmoordpoging verteld.
Als er naast Laura Henderson iemand was die Kirsten tot steun was, was het Sarah wel. Ze belde bijna elke week en stuurde tussen de telefoontjes door lange, vermakelijke brieven. Ze was als altijd bizar, grappig en invoelend, en maakte Kirsten regelmatig aan het lachen. Toen ze vroeg of ze met kerst mocht komen logeren, omdat haar eigen ouders in die periode door Australië rondtrokken, greep Kirsten die kans met beide handen aan. Haar vader vond het eveneens een uitstekend idee, maar haar moeder, die waarschijnlijk meteen aan haar eerste kennismaking met Sarah in de armzalige eenkamerwoning in het noorden van het land terugdacht, zag het aanvankelijk niet zitten. Kerstmis was een familiefeest, zei ze. Dan wilde ze geen vreemden in huis hebben. Haar man sputterde tegen dat die familie niet zoveel voorstelde. Meestal kwamen Kirstens grootouders en twee ooms en tantes langs voor het kerstdiner, en op tweede kerstdag gingen haar ouders altijd naar een borrel bij vrienden in het dorp. Het zou Kirsten goeddoen om iemand van haar eigen leeftijd om zich heen te hebben, zei hij. Uiteindelijk stemde haar moeder ermee in en werd alles geregeld. Sarah zou op 22 december arriveren en Kirsten zou haar na haar afspraak met dokter Henderson aan het eind van de middag van het station halen. Ze mocht zoals gewoonlijk haar moeders Audi meenemen.
Op een dag aan het begin van oktober, toen de fraaie oude stad grauw oogde en een kille wind de regen over de achttiende-eeuwse halvemanen, cirkels en vierkanten joeg, liet Kirsten haar gebruikelijke wandeling langs de Avon voor wat die was en reed ze na haar afspraak met Laura meteen terug naar huis. Daar aangekomen zag ze dat er een onbekende auto op de oprit stond en dat haar moeder vanachter de kanten vitrage naar buiten gluurde – iets wat ze anders nooit deed –, en haar hart klopte wild in haar borst. Er was iets aan de hand. Was er iets met haar vader? vroeg ze zich af, terwijl ze haastig naar de deur liep. Haar beproeving had een zware tol van hem geëist en hoewel hij de laatste tijd een energieke, gelukkige indruk maakte, had hij nog altijd

donkere wallen onder zijn ogen en was hij zijn jongensachtige enthousiasme voor bepaalde dingen verloren. Had hij een zwak hart? Had hij een hartaanval gehad?
Nog voordat Kirsten tijd had gehad om de sleutel in het slot te steken, deed haar moeder de deur al open. 'Er is bezoek voor je,' fluisterde ze.
'Wat is er?' vroeg Kirsten. 'Is alles goed met papa?'
Haar moeder fronste haar wenkbrauwen. 'Ja, natuurlijk, schat. Hoe kom je daar nu bij?'
Kirsten hing haar jas op en liep snel de splitlevelwoonkamer in. Naast de openslaande tuindeuren, vlak bij de vlek in de vloerbedekking waar Kirsten haar picknick van whisky en pillen had gehouden, en die inmiddels grondig chemisch was gereinigd, zaten twee mannen. Een van hen herkende ze meteen. Dat wilde zeggen, ze wist dat ze hem hoorde te herkennen, maar de herinnering was erg vaag: piekerig, grijs haar, een rode huid en een donkere moedervlek tussen zijn linkerneusgat en bovenlip. Ze had hem beslist al eens eerder gezien. Opeens schoot het haar te binnen: de politieman, hoofdinspecteur...
'Elswick, jongedame,' zei hij, alsof hij haar gedachten had gelezen.
'Hoofdinspecteur Elswick. We hebben elkaar al eens eerder gesproken.'
Kirsten knikte. 'Ja. Ja, natuurlijk.'
'Dit is inspecteur Gregory.'
Inspecteur Gregory stak een hand uit die vastzat aan een verbazingwekkend lange arm en Kirsten liep naar hem toe om hem te schudden. Toen trok hij zich weer terug in de stoel – haar vaders lievelingsleunstoel, zag ze. Gregory was waarschijnlijk halverwege de dertig en zijn donkere haar was iets te lang voor een politieman. Hij was ook nogal slordig gekleed in een bruine corduroy broek die na talloze wasbeurten aardig was versleten en een lichtbruin suède jasje, en droeg geen stropdas. Kirsten vond dat hij er een beetje onbetrouwbaar uitzag. Ze moest niets hebben van de onderzoekende blik die hij haar toewierp. Hoofdinspecteur Elswick had een donkerblauw pak aan met een wit overhemd en een zwart-geel gestreepte das. Die had hij de vorige keer ook gedragen, herinnerde ze zich. Waarschijnlijk de kleuren van zijn oude school of regiment; hij leek haar wel een voormalig legertype.
'Hoe gaat het met je, Kirsten?' vroeg Elswick.
Kirsten gaf niet direct antwoord, maar ging eerst op de bank zitten. Haar moeder bleef om hen heen drentelen en vroeg of er nog iemand thee wilde.
'Ik heb nog helemaal niets gehad,' zei Kirsten. 'Ja. Ik zou wel een kopje thee lusten.'
De twee agenten zeiden dat zij eveneens nog wel een kopje bliefden en Kirstens moeder liep weg met de belofte dat ze een nieuwe pot zou gaan zetten.

Kirsten keek Elswick aan. 'Hoe het met me gaat? Wel goed, hoor.'
'Mooi. Daar ben ik blij om. Het was een akelige kwestie.'
'Ja.'
Ze wachtten in een gespannen stilte af tot Kirstens moeder terugkwam met de thee. Nadat ze het dienblad op de mahoniehouten salontafel voor de stenen open haard had gezet, verdween ze weer met de opmerking: 'Dan zal ik jullie maar niet langer storen.'
Door haar gesprekken met dokter Henderson was Kirsten wel aan lange stiltes gewend. In het begin brachten ze haar van haar stuk en werd ze er onrustig en gespannen van, maar nu zaten ze soms wel een paar minuten lang zwijgend bij elkaar – en dat is echt heel lang voor twee mensen om niets te zeggen –, terwijl Kirsten diep nadacht over iets wat Laura had gezegd of een antwoord probeerde te formuleren op een bijzonder indringende, pijnlijke vraag. Ze kon Elswick en Gregory dus met gemak aan. Het was duidelijk dat ze iets van haar wilden, dus hoefde ze alleen maar te wachten tot ze er zelf over begonnen.
Gregory nam de rol van 'moeder' op zich, iets waarvoor hij duidelijk totaal niet geschikt was, want hij morste net zoveel thee op de schoteltjes als hij in de kopjes schonk. Elswick keek hem fronsend aan, en deed zelf melk en suiker in zijn kopje. Toen ze allemaal waren voorzien, sloeg Gregory zijn lange benen over elkaar en haalde een zwart opschrijfboekje tevoorschijn. Hij deed verwoed zijn best eruit te zien alsof hij onderdeel was van de stoel waarop hij zat.
'Kirsten,' zei hoofdinspecteur Elswick, 'ik heb zo'n vermoeden dat je wel doorhebt dat ik nooit helemaal hiernaartoe zou zijn gekomen als het niet belangrijk was.'
Kirsten knikte. 'Hebben jullie hem te pakken?' Ze voelde heel even paniek opwellen en was bang dat de aanvaller misschien wel iemand was die ze kende, iemand van het feestje. Ze wist niet of ze dat zou aankunnen.
'Nee,' zei Elswick, 'nee, helaas niet. Dat is het 'm nu juist.'
Hij vond het kennelijk erg moeilijk om met haar te praten, begreep Kirsten, maar ze wist niet hoe ze het hem gemakkelijker kon maken.
Ten slotte gooide hij eruit: 'Ik vrees dat er een nieuwe aanval heeft plaatsgehad.'
'Precies zoals de mijne?'
'Ja.'
'In het park?'
'Nee, deze keer op een stuk braakliggend terrein vlak bij de hogeschool in de omgeving. Huddersfield, om precies te zijn. Ik dacht eigenlijk dat je er misschien wel over had gelezen in de krant.'
'Ik lees de laatste tijd geen kranten.'

'Dat kan ik me voorstellen. Hoe dan ook, dit slachtoffer had minder geluk dan jij. Ze is dood.'
'Hoe heette ze?'
Elswick staarde haar niet-begrijpend aan. 'Margaret Snell,' antwoordde hij.
Kirsten herhaalde de naam zachtjes in zichzelf. 'Hoe oud was ze?' vroeg ze.
'Negentien.'
'Hoe zag ze eruit?'
Elswick goot de thee van het schoteltje in zijn kop. 'Een knap meisje,' zei hij toen, 'en ook erg intelligent. Ze had lang blond haar en een brede glimlach. Ze studeerde hotelmanagement.'
Kirsten zweeg.
'De reden dat we hier zijn,' ging Elswick verder, 'is om te kijken of jij je misschien iets nieuws herinnert over wat er is gebeurd. Iets wat ons kan helpen deze man op te pakken.'
'Voordat hij het nog een keer doet?'
Elswick knikte ernstig.
'Houdt dit in dat er ergens een of andere gestoorde maniak rondloopt, een nieuwe "Ripper"?'
Elswick haalde diep adem. 'We gebruiken zulke paniekzaaiende termen liever niet,' zei hij. 'Het was een zeer gewelddadige aanval, ongeveer hetzelfde als die op jou. We zijn er vrij zeker van dat het om dezelfde man gaat. Dus ja, het ziet ernaar uit dat we met een seriemoordenaar te maken hebben. De kranten weten dat echter nog niet. Ze zijn niet op de hoogte van de overeenkomsten tussen jouw verwondingen en die van het dode meisje, en wij gaan hun daar ook zeker niets over vertellen. We doen ons uiterste best om te voorkomen dat iemand jou met deze zaak in verband brengt.'
'Waarom?' vroeg Kirsten, die opeens ongerust werd.
'Slechte publiciteit. Het zou je ouders van streek maken en je leven in één grote ellende veranderen. Je hebt geen flauw idee hoe hardnekkig die verrekte verslaggevers kunnen zijn zodra ze een spannend verhaal ruiken. Dan komen ze in een oogwenk vanuit Londen deze kant op.'
Kirsten wist dat hij loog. Hij durfde haar niet recht aan te kijken. 'U bent bang dat hij dan misschien achter mij aan komt, hè?' zei ze. 'Dat hij, zodra hij in de gaten krijgt dat u hem met twee slachtoffers in verband brengt en hoort dat een van hen nog in leven is, hierheen komt om me alsnog om zeep te helpen voor het geval ik iets weet. Zo is het toch?'
'Zo eenvoudig is het niet, Kirsten.' Elswick verschoof een stukje op zijn stoel. 'Toen jij in het ziekenhuis lag...'
'Heeft hij het soms al een keer geprobeerd?'
'Ja. Het is je vast niet ontgaan dat er voortdurend iemand op wacht stond bij

de deur. Zodra het bericht dat jij het had overleefd in de kranten verscheen, kwam de aanvaller terug. Blijkbaar is hij verkleed als verpleger het ziekenhuis binnengekomen. Erg slim kan hij niet zijn geweest, anders had hij wel beseft dat we jou bewaakten. Hoe dan ook, toen hij de hoek om kwam, zag hij de agent zitten en dook hij snel weg in de gang waar hij vandaan was gekomen. Onze medewerker reageerde erg goed. Hij ving vanuit een ooghoek op dat iemand zich verdacht gedroeg, maar hij had opdracht gekregen zijn post niet te verlaten. Een eigenwijze agent had dat misschien toch gedaan, maar als hij achter de indringer aan was gegaan in de hoop hem te vangen en zelf met de eer te gaan strijken, had hij zomaar in het doolhof van gangen kunnen verdwalen en dan had onze vriend naar binnen kunnen sluipen om...'

'Om mij alsnog van kant te maken?'

'Precies. In plaats daarvan bleef de agent waar hij was en meldde hij het voorval per radio, maar tegen de tijd dat wij daar aankwamen, was de vogel allang gevlogen. We hadden niet eens een beschrijving van hem.'

'En daarna heeft hij het nooit meer geprobeerd?'

'Nee, voor zover wij weten niet.'

'Weet hij waar ik woon?'

'Ik neem aan van niet. Hoe zou hij dat nu moeten weten? De informatie in de media was erg vaag. De plaatselijke politie is gewaarschuwd dat ze extra alert moet zijn op onbekenden in de omgeving, maar volgens mij hoef jij je nergens zorgen over te maken.'

Kirsten dacht aan alle wandelingen die ze in het bos had gemaakt, alle keren dat ze na haar afspraak met dokter Henderson door de straten van Bath had geslenterd. Ze kreeg het plotseling ijskoud. 'Waarom hebt u me dit allemaal niet eerder verteld?' vroeg ze.

'We wilden je niet bang maken.'

'Nou, u wordt bedankt.'

Elswick boog zich naar voren en leunde met zijn handen op zijn knieën. 'Neem alsjeblieft van mij aan dat je veilig bent, Kirsten. Ik snap best hoe je je voelt, maar je moet het zo bekijken: degene die jou heeft aangevallen, is natuurlijk in paniek geraakt toen hij hoorde dat je het had overleefd, dus is hij als een haas naar het ziekenhuis gegaan met een of ander halfbakken plan om jou de mond te snoeren. Dat is mislukt. De tijd verstrijkt, hij verliest jou uit het oog wanneer je met je ouders hierheen gaat, en kijk eens aan: inmiddels is het drie maanden later en is er voor hem niets veranderd. Hij loopt nog steeds vrij rond. Voor zover hij dat kan inschatten, weet jij dus kennelijk niets en vorm je geen bedreiging.'

'Totdat hij opnieuw toeslaat?'

'Ik geloof niet dat je gevaar loopt. Wees maar niet bang. We houden heus wel

een oogje in het zeil, maar dat is meer voor de vorm dan uit pure noodzaak.'
Kirsten reageerde enigszins opgelucht. Wat Elswick zei, klonk ergens wel logisch. Als er iets had zullen gebeuren, zou dat allang zijn gebeurd. Ze was niet van plan nu voor haar leven te gaan vrezen; dat was het haar echt niet waard. Hoewel ze niet langer zelfmoordneigingen had, gedroeg ze zich soms wel roekeloos; dan scheurde ze rond met de auto of wandelde ze in het donker alleen door straten waar ze eigenlijk niet hoorde te komen. Zelfs het voorname Bath had zo zijn slechteriken en verloederde wijken. Ze was niet van plan toe te geven aan haar angst. Ze weigerde de rest van haar leven bij elk geluidje op te springen of voor elke schaduw weg te rennen. Als hij haar vond, dan was het niet anders; moge de beste winnen. Ze was vooral kwaad op de mensen van de politie, omdat die totaal nutteloos waren en zich bij de steeds langer wordende lijst van personen hadden gevoegd die haar niet 'bang' wilden maken door haar de waarheid te vertellen.
'Waarom doet hij het?' vroeg ze. 'Waarom verminkt hij vrouwen? Waarom haat hij ons zo vreselijk?'
Elswick schudde zijn hoofd. 'Als we dat wisten, was het misschien gemakkelijker om hem tegen te houden. Het is meestal een hij, maar dat is ongeveer het enige wat we zeker weten. Wie zal zeggen wat zo iemand drijft? We hebben mensen in de arm genomen die een profielschets van hem moeten maken en artsen die er hele boeken over volschrijven, maar wie weet er nu echt iets van? Vaak hebben ze het op prostituees voorzien, maar deze keer zijn het juist studentes, als we het patroon tenminste goed interpreteren. Ongetwijfeld spelen er al sinds zijn jeugd tientallen onopgeloste problemen mee die hem hebben gemaakt tot wat hij nu is. Misschien is hij seksueel misbruikt. Heel veel mensen hebben te lijden onder wrede ouders, maar ze veranderen niet allemaal in een moordenaar. We weten niet hoe het komt dat een enkeling anders reageert.' Hij haalde zijn schouders op. 'Ik neem aan dat het uiteindelijk allemaal voortvloeit uit angst. Mensen zoals hij zijn om een of andere reden doodsbenauwd voor vrouwen, en omdat ze nu eenmaal zijn wie ze zijn, kunnen ze alleen maar naar hen uithalen, hen verminken en hen vermoorden.'
'Hoe weet u dat het om dezelfde persoon gaat?' vroeg Kirsten. 'U zei net iets over de overeenkomsten tussen de verwondingen.'
Elswick keek haar grimmig aan. 'Wil je dat echt weten?' vroeg hij.
Kirsten wist het niet, maar ze was niet van plan toe te geven. 'Aangezien er al heel veel voor me geheim is gehouden, vind ik eigenlijk wel dat ik daar recht op heb.'
Elswick leunde achterover in zijn stoel en keek haar een tijdje onderzoekend aan. 'Goed dan,' zei hij. 'Haar verwondingen waren precies hetzelfde en de delen van haar lichaam die hij met het mes heeft toegetakeld zijn hetzelfde;

haar gezicht zat ook onder de blauwe plekken, vermoedelijk omdat hij haar daar heeft gestompt en geslagen. En dat bizarre kruis dat hij onder jouw borsten had gekerfd, met een lange verticale streep en een korte horizontale, dat zat ook op haar lichaam. Wil je echt dat ik verderga?'
Kirsten knikte.
'Toen hij met jou bezig was, werd hij gestoord. Door de hond, denken we. Tot aan dat moment zijn jouw verwondingen identiek aan die van het andere slachtoffer.'
'Waaraan is zij dan overleden?'
'Ze is gewurgd.' Elswick kneep even in zijn neus en wreef zacht over de moedervlek. 'Maar ja, ze zou anders uiteindelijk ook zijn overleden, aan bloedverlies of inwendige bloedingen, maar die schoft heeft haar voor alle zekerheid toch maar gewurgd. Volgens onze forensisch experts heeft hij dat gedaan nadat hij alle andere verwondingen had toegebracht.'
'U wilt dus zeggen dat ze bij bewustzijn was toen hij die... wat hij bij mij ook heeft gedaan?'
Elswick schudde zijn hoofd. 'Dat weten we niet. Als ze in staat was zich te verzetten, kan ze het hem nog knap lastig hebben gemaakt. De stompen in haar gezicht en op haar hoofd waren waarschijnlijk zo hard dat ze het bewustzijn verloor en kennelijk was dat het eerste wat hij deed. Hij heeft haar van achteren gegrepen en op de grond gegooid, is toen boven op haar gaan zitten, met zijn knieën op haar armen om haar in bedwang te houden, en begon haar toen in haar gezicht te slaan. Misschien heeft hij die andere dingen pas gedaan toen ze al bewusteloos was. En deze keer is hij niet bij zijn werk gestoord.'
Kirsten voelde zich misselijk. Ze merkte dat het bloed uit haar gezicht wegtrok. Ze deed haar best zich te beheersen. Ze wilde niet overgeven. Ze wilde Elswick geen aanleiding geven om te zeggen: 'Ik heb het je toch gezegd!' Ze wilde in het bijzijn van deze mannen, die bekend waren met elk intiem detail van haar mishandeling, niet overkomen als een zwakke vrouw. Om haar onbehaaglijke gevoel te verbergen, schonk ze een nieuwe kop thee in. Inspecteur Gregory schudde snel zijn hoofd toen ze hem ook thee aanbood. Hij zat zo roerloos en stil dat het net leek alsof hij echt een onderdeel van de stoel was geworden.
'Wat wij ons afvroegen,' ging Elswick traag verder, 'is of jij je nog iets nieuws herinnert, hoe onbeduidend of onbelangrijk het misschien ook lijkt.'
Kirsten schudde haar hoofd. 'Nee, er is me niets nieuws te binnen geschoten. Ik heb het heus geprobeerd, maar afgezien van alles wat ik u al heb verteld, is het één groot, zwart gat.'
'Weet je wat het is?' hield Elswick vol. 'Wij denken namelijk dat het slachtoffer

bij bewustzijn moet zijn geweest, in elk geval op het moment dat hij haar op haar rug gooide. Als dat zo is, dan was dat bij jou misschien ook het geval. Misschien heb je wel een glimp van zijn gezicht opgevangen. Wellicht droeg hij een masker of een kous, maar zelfs daar zouden we al mee geholpen zijn. Of misschien heeft hij wel iets gezegd. Wat dan ook.'

'Het spijt me,' zei Kirsten, 'echt waar. Ik kan het me gewoon niet herinneren. Misschien hebt u wel gelijk. Misschien heb ik inderdaad zijn gezicht gezien, misschien heeft hij wel iets tegen me gezegd. Maar ik kan het me gewoon niet herinneren. Denkt u soms dat ik dat niet wil? Natuurlijk zou ik u graag helpen, maar ik kan het niet. Vanaf het moment dat die ruwe hand op mijn mond werd gelegd, herinner ik me echt niets meer.' Ze merkte dat de tranen in haar ogen stonden en deed haar best om ze terug te dringen.

'Er stond die avond een heldere maan,' zei Elswick.

'Ja. Ik was ernaar op zoek toen... daarvoor. Ik kon hem alleen nergens vinden.'

'Hij was er wel. Achter je, net boven de boomtoppen. We hebben het nagetrokken.'

'Hoezo?'

'Het licht. Als jij bij bewustzijn was toen hij jou op de grond duwde, moet er net genoeg licht zijn geweest om in elk geval iets van zijn uiterlijk op te vangen. Het was een heldere avond – een tikje nevelig, misschien – en het was volle maan.'

'Ik kan onmogelijk bij bewustzijn zijn geweest,' zei Kirsten. 'Ik herinner het me helemaal niet.'

'Nou ja, het geeft niet.' Elswick wierp een blik op inspecteur Gregory, die zijn opschrijfboekje in de binnenzak van zijn lichtbruine jasje opborg. De twee mannen maakten aanstalten om op te staan. 'Het spijt me dat ik zulk akelig nieuws voor je had en pijnlijke herinneringen bij je heb opgeroepen,' vervolgde Elswick, terwijl hij zich opmaakte om te vertrekken. Zijn knieën kraakten en hij legde een hand op zijn onderrug alsof hij daar pijn had. 'Ik word oud. Ik heb begrepen dat je een specialist bezoekt, Kirsten.'

'Er ontgaat u niet veel, hè?' zei Kirsten. 'Ja, dat klopt. Ze heet Laura Henderson en ze is psychiater.'

Elswick glimlachte toegeeflijk. 'Ja, dat weten we.'

'Laat me raden – u hebt haar zeker nagetrokken?'

'Dat is in zaken als deze standaardprocedure.' Elswick liep achter haar aan door de kamer naar de gang. 'Heb je er iets aan?'

'Ja, volgens mij wel. Zij zegt dat mijn geheugenverlies misschien anterograde amnesie is, die een gevolg is van de traumatische gebeurtenissen.'

'Hmm, ja, dat hadden wij ook al begrepen. Het komt overeen met de feiten. Het enige wat jij je herinnert, is de hand; het geweld en de pijn heb je helemaal

verdrongen. Volgens onze medisch experts kan het geheugen terugkomen, maar dat is niet gezegd.'
'U hebt uw huiswerk goed gedaan, hoofdinspecteur.'
Elswick keek gegeneerd. Voor een politieman had hij wel erg veel last van stemmingswisselingen, vond Kirsten. Het ene moment was hij zelfverzekerd en superieur, het volgende moment vaderlijk, en dan weer stond hij opeens met zijn mond vol tanden. Ze besloot hem voor deze ene keer te hulp te schieten.
'Wat wilt u precies van me?' vroeg ze. 'Wilt u soms met haar praten? Wilt u toestemming om haar verslagen van onze gesprekken te lezen? Daar wordt u echt niets wijzer van, hoor.'
'Ehm, nee, nee, dat is niet nodig,' zei Elswick, terwijl Kirsten hun jassen uit de gangkast haalde en ze aan hen overhandigde. Ze maakte uit zijn aarzeling op dat hij waarschijnlijk allang toegang tot haar dossier had, of die gemakkelijk kon regelen als hij dat wilde, en voelde een diepe woede jegens Laura in zich oplaaien.
'Wat ik me afvroeg,' ging hij verder, en hij krabde opnieuw aan de moedervlek – Kirsten voelde er veel voor om tegen hem te zeggen dat hij er iemand naar moest laten kijken voordat het ding zich in de verkeerde richting ontwikkelde. 'Nu ja, na toestemming van de dokter, uiteraard... Maar wat ik me dus afvroeg, was of jij bereid zou zijn om hypnose te proberen.'

33
Susan

'Het kwam gedeeltelijk door de manier waarop je rookt,' zei Keith. 'Iedereen doet dat anders. Jij houdt je sigaret recht tussen je wijs- en middelvinger, als een echte dame, net alsof je alleen maar doet alsof je rookt.' Hij grinnikte. 'Waarom heb je je uiterlijk eigenlijk veranderd? Je ziet er heel vrouwelijk uit. Niet dat je dat eerst niet deed, maar...' Hij deed er het zwijgen toe.
Sue glimlachte en gooide haar peuk op het zand. 'Je weet toch wat ze zeggen: dat verandering van spijs doet eten?' Waarom is hij hier verdorie, vroeg ze zich af. En wat ik moet er in vredesnaam aan doen?
'Eet je dan zo slecht?'
'Nee, ik had gewoon behoefte aan iets anders.'
Ze lachten allebei.
'Ik meen het serieus, Martha,' zei hij toen. 'Het lijkt net alsof je iemand probeert te ontlopen. Dat is toch niet zo, hè?'
'Het zijn alleen maar een bloes en rok, hoor. Je doet net alsof ik als Richard III ben verkleed of zo.'
'En die pruik dan?'
Sue voelde aan het nephaar. 'Ik was dat korte haar gewoon zat. Ik wilde niet wachten.'
'En je make-up?'
'Ik mag toch zeker wel wat lippenstift opdoen als ik daar zin in heb?'
Keith glimlachte. 'Ik ben nog steeds niet helemaal overtuigd. Volgens mij ben je een spion. Ik weet alleen nog niet aan wiens kant je precies staat.'
Blijkbaar vond hij het fijn haar weer te zien, ook al had hun afscheid een wat bittere ondertoon gehad, maar ze merkte aan de manier waarop hij haar bekeek dat hij achterdochtig was. Hij had haar zonder al te veel moeite herkend, dat stond wel vast. Misschien kwam dat wel doordat hij een oogje op haar had, want als je een oogje op iemand hebt, blijven kleine dingen, zoals diens manier van roken of lopen, je bij. Ze wist zeker dat onbekenden, mensen die ze op straat was tegengekomen of die naast haar hadden gezeten

in een pub, haar niet in verband zouden brengen met de kortharige, stoere Martha Browne. Keith kon echter weleens een probleem gaan vormen.
'Wat doe je hier?' vroeg hij.
'Ik heb een rustdag ingelast. En jij? Ik had verwacht dat je inmiddels wel in Edinburgh zou zitten.'
'Welnee, ik doe het heel rustig aan. Eerst Sandsend, toen Runswick Bay en nu Staithes.' Het viel Sue opnieuw op dat zijn Australische accent vrij sterk was: 'Staithes' klonk bij hem als 'Stythes'. 'Ik heb geen haast,' ging hij verder. 'Misschien kom ik hier wel nooit meer terug. Bovendien is het weer echt fantastisch. Dat is voor Engeland echt een unicum, heb ik me laten vertellen. Logeer jij nog steeds in Whitby?'
'Ja.'
'Nog steeds in hetzelfde pension?'
'Ja.'
'Krijg je nog steeds bloedworst bij het ontbijt?'
'Meestal wel.'
Sue dacht razendsnel na. Om te beginnen wilde ze absoluut niet samen met hem in het openbaar worden gezien, en de zeemuur was zo openbaar als maar kon zijn. Gelukkig was er op dat moment bijna niemand. Op het strand zaten een paar mensen, maar die tuurden naar de zee, en twee blonde kinderen in identieke witte korte broeken en blauw-rood gestreepte T-shirts stonden naast The Cod and Lobster een ijsje te eten. Verder bevond iedereen zich in een pub, was aan het winkelen of zat in een restaurant op een lunch te wachten. De steile heuvel die omlaagvoerde naar het dorp had de meeste oudere bezoekers waarschijnlijk wel weggehouden, dacht Sue bij zichzelf. Hoe warm het ook was, mensen zaten toch het liefst in hun auto aan de rand van de zee, en dat kon hier niet. Hoewel het strand vrij gemakkelijk te bereiken was, vonden de meesten de klim naar boven na afloop ongetwijfeld een te hoge prijs voor een dagje aan de kust.
Tot dusver had niemand hun een blik waardig gekeurd. Het eerste wat ze moest doen, was Keith meetronen naar een afgelegen plekje; dan kon ze daarna weer verder nadenken. Ze vond de gedachte die zich langzaam in haar hoofd begon te vormen en zich aan haar opdrong helemaal niets, maar kon zo gauw geen andere uitweg bedenken.
'Wat zijn je plannen voor vandaag?' vroeg hij.
'Nou,' zei Sue, 'ik wilde eigenlijk langs de kust naar Runswick Bay lopen en dan daar de bus terug naar Whitby pakken. Wat denk jij? Is dat te ver?'
'Nee, dat is helemaal niet zo ver. Ik heb het zelf ook gedaan. Het stelt niets voor. Zeg, ik heb een idee: als jij er niets op tegen hebt, loop ik graag met je mee. In mijn reisgids staat trouwens een nog mooiere route. Die loopt over

de kliffen van Port Mulgrave, buigt dan via het bos landinwaarts en eindigt uiteindelijk met een bocht weer bij de doorgaande weg. Via die weg kom jij automatisch bij de bushalte en ik weer terug in Staithes. Wat zeg je ervan?'
'Mij best. Weet je heel zeker dat je niet liever iets anders wilt doen?'
'Ik heb je toch al gezegd dat ik op vakantie ben? Geen plannen, geen kranten, geen televisie. Even afstand van de rest van de wereld.'
Sue herinnerde zich dat hij al eerder al iets had gezegd over geen kranten lezen tijdens de vakantie. Daardoor voelde ze zich iets veiliger – met name omdat hij nog met geen woord over de dood van Jack Grimley had gerept –, maar er waren natuurlijk talloze andere manieren waarop iemand als Keith in aanraking kon komen met een nieuwsbericht over een plaatselijke gebeurtenis: een foto van Grimley met een verzoek om informatie in een pub of een restaurant ergens aan de kust, bijvoorbeeld, of via een krant die op een avond om zijn fish-and-chips zat gewikkeld. Misschien keek er wel net iemand in de zitkamer van het pension waar hij verbleef naar het lokale nieuws op de televisie wanneer hij daar binnenkwam om een kop thee te maken. Hij zou het zich zeker herinneren, dat was de ellende. Hij had haar in haar vermomming herkend, dus zou hij Jack Grimley, de man naar wie hij haar in The Lucky Fisherman had zien staren, vast en zeker ook herkennen. Straks herinnerde hij zich nog dat hij de indruk had gehad dat zij Grimley ergens van kende. Hoe meer zorgen ze zich maakte over wat Keith allemaal zou kunnen weten, des te duidelijker ze inzag dat ze zich helemaal niet veilig voelde. Waarom was hij niet direct naar Schotland doorgereisd of op een vliegtuig naar Australië gestapt?
Keith zag haar zwijgzaamheid voor twijfel aan. 'Moet je horen, Martha,' zei hij, terwijl hij aan zijn oorlel krabde en naar de zee staarde, 'ik weet dat ik laatst te ver ben gegaan. Je weet wel, de vorige keer, toen ik... Nou ja, je weet wel... Dat spijt me. Ik wil dat je weet dat ik echt niet zal proberen je te versieren. Het lijkt me gewoon leuk om een stuk met je mee te lopen. Ik zal niets uithalen. Echt niet.'
Sue stond op en veegde het zand van de achterkant van haar lange rok. Ze had een plan bedacht en een kleine aanmoediging kon geen kwaad. 'Dat geeft niet, joh,' zei ze. 'Het was niet mijn bedoeling je toen zo bot af te wijzen. Ik ben heus geen non. Het was gewoon te snel. Ik kende je amper.'
Ze glimlachte naar hem.
Keith keek verrast op. 'O, nou ja... Ehm... zullen we dan maar gaan?'
'Moet je je spullen niet meenemen?'
'Mijn spullen? Lieve god, voor zo'n eenvoudige wandeling als deze heb je echt geen wandeluitrusting nodig.' Hij bekeek haar van top tot teen. 'Je kunt zelfs in die kleding wandelen, ook al zou ik je dat niet aanraden. Nee, ik heb alleen

mijn Ordnance Survey-plattegrond maar bij me.' Hij klopte op de achterzak van zijn spijkerbroek.
'Nee, ik bedoelde eigenlijk je andere spullen, je rugzak en zo.'
'Die zijn nog in het pension. Ik maakte gewoon even een ommetje door het dorp. Nee, wat je ziet is wat je krijgt.' Hij ging met gespreide armen voor haar staan: een lange, slanke, gebruinde gedaante met een mager gezicht. Zijn krullende zwarte haar glansde alsof hij zo onder de douche vandaan kwam, en zijn ogen weerkaatsten een oceaan die blauwer was dan het water dat zich voor hen uitstrekte.
'Wat bedoelde je er eigenlijk mee dat ik niet echt op een wandeling gekleed ben?' vroeg Sue.
'Dat was maar een geintje. Het is geen zware wandeling. De ellende met rokken is alleen dat ze nogal eens aan doorns en zo blijven haken, en die schoenen van je krijgen het wel zwaar te verduren.'
'Wacht even.'
Sue liep snel naar het openbare toilet, keek om zich heen om te zien of er niemand in de buurt was en ging een hokje in om zich om te kleden. Ze zette de pruik af en wreef opgelucht over haar hoofd; daarna trok ze haar spijkerbroek, een donkerblauw geruit overhemd en haar sportschoenen aan. Ze rolde de pruik, de lange rok, de witte bloes en het vest voorzichtig op en stopte ze in de weekendtas. Soms, dacht ze bij zichzelf, was het best lastig om dat verrekte ding overal mee naartoe te slepen, maar hij was niet zwaar en ze kon de band altijd zo aanpassen dat ze hem over haar schouder kon dragen als ze dat wilde. Ze legde het gewatteerde jack boven op de rest voor het geval het boven op de kliffen koud was. Ten slotte kamde ze haar haren in de groezelige gebarsten spiegel boven de wasbak en bekeek ze haar make-up. Niet slecht. Ze had zich die ochtend niet al te zwaar opgemaakt, omdat ze die dag toch niet in Whitby wilde doorbrengen, en het had nu geen zin om het er hier allemaal af te halen. Straks kwam er iemand binnen. Ze bette snel haar lippen met een papieren zakdoekje en keerde toen haastig terug naar Keith, die buiten stond te wachten.
'Na u,' zei ze met een buiginkje en ze deed een stap opzij om hem voor te laten gaan.
Keith lachte. 'Weet je wel zeker dat je geen spion of actrice of zoiets bent?'
'Heel zeker.' Sue wierp hem een geheimzinnig bedoelde glimlach toe en ze vertrokken.
Ze liepen via een kronkelend pad omhoog langs de missiekerk van Sint-Petrus de Visser, volgden de borden voor de Cleveland Way langs een paar boerderijgebouwen, klommen over een aantal hekken en wandelden de heuvel op tot aan de rand van de kliffen. Het dorp lag onder hen uitgestrekt.

Hoewel het een warme, heldere dag was, zweefden er uit een aantal schoorstenen lome rookslierten omhoog. Boven op het klif waaide een frisse wind vanaf de zee. Sue bleef even staan om op adem te komen en trok haar gewatteerde jack aan.

'Wat zit er eigenlijk allemaal in dat ding?' vroeg Keith. 'Je levenswerk?'

'Iets in die geest.'

Het pad was niet omheind en liep vlak langs de rand van het klif, dat steil omlaagdook. Nadat Keith was blijven staan om haar de Boulby-kliffen verderop aan de kust aan te wijzen, liepen ze achter elkaar verder. Het pad was ruw, maar wel grotendeels vlak en ze hadden al snel een prettig tempo te pakken. Keith was het grootste deel van de tijd aan het woord en draaide zijn hoofd vaak even om in haar richting om haar aan te kijken. Hij vertelde dat hij het geweldig naar zijn zin had in Engeland, maar toch heimwee had, en dat er tijdens zijn verblijf in Sandsend op het strand een lijk was aangespoeld. Nee, hij had het niet goed kunnen zien. Tegen de tijd dat hij doorkreeg dat er iets aan de hand was, had zich al een flinke menigte verzameld en was de politie ter plekke.

Sue wist nu dat ze hem moest doden. Hij vormde een te groot risico en ze kon hem niet zomaar laten rondlopen. Ze wist niet of het politieonderzoek naar Grimley een beetje opschoot, maar was ervan overtuigd dat ze zonder Keith nooit een verband konden aantonen tussen de dode man en haar. Keith had het lichaam weliswaar niet gezien, maar er bestond altijd een kans dat hij erachter kwam om wie het ging en dat hij, als ernaar werd gevraagd, zich dat rare meisje herinnerde dat zich had gedragen alsof ze de man herkende... het meisje dat telkens haar uiterlijk veranderde.

Ze wist alleen niet zeker of het haar zou lukken. Keith had haar eigenlijk niets gedaan; hij had alleen maar geprobeerd haar te kussen. Hij kon haar echter wel verraden voordat ze klaar was, en dat kon ze niet toestaan – niet na al het andere. Met Grimley was ze vanaf het begin al de fout in gegaan en na afloop was ze bijna gillend naar huis gevlucht. En nu dus Keith. Het enige wat ze wilde, was de man vinden die haar had mishandeld en de andere meisjes had vermoord, zodat ze hem kon doden en voorgoed een eind kon maken aan de slachtpartijen, maar ze had hem nog niet eens gevonden en nu kleefde er al bloed aan haar handen. Hoeveel verder moest ze nog gaan?

Met enige moeite lukte het haar haar gedachten van dit negatieve pad af te leiden. Niet dat ze keus had gehad, hield ze zichzelf voor. Ze moest op een of andere manier ergens de moed vandaan zien te halen. Hij was tenslotte een man. Als het erop aankwam, waren ze diep in hun hart allemaal één pot nat. Hij had zich al eerder aan haar opgedrongen, dus wie zei dat hij dat niet nog een keer zou doen? Ze rilde bij het idee.

Het moest hierboven niet al te moeilijk uit te voeren zijn. Een duwtje over de rand of een trap tegen zijn enkels, zodat hij struikelde en viel. Een ongeluk. Het was echter vrij open terrein en ze zag dat twee andere wandelaars hun tegemoetkwamen. Het bleken heel serieuze types te zijn, met een verrekijker, laarzen en een rugzak, die veel meer interesse hadden voor de zeevogels in de verte dan voor andere mensen, maar ze had geen behoefte aan getuigen en een ingrijpend, tijdrovend onderzoek. Toen de mannen hen passeerden, keek Sue de andere kant op. Tot dusver was ze er vrij zeker van dat niemand zich zou herinneren dat hij haar samen met Keith had gezien, maar dat was nog geen reden om nonchalant te werk te gaan.
Zeemeeuwen zweefden laag voorbij, glinsterend wit in de zon, en nieuwsgierige insecten zoemden om Sues hoofd. Al snel zag ze het afbrokkelende havenhoofd van Port Mulgrave heel diep onder hen liggen en begonnen ze aan de afdaling naar het gehucht. Keith stelde voor om in de Boat House Tea Room een kop thee te gaan drinken en een broodje te gaan eten, maar Sue beweerde dat ze nog vol zat van de lunch en drong erop aan dat ze verder liepen. Nu ze eenmaal haar besluit had genomen, was ze nerveus en daardoor voorzichtig. Toen ze zijn hand vastpakte, stribbelde hij niet tegen en zo liepen ze verder over de weg naar Hinderwell.
Al snel bevonden ze zich op een onverhard pad dat naar een camping voor caravans liep; ze sloegen rechts af, staken een paar weilanden over en wandelden langs een steile heuvel naar beneden naar de voetgangersbrug die over een beek was gebouwd. De verandering in het landschap, van de kust naar de diepe vallei landinwaarts, was overweldigend. Ze liepen tussen braamstruiken door en Sue begreep nu wat Keith had bedoeld toen hij zei dat haar rok achter de doorns zou blijven hangen. Zelfs in haar spijkerbroek moest ze opletten waar ze liep. Het rook hier ook anders. De rotte vis en zeewier waren slechts een verre herinnering, verdrongen door het aroma van geplette bramen en daslook in de honingzoete lucht, die trilde van de zoemende insecten.
Na de braamstruiken bereikten ze een bos. Het pad werd aan weerszijden omzoomd door dichte struiken en hoge bomen. Ze kwamen een bejaard echtpaar tegen, dat hen glimlachend groette, en nadat ze een paar minuten door het stille bos hadden gelopen, merkte Sue op dat het misschien tijd werd om even uit te rusten.
'Er is hier nergens plek om te zitten,' zei Keith. 'Alleen het pad maar.'
'We kunnen toch een stukje het bos in?' Sue trok zich los en rende weg door het kreupelhout. 'Kom nou, het is hier zalig!' riep ze over haar schouder. 'Koel en donker. Ik durf te wedden dat we wel een zitplekje vinden.' Keith draafde achter haar aan.

Toen ze niet langer zichtbaar waren vanaf het pad, wees Sue naar een holte in de bosbodem tussen twee bomen. 'Daar. Perfect.' Ze ging met haar rug tegen een boomstam zitten. Gedempt groen licht scheen tussen de bladeren door naar beneden en vogels riepen waarschuwend naar elkaar vanuit hun hoge nesten om door te geven dat er indringers waren. Keith liet zich naast Sue op de grond zakken, zo dichtbij dat hun armen elkaar raakten.

Het duurde niet lang voordat ze ook zijn handen voelde, precies zoals ze had verwacht, aanvankelijk alleen in haar haren en hals. De inwendige spanning was haast ondraaglijk, maar ze deed haar best om niet te verstijven. Hij kuste haar. Ze liet hem begaan. Ze trok haar gewatteerde jack uit en legde het als een soort kussen tegen de ruwe bast, en hij begon aan de knopen van haar shirt te peuteren. Ze liet hem begaan. Een knoop, twee knopen, drie knopen... Ze sloeg één arm om hem heen en tastte met de andere naar haar weekendtas. Haar mond was droog en smaakte naar vettige kabeljauw. Vier knopen. Haar beha was nu zichtbaar, en hij boog zich over haar heen en kuste haar beschaduwde decolleté. Ze zuchtte. Zijn vingers bewogen zich sneller en hadden haar hemd al snel tot aan haar middel opengeknoopt. Zonder hem los te maken schoof hij de beha over haar borsten omhoog. Ze liet hem begaan. Haar vrije hand streelde de onderkant van zijn nek en er rolden dikke tranen over haar rode wangen.

Opeens verstarde hij.

'Allejezus, Martha! Wat is er gebeurd? Wat is er in vredesnaam gebeurd?'

Hij deinsde achteruit en staarde vol afschuw naar de gekartelde zigzagstrepen op de huid van haar borsten. Ze zagen eruit als de verlepte hangtieten van een oud wijf, dat wist Sue zelf maar al te goed. Haar hand sloot zich om de presse-papier.

'Niets,' zei ze zacht. 'Niets om je druk over te maken. Hoezo, vind je het afstotelijk?'

'Nou, dat niet...' zei hij onhandig. 'Zo bedoelde ik het niet. Ik, ehm...'

'Toe maar, Keith. Ga je gang maar. Kus ze maar als je dat wilt.'

Ze legde haar vrije hand om zijn achterhoofd en trok hem naar zich toe. Toen ze merkte dat hij tegenspartelde, trok ze iets harder. Ze voelde zijn gladde zwarte haar onder haar vingers en de kracht in de gespannen spieren achter in zijn nek toen hij tegen haar hand bokte. Tranen van woede brandden in haar ogen. Zijn lippen streken langs de dode huid waar de doorgesneden zenuwen nooit meer aan elkaar waren gegroeid. Hij leunde zo ver mogelijk naar achteren, maar ze bleef hem naar beneden trekken. Toen zijn mond de plek bereikte waar haar rechtertepel had gezeten, liet ze de presse-papier met kracht tegen de zijkant van zijn hoofd neerdalen.

Hij schokte en verkrampte niet zoals Jack Grimley, en daar was ze blij om.

Ze wist niet of ze dat had kunnen verdragen zonder door te draaien. Hij hing gewoon slap in haar armen. Ze liet hem van zich af rollen en hij kwam bij haar voeten neer op zijn rug. Bloed druppelde uit zijn oor tussen zijn glanzende haar door op de aarde. Ze beging deze keer niet de fout de wond aan te raken. Haar hart bonsde wild, maar ze was in elk geval niet misselijk. Misschien gold net als bij een heleboel andere dingen voor moord ook wel dat oefening kunst baarde.

Sue hief de presse-papier opnieuw op, maar bleef roerloos zitten toen ze iets in het kreupelhout hoorde ritselen. Ze keek met een bonzend hart op, recht in de ogen van een enorme hijgende collie. De hond staarde haar met zijn tong uit zijn bek en zijn kop scheef naar één kant aan alsof hij zich afvroeg wat er allemaal aan de hand was. Sue voelde zich onder zijn blik naakter dan ze zich onder die van Keith had gevoeld, dus trok ze snel haar beha omlaag en knoopte ze haar bloes dicht. De hond bleef even staan en keek haar met een vragende, verwarde blik in zijn ogen aan.

Toen hoorde ze in de verte een zachte roep. De oren van de hond schoten overeind en na een laatste peinzende blik op haar draaide hij zich om en rende hij door de bosjes naar twee gedaanten die een heel stuk verderop op het pad stonden. Het was hier te gevaarlijk; ze moest maken dat ze wegkwam, voordat er iemand anders opdook. Ze haalde Keiths Ordnance Survey-plattegrond uit zijn achterzak. Die had ze nodig om de doorgaande weg terug te kunnen vinden. Toen voelde ze aan zijn pols. Ze wist eigenlijk niet waar ze precies moest zoeken, afgezien van wat ze weleens in programma's op televisie had gezien, maar ze voelde helemaal niets aan zijn pols. Ze sloeg hem snel nog een keer, voor alle zekerheid. Een van de klappen had vast zijn schedel wel verbrijzeld, dacht ze bij zichzelf. Ze veegde de presse-papier zorgvuldig af aan zijn overhemd, wikkelde hem in papieren zakdoekjes en stopte hem diep weg in haar weekendtas.

Daarna verspreidde ze alle losse takjes en dode bladeren die ze kon vinden over Keiths lichaam. Hij zag er heel kwetsbaar uit zoals hij daar lag, onschuldig als een pasgeboren lam. Ze dacht terug aan de druk van zijn spieren toen hij zich tegen haar had afgezet, haar had afgewezen, en die fractie van een seconde waarin ze even sterk waren geweest en ze hem had gedood. Ze streek over haar haar, veegde de pulp van bladeren en twijgjes van haar spijkerbroek en holde haastig terug naar het pad. Ze wierp nog een blik over haar schouder, maar zag Keith helemaal niet meer – alleen nog een kleine bult die aan een oude boomstronk deed denken. Ze volgde de route op de plattegrond van ongeveer een kilometer tot de doorgaande weg en kwam onderweg geen sterveling tegen. Niet dat het er nog iets toe deed. Als iemand zich haar later zou herinneren, was dat als Martha Browne. Het was best mogelijk dat

de politie Keith vrij snel vond, navraag ging doen en zelfs de buschauffeur opspoorde. Ook hij zou zich Martha Browne herinneren. Maar zodra ze het toilet vlak bij het busstation in Whitby had bereikt, zou Martha Browne voorgoed verdwijnen en keerde Sue Bridehead weer terug.
Bij de bushalte ging ze op de warme bakstenen muur aan het uiteinde van een tuin zitten om op adem te komen. Ze stak een sigaret op en staarde naar de mieren, terwijl ze op de bus van 16.18 uur terug naar Whitby wachtte.

34
Kirsten

'Je beseft toch wel dat het een paar sessies kan duren, hè?' zei Laura Henderson, terwijl ze wat as van haar witte jas veegde. 'En dat ik je niets kan garanderen?'
Kirsten knikte. 'Maar je kunt het wel?'
'Ja, ik kan het wel. Bijna tien procent van alle mensen is niet ontvankelijk voor hypnose, maar ik verwacht dat we met jou weinig problemen zullen hebben. Je bent intelligent en je hebt een levendige verbeelding. Wat zei hoofdinspecteur Elswick?'
Kirsten haalde haar schouders op. 'Niets eigenlijk. Hij vroeg alleen of ik het wilde proberen.'
Laura boog zich naar voren. 'Hoor eens, Kirsten,' zei ze. 'Ik weet niet wat jou momenteel bezighoudt, maar ik bespeur een zekere vijandigheid. Ik wil je er graag aan herinneren dat alles wat zich in deze spreekkamer tussen ons afspeelt vertrouwelijk is. Ik wil niet dat je denkt dat ik een soort verlengstuk van de politie ben. Natuurlijk houden ze je in de gaten, en toen ze erachter kwamen dat je bij mij onder behandeling bent, hebben ze meteen navraag gedaan. Je moet echter weten dat ik hun helemaal niets over onze gesprekken heb verteld, en dat zou ik zonder jouw toestemming ook nooit doen.'
'Ik geloof je wel,' zei Kirsten. 'Er valt trouwens ook niets te vertellen, of wel?'
'Daar kan door hypnose verandering in komen. Vertrouw je me nog steeds?'
'Ja.'
'En als we al iets ontdekken, als die man jou om een of andere reden zijn naam heeft verteld, bijvoorbeeld, en jij herinnert je die straks opeens, zal dat geen juridische waarde hebben.'
'Dat weet ik. Hoofdinspecteur Elswick hoopt alleen maar dat ik me misschien iets herinner waardoor ze hem kunnen oppakken.'
'Goed,' zei Laura. Ze ontspande zich. 'Ik wil gewoon niet dat je er te veel van verwacht – van de hypnotherapie noch van de politie.'
'Maak je geen zorgen, dat doe ik heus niet. Ga je nu met je horloge voor mijn neus heen en weer zwaaien?'

'Ben je al eens eerder gehypnotiseerd?'
'Nog nooit.'
Laura grinnikte. 'Nou, het spijt me heel erg, maar ik heb niet eens een zakhorloge. Ik ga ook geen handgebaren naar je maken. En mijn ogen zullen straks al evenmin felrood opgloeien. Je hebt inderdaad iets nodig om je op te concentreren, maar volgens mij volstaat dit ook.' Ze pakte de loodzware glazen presse-papier die boven op een stapel correspondentie lag. Binnenin, gevangen in de glazen bol, zat iets wat wel wat weg had van een donkergroene kluwen zeewier en varenbladeren. 'Zullen we dan maar beginnen?'
Kirsten knikte. Laura stond op en deed de luxaflex dicht om de grauwe middag buiten te sluiten, zodat het enige licht in de kamer nu afkomstig was van een gedempte bureaulamp. Ze trok haar witte jas uit en hing hem aan de kapstok.
'Om te beginnen,' zei ze, 'wil ik dat je je ontspant. Als je riem te strak zit, doe hem dan iets losser. Het is belangrijk dat je je lichamelijk zo prettig mogelijk voelt. Oké?'
Kirsten verschoof een stukje op haar stoel en probeerde al haar spieren te ontspannen, zoals ze dat tijdens de yogalessen op de universiteit had geleerd.
'Dan wil ik nu dat je naar de bol kijkt; concentreer je en staar er diep in. Zorg dat je ontspannen blijft en luister alleen maar naar me.'
Ze begon te praten over het gevoel dat je op je gemak bent, je zwaar voelt, slaperig wordt. Kirsten tuurde in de bol en zag daarin een complete onderwaterwereld. Het licht viel zo op het glas dat het net leek of de groene slierten en bladeren langzaam heen en weer wuifden, alsof het echt zeewier was dat op de bodem van de zee groeide en door de druk naar beneden werd geduwd.
Toen Laura zei: 'Je oogleden worden zwaar', was dat ook echt zo. Kirsten deed haar ogen dicht en had het gevoel alsof ze zich tussen waken en slapen bevond. Ze hoorde een ver gezoem in haar oren, net de bijen in de tuin op een middag in haar jeugd. De zachte stem ging verder en voerde haar verder mee. Ten slotte was ze weer terug op die avond in de afgelopen junimaand.
'Je verlaat het feest, Kirsten, je loopt de straat op...'
En dat deed ze. Het was dezelfde klamme avond, en zo levensecht dat ze even dacht dat ze echt terug was. Ze liep het park in, zich bewust van het zachte, geasfalteerde pad dat meegaf onder haar sportschoenen, de gele straatlantaarns langs de weg, en af en toe het geluid van een auto die voorbijreed. Ze kon haar gevoelens van toen ook bijna oproepen, het idee dat er iets voorbij was en de bedroefdheid omdat iedereen zijn of haar eigen weg zou gaan nadat ze zo lang samen waren geweest. Ergens blafte een hond. Kirsten keek op. De sterren waren groot en vaag, haast botergeel, maar ze kon de maan nergens vinden.

Ze had nu het midden van het park bereikt en zag de lichtkransen om de straatlantaarns in de straten langs het park. Ze kreeg opeens zin om op de leeuw te gaan zitten. Het gras onder haar voeten ritselde zacht toen ze ernaartoe liep en het warme steen van de manen aanraakte. Ze klom erop en voelde zich dwaas, maar ook blij, alsof ze weer een klein kind was. Ze dacht aan kaketoes, apen, insecten en slangen, wierp haar hoofd in haar nek om de maan te zoeken en voelde dat ze stikte.
Laura's stem klonk vast en kalm dwars door de paniek; Kirsten worstelde om uit de trance te komen, maar kreeg nog steeds bijna geen lucht. Ze voelde de eeltige handen met de korte, dikke vingers op haar mond, en ze werd omgedraaid en van de leeuwenrug op het warme gras getrokken. Alles werd donker en ze kreeg geen adem. De wolk in haar hoofd verhardde zich, glinsterend als git, en sloot al het andere buiten. Ze voelde dat ze met haar rug hard tegen het gras werd gedrukt en dat er iets zwaars op haar borst rustte, maar toen werd ze hijgend wakker. Laura stak een hand uit om de hare vast te pakken.
'Je bent veilig,' zei Laura. 'Het is voorbij. Haal diep adem... en nog een keer... Goed zo.'
Kirsten gluurde angstig om zich heen en ontdekte dat ze weer in de bekende spreekkamer was met de boekenkasten met glazen deurtjes, de dossierkasten, de grijnzende schedel en de oude kapstok.
'Zou je de luxaflex willen opendoen?' vroeg ze. Ze legde een hand in haar hals en wreef zacht. 'Het lijkt net alsof ik op de bodem van de zee ben.' Ze hapte nog steeds onbeheerst naar lucht.
Laura trok de luxaflex omhoog. Kirsten liep naar het raam en nam gretig de aanblik van de schemerige stad in zich op. Ze zag de rivier beneden hen, een leigrijze spiegel, en mensen die van hun werk naar huis liepen. Het was net vijf uur geweest en overal in de stad waren de straatlantaarns aangesprongen. Ze bleef een tijdje diep in- en uitademend naar het alledaagse tafereel staan staren. Toen ging ze weer tegenover Laura zitten.
'Ik zou wel een borrel lusten,' zei ze.
'Dat kan.' Laura haalde de whisky uit het kastje, schonk een glas voor hen beiden in en bood haar een sigaret aan. 'Gaat het weer een beetje?'
'Ja, het gaat al iets beter. Het was gewoon zo... echt. Ik had het gevoel dat ik alles opnieuw beleefde. Ik had niet verwacht dat het zo realistisch zou zijn.'
'Je hebt een heel levendige fantasie, Kirsten. Daarom lag het voor de hand dat je het zo zou ervaren. Heb je iets nieuws ontdekt?'
Kirsten schudde haar hoofd. 'Nee, toen hij me omdraaide en naar de grond sleurde, werd alles zwart.'
'Deed hij dat echt?'

'Ja, natuurlijk heeft hij dat echt gedaan.'
Laura tikte haar as af in de tinnen asbak. 'Dat is niet wat je me eerder hebt verteld.'
'Wat bedoel je?'
'Weet je dat niet meer? Hiervoor herinnerde je je alleen dat er achter je een hand opdook. Je hebt me niet verteld dat je omlaag werd gesleurd.'
Kirsten fronste haar wenkbrauwen. 'Maar zo moet het toch zijn gegaan?'
'Jawel, maar deze keer maakte je het opnieuw mee.'
Dat was waar. Kirsten had zich het gevoel herinnerd dat ze viel, of naar beneden werd gedrukt, met haar rug tegen de grond en de zachte warmte van het gras dat in haar nek had gekriebeld... en daarna de duisternis en het zware gewicht. 'Ik heb niets gezien,' zei ze.
'Misschien niet. Ik heb je al gezegd dat het een paar sessies kan duren. Het punt is dat je vooruitgang hebt geboekt. Je hebt je iets herinnerd wat je je eerder niet herinnerde, iets wat je had verdrongen. Het is misschien niet veel en misschien schiet je er niets mee op, maar het toont wel aan dat je het kunt, dat je je het kúnt herinneren.'
'Er is nog iets,' zei Kirsten, terwijl ze haar whiskyglas oppakte. 'Het klopt inderdaad dat ik deze keer niets nieuws heb gezien, maar je hebt wel gelijk: ik ben verder teruggegaan dan ik tot nu toe ben geweest. Het zijn niet alleen beelden, visuele herinneringen, die terugkomen, maar ook gevoelens, hè?'
'Wat voor gevoelens bedoel je precies? Angst? Pijn?'
'Ja, maar niet alleen dat. Intuïtie, een voorgevoel... Het is moeilijk te omschrijven.'
'Probeer het eens.'
'Nou, ik had het idee dat ik zijn gezicht wel degelijk heb gezien. Niet nu, bedoel ik, niet vandaag, maar toen het gebeurde. Ik weet dat ik hem heb gezien, alleen blokkeer ik die herinnering. En er was nog iets. Ik weet niet precies wat, maar er was nog iets opvallends aan hem. Ik had het bijna te pakken, net een naam die op het puntje van je tong ligt, maar ik verzette me ertegen. Ik kreeg geen adem en het was zo donker dat ik wel wakker móést worden.'
'Wil je ermee doorgaan?' vroeg Laura, terwijl ze de fles nogmaals ophield. 'Het hoeft niet. Niemand kan je ertoe dwingen. Je weet hoe pijnlijk het kan zijn.'
Kirsten gooide het laatste restje whisky naar binnen en hield haar glas weer op. De ervaring had haar weliswaar de stuipen op het lijf gejaagd, maar had haar ook iets gegeven wat ze niet eerder had gevoeld: vastberadenheid, doelbewustheid. De kille haat was omgeslagen in een diep verlangen om de aanvaller te zien. Het had op een of andere bizarre manier allemaal te maken met de donkere wolk die zwaar op haar gedachten drukte.

Toen ze eindelijk weer het woord nam, glansden haar ogen en klonk haar stem krachtig en zelfverzekerd. 'Ja,' zei ze. 'Ja, ik wil hiermee doorgaan, wat er ook gebeurt. Ik wil weten wie me dit heeft aangedaan. Ik wil zijn gezicht zien.'

35
Susan

De kranten hadden de volgende ochtend weinig nieuws te melden. Sue zat in haar nieuwe cafeetje in Church Street koffie te drinken om de smaak van de thee van mevrouw Cummings te verdrijven. Ze wist dat ze het vieze brouwsel beter niet had kunnen drinken, maar had behoefte gehad aan iets warms en bitters om wakker te worden. Buiten miezerde het en het café zat stampvol chagrijnige toeristen die met één oog het weer in de gaten hielden, en zo lang mogelijk met een pot thee en een punt taart deden tot het ophield met regenen en ze weer naar buiten konden.

Sue had slecht geslapen. Toen de zeemeeuwen zich om kwart voor vier lieten horen, was ze al wakker. Ondanks de dekens en de sprei lag ze te rillen vanwege de vertraagde shockreactie op wat ze Keith McLaren had aangedaan. Ze zag voortdurend zijn verbijsterde, onschuldige gezicht voor zich en het bloed dat over zijn gebruinde wang droop. Ze hield zichzelf voor dat hij net als de anderen was, net als alle mannen, maar ze haatte zichzelf omdat ze zich gedwongen had gevoeld het te doen.

Toen ze haar daden nog eens naging, bleek het vooral de manier te zijn waarop ze doelbewust naar de hele situatie had toegewerkt die haar tegen de borst stuitte. Omdat ze zichzelf niet als een koelbloedige moordenaar zag, had ze Keith het bos in gelokt en hem gedwongen haar in een positie te brengen waarin ze uit verontwaardigde woede had kunnen toeslaan. In zekere zin was dit net zo koelbloedig als elke andere vorm van executie; ze had er alleen maar voor hoeven zorgen dat ze opgefokt genoeg was om te moorden, en daarom had ze Keith verleid, had ze hem tot zijn dood verleid. De volgende ochtend vertrok Sue haar onderlip in een halve glimlach om de verwrongen logica die hierachter school, maar de nacht was afschuwelijk geweest, vol zelfverachting, zelfbeschuldigingen en afnemende moed. Zelfs de talisman en de lijst van alle slachtoffers hadden haar in de kleine uurtjes weinig troost gebracht. Ze had zich ook zorgen gemaakt. Zoals dat nu eenmaal gaat wanneer je wakker bent in die vreselijke uren voordat het ochtend wordt en over iets ligt te piekeren, leidt de ene angst onmiddellijk tot de volgende. De verontruste geest werpt met de uitbundige overgave van een stormachtige oceaan de akeligste zaken op. Door de moord op Keith was de kans dat ze werd opgepakt voordat ze haar doel had bereikt verdubbeld. Nu de politie twee moorden onderzocht, zouden ze ongetwijfeld de overeenkomsten zien en hun inzet vergroten. Straks had iemand haar in Staithes, Port Mulgrave of Hinderwell met Keith gezien, en het kon zomaar gebeuren dat iemand anders zich vervolgens herinnerde dat hij haar met Grimley bij The Lucky Fisherman had gespot. Haar enige hoop was dat Keiths lichaam in het bos pas werd ontdekt nadat ze haar taak had volbracht, en daar bad ze om, terwijl ze in bed lag te woelen en te draaien, totdat ze ten slotte, gesust door het onwelluidende requiem van de meeuwen, in een onrustige slaap viel.

Van de koffie en de sigaret was ze een beetje wakker geworden. Er stond niets in de landelijke dagbladen over de studentenslachter, maar volgens de regionale krant was de politie er nu van overtuigd dat Jack Grimley was vermoord. Inspecteur Cromer zei dat ze zijn verleden natrokken om te kijken of iemand wellicht wrok tegen hem koesterde, en ze waren nog steeds benieuwd of iemand hem had gezien nadat hij op de avond van zijn dood The Lucky Fisherman had verlaten. Kennelijk had zich tot dusver niemand gemeld. Sue herinnerde zich die avond nog wel. Ze was ervan overtuigd dat niemand hen had gezien, en toen ze eenmaal naar beneden naar het strand waren gegaan en naar de grot, had niemand zelfs maar geweten dat zij daar waren. Sue kamde met licht bevende handen de rest van de krant uit op zoek naar nieuws over het lichaam van Keith. Godzijdank was er niets; ze hadden hem dus nog niet gevonden. Toch moest ze snel zijn. Nu de politie het onderzoek had uitgebreid en Keiths lichaam ergens in het bos lag waar het elk moment kon worden gevonden, werkte de tijd niet langer in haar voordeel.

Ze wist wat ze nu moest doen, maar daarvoor was het nog te vroeg op de dag. Een klein stukje landinwaarts, aan de oostelijke grens van de stad bij de rivier de Esk, stond een fabriekscomplex. Daar werd een groot deel van de lokaal gevangen vis schoongemaakt, tot filet verwerkt en verder bereid voor de doorverkoop. Een deel ervan werd ingevroren. De fabriek telde ongeveer honderdvijftig medewerkers, evenveel mannen als vrouwen. Als degene die zij zocht geen visser was, maar wel in de visindustrie werkzaam was, maakte ze daar de meeste kans. Nu ze zich zo had vergist met Jack Grimley dacht ze veel logischer na.

Hoewel ze wist waar ze moest zoeken, wist ze nog steeds niet hoe ze het precies moest aanpakken. Ze kon moeilijk bij de toegangspoort rondhangen, iedereen bekijken en alle mogelijke verdachten vragen of ze iets wilden zeggen. Wat kon ze echter anders doen dan kijken? Ze had overwogen er te sollicite-

ren om op die manier binnen te komen, maar dat bracht allerlei problemen met zich mee rond haar identificatie, referenties en af te dragen sociale premies. Dat kon ze niet gebruiken. Een andere optie was nagaan of de fabrieksarbeiders een vaste pub bezochten. Hoe haar beslissing ook luidde, ze moest er om te beginnen voor zorgen dat ze er steeds om vijf uur was, want dan zat de werkdag van de arbeiders erop. Daarna zou ze wel verder zien.
Hoe graag ze het misschien ook wilde, ze kon de zaken niet bespoedigen. Met dit plan had ze veel vrije tijd, en tijd was in het voordeel van haar vijand. Ook was dit geen dag om op het strand te gaan zitten lezen, en de kamer bij mevrouw Cummings was veel te deprimerend om een hele dag in door te brengen. Ze kampte met het eeuwige probleem van bewoners van de Engelse kust: wat moest je doen als het regende? Ze kon natuurlijk op zoek gaan naar een bioscoop met een matineevoorstelling, bedacht ze, of haar tijd en geld verspillen aan de gokautomaten in de speelhal. Verder had je het museum, de kunstgalerie en het huis van kapitein Cook. Ten slotte was er natuurlijk de bingo nog, het laatste redmiddel als je echt wanhopig was.
Sue wist echter dat ze zich nooit op dergelijke dingen zou kunnen concentreren. Ze moest actief met haar zoektocht bezig blijven, anders kreeg haar angst de overhand. Ze kon in elk geval alvast naar de fabriek wandelen en het terrein bekijken; dat was in elk geval iets. Het was een deel van de stad dat ze nog niet eerder had bekeken en ze wilde de ligging verkennen, wilde weten waar de schemerige plekken, toegangen en uitgangen waren. Ook moest ze een geschikte uitkijkpost zoeken om alles te kunnen gadeslaan. Misschien had ze zelfs wel een verrekijker nodig, ook al zou het wel een beetje verdacht zijn als ze die in het openbaar gebruikte.
Eén ding moest ze in elk geval regelen, had ze bedacht toen ze in de rusteloze, schuldbewuste, paranoïde vroege uren van de ochtend wakker lag. Ze moest de weekendtas vervangen. Hij was niet echt opvallend – een doodgewone lichtbruine tas met zijvakken en een verstelbare riem –, maar ze had hem tijdens haar verblijf in Whitby overal mee naartoe gezeuld, als Martha Browne én als Sue Bridehead. Dat was typisch zo'n fout die ertoe kon leiden dat ze werd opgepakt. Het was verstandiger om iets anders te kopen, de weekendtas met stenen te verzwaren en hem in zee te dumpen, samen met al haar Martha Browne-spullen: haar spijkerbroek, geruite overhemd, het gewatteerde jack – alles. Ze vond het wel jammer om zulke degelijke kledingstukken weg te gooien, maar het was gewoon te gevaarlijk om ze te houden. Afgezien van dat korte moment aan zee in Staithes kon ze alleen als Martha Browne in verband worden gebracht met Keith McLaren en Jack Grimley, dus moest Martha Browne helemaal verdwijnen.
Ze betaalde de rekening, stak de brug over en liep naar een van de warenhui-

zen aan Flowergate. Daar kocht ze een kleine, donkergrijze schoudertas – ze hoefde nu niet langer al die kleding mee te slepen –, een dunne, donkerblauwe regenjas en een doorzichtig regenkapje. Op het toilet hevelde ze alle dingen die ze nodig had – presse-papier, geld, make-up, ondergoed, boek – over naar de nieuwe schoudertas en propte ze de oude in de lege plastic tas met het logo van de winkel. Iedereen die haar zag, zou denken dat ze wat inkopen had gedaan. Voorlopig was het voldoende, maar ze moest wel binnenkort een wandeling langs de kliffen maken om zich voorgoed van de weekendtas te ontdoen.

Ze liep terug over de draaibrug, maar in plaats van linksaf het toeristische gedeelte van Church Street in te slaan, ging ze rechtsaf en liep ze bijna een kilometer over de New Bridge die de A171 over de Esk naar Scarborough en verder voerde. Aan haar rechterhand maakte de regen putjes in het grauwe oppervlak van de rivier en links van haar lag een van de vele functionele woonwijken die in elke badplaats altijd ergens uit het zicht van toeristen worden weggestopt. Na een blik op haar plattegrond maakte ze evenwijdig aan de rivier een scherpe bocht naar links en wandelde ze ongeveer honderdvijftig meter verder door een straatje dat langs de zuidelijke rand van een socialewoningwijk voerde. Na een tijdje sloeg ze rechts af en toen stond ze in een doodlopend weggetje dat uitkwam bij het hoge metalen hek van de visfabriek.

Het was zo'n weggetje dat er in werkelijk alle weersomstandigheden saai en onaantrekkelijk uitzag. Aan weerszijden stonden rijen huizen die een stukje van de weg lagen met een kleine tuin ervoor, compleet met ligusterhaag en een houten hekje met afbladderende verf. Aan de dikke korst vuil en de witte salpeterplekken die zich op de grijsbruine baksteen hadden gevormd te oordelen, stamden de huizen van voor de oorlog. Op het wegdek was het oude asfalt hier en daar tot kale plekken weggesleten en was de vorm van de keitjes eronder zichtbaar. Links van Sue was een klein deel van de huizenrij omgebouwd tot winkeltjes: een kruidenier, slager, tabakszaak en een videotheek; rechts van haar stond op ongeveer twintig meter van de fabriekspoort een piepklein cafeetje.

De buitenkant van het zaakje was bepaald niet uitnodigend. Het witte bord boven het smoezelige vlakglazen raam zat vol roodbruine strepen van het roestwater dat over de dakrand was gestroomd, en de R en F van ROSE'S CAFÉ waren vervaagd tot alleen de omtrek van de letters nog maar te lezen was. Achter het raam hing een groezelig, handgeschreven bordje dat THEE, KOFFIE EN BROODJES aanprees. De locatie was wel perfect. Aan een van de tafeltjes bij het raam had Sue door de laag viezigheid heen waarschijnlijk uitstekend uitzicht op de arbeiders die door de poort de straat op kwamen lopen. Voor

zover zij kon zien, was er geen andere route mogelijk. Ze liep door tot aan de poort. Die stond open en er was geen wachthuisje of bewaker te bekennen. Kennelijk stond de nationale veiligheid hier niet op het spel en had een visverwerkingsfabriek weinig te vrezen van terroristen of criminelen. Over een met onkruid en sintels bedekt braakliggend terrein liep een zandpad van een meter of honderd naar de fabriek toe, een lang, twee verdiepingen tellend, prefab betonnen gebouw met aan de voorkant een nieuwe uitbouw van rode baksteen voor het administratief personeel. Achter de glazen deuren bevond zich de receptie, en de kantoortjes die door de ramen heen te zien waren baadden in fel neonlicht. Afgezien van de voorgevel kon Sue alleen de zijkant van de fabriek zien die het dichtst bij de rivier stond en volledig in beslag werd genomen door genummerde laad- en losplekken. Er stonden verschillende witte bestelbussen geparkeerd en een paar in een blauwe overall gehulde chauffeurs stonden rokend met elkaar te kletsen.
Terwijl Sue bij de poort het terrein in zich opnam, klonk er in het gebouw een harde sirene en enkele seconden later kwamen grote groepen mensen snel haar kant op lopen. Ze keek op haar horloge: twaalf uur, lunchpauze. Ze draaide zich snel om en glipte het cafeetje in. Toen ze binnenkwam, klonk er een belletje en een gerimpelde, stakerige vrouw met krulspelden in haar haar en een vettig schort om keek haar aan vanachter de toonbank, waaraan ze dunne sneetjes witbrood stond te smeren voor sandwiches.
'Jij bent zeker iets eerder naar buiten gekomen, meid?' zei de vrouw opgewekt. 'Meestal zijn ze op z'n vroegst een halve minuut na de zoemer hier. Degenen die hier nog steeds komen dan. Nu The Brown Cow verderop in de straat ook lunches verzorgt, hebben aardig wat klantjes die arme Rose laten vallen. 'k Heb het zelf niet zo op alcohol bij het middageten. Wat zal het zijn? Een lekker kopje thee?'
Was er dan ook andere thee, vroeg Sue zich af. 'Ja, graag, dat zou fijn zijn,' zei ze.
De vrouw keek haar fronsend aan. 'Alleen maar een kop thee? Je kunt echt wel iets meer gebruiken, meid. Een beetje vlees op die botten van je kan geen kwaad. Wat zeg je van een heerlijke sandwich met cornedbeef? Of ben jij d'r zo een die d'r eigen lunch meeneemt?' Haar blik was nu achterdochtig.
Sue raakte een beetje in paniek. Het ging helemaal verkeerd. Het was de bedoeling dat ze onopvallend naar binnen zou glippen en bij een verveelde serveerster die geen aandacht aan haar schonk iets zou bestellen. In plaats daarvan had ze de aandacht op zich gevestigd, doordat ze op een holletje naar binnen was gevlucht toen de sirene ging en iedereen haar kant op kwam. Ze was veel te nerveus en niet goed in dit soort dingen.
'Ik ben op dieet,' zei ze zwakjes.

'Hmff!' snoof de vrouw minachtend. 'Ik snap die jonge meiden van tegenwoordig niet, hoor, echt niet. Het is geen wonder dat jullie allemaal annexa nirvana hebben of hoe het ook mag heten. Een kop thee dus. Komt d'r aan, maar je moet niet bij mij zijn als je straks duizelig wordt.' Ze schonk de dampende vloeistof in uit een gedeukte oude aluminium pot. 'Melk en suiker?'

Sue wierp een blik op het donkere vocht. 'Ja, graag,' zei ze.

'Jij bent zeker nieuw hier, hè?' vroeg de vrouw, terwijl ze de kop en schotel over de rode formicatoog naar haar toe schoof.

'Ja,' zei Sue. 'Vandaag is mijn eerste dag.'

'Ik zie dat je ook tijd hebt gehad om te winkelen,' zei de vrouw met een blik op Sues plastic tas. ''k Snap niet wat mensen daar zoeken als d'r ook een prima Marks & Spencer in de buurt zit.' Ze keek nogmaals naar de tas. 'Ze zijn hartstikke duur. Het wordt trouwens toch allemaal in Hongkong gemaakt.'

Hield ze dan nooit haar mond? vroeg Sue zich af, terwijl ze blozend probeerde te bedenken wat ze hierop moest zeggen. Dat bleek echter niet nodig. De vrouw stelde alweer een nieuwe, nog lastiger vraag: 'Voor wie werk je – die ouwe Villiers?'

'Ja,' zei Sue zonder na te denken.

De vrouw glimlachte veelbetekenend. 'Nou, dan heb ik een goede raad voor je, meid. Pas maar op voor die vent. Hij heeft grijpgrage handjes en bijna net zoveel als een octopus, heb ik gehoord.' Ze legde een vinger tegen de zijkant van haar neus. Achter hen klingelde luid de deurbel. 'Zo, daar zijn ze eindelijk!' zei ze. Ze liet Sue met rust. 'Oké, wie was er als eerste? Vooruit, niet allemaal tegelijk!'

Sue baande zich een weg door het groepje mensen en ging aan een tafeltje bij het raam zitten. Ze hoopte maar dat de oude Villiers en zijn maten bij degenen hoorden die Rose's hadden ingeruild voor The Brown Cow. Als ze van het management waren, lag het niet echt voor de hand dat ze tijdens hun lunchpauze brood met cornedbeef en bittere thee zouden komen gebruiken in een piepklein café.

Toch was het al met al rampzalig verlopen. Sue was van plan geweest om zo lang als het nodig was elke dag om vijf uur onopvallend naar dit cafeetje te komen. En mocht het uiteindelijk toch opvallen, dan kon ze, zodra het weer iets beter werd en als de politie haar tenminste niet op het spoor was, een goedkope verrekijker aanschaffen en het fabrieksterrein en de arbeiders tussen een groepje bomen even ten noorden van het gebied in de gaten houden. Nu had ze echter de aandacht getrokken, en erger nog: ze had gelogen. Als de vrouw erachter kwam dat Sue helemaal niet in de fabriek werkte, kreeg ze natuurlijk achterdocht. Rose's Café was tenslotte niet bepaald een toeristische trekpleister. Van nu af aan zou ze alles vanuit het bos moeten gadeslaan,

weer of geen weer. Het enige lichtpuntje was The Brown Cow. Als sommige fabrieksmedewerkers daar in hun lunchpauze naartoe gingen, keerden ze daar 's avonds na het werk misschien wel terug. In een grote, drukke pub kon je je gemakkelijker onzichtbaar maken dan in een klein cafeetje als Rose's.
Vol ergernis over zichzelf en het weer stak Sue een sigaret op. Om de tijd toch nuttig te gebruiken, bestudeerde ze de gezichten van de andere aanwezigen in het café. Rustig blijven, hield ze zichzelf voor. Als hij hier is, heb je hem heus binnen de kortste keren gevonden. Dat kan gewoon niet anders.

36
Kirsten

'Wat herinner je je nog meer?' vroeg Sarah, die over de tafel gebogen zat met haar kin in haar handen.
'Dat is het 'm nu juist,' zei Kirsten. 'Niets. Het is ontzettend frustrerend. Ik heb daarna nog twee sessies gehad, maar het heeft helemaal niets opgeleverd. Ik trek me telkens op hetzelfde moment terug.'
Het was zeven uur 's avonds. Kirsten had de auto een uur eerder in een zijstraat van Dorchester Street geparkeerd en had Sarah van het station opgehaald. Ze waren door de sneeuw die zacht omlaagdwarrelde naar het centrum van de stad gewandeld en zaten nu in een pub in Cheap Street vlak bij de abdij. Het was er ontzettend druk met mensen die net van hun werk kwamen en anderen die hun kerstinkopen deden en even een pauze inlasten. Kirsten en Sarah hadden nog net een tafeltje weten te bemachtigen.
'Durf je het aan om ermee door te gaan?' vroeg Sarah.
Kirsten knikte. 'Ik heb morgenochtend weer een afspraak.'
'Je wilt het dus echt per se weten?'
'Ja.'
'Je weet dat er nog een is geweest, hè, tegen het eind van het semester? Dat zijn er al twee – drie, als je die van jou meetelt.'
'Kathleen Shannon,' zei Kirsten. 'Tweeëntwintig jaar. Ze studeerde muziek. Wist ik maar...'
'Wat?'
'Ach nee, laat maar.'
'Kom op, Kirstie. Ik ben het: Sarah, weet je nog wel?'
Kirsten glimlachte. 'Je vindt me natuurlijk hartstikke gestoord. Ik voel me soms zo hol vanbinnen en dan word ik razend. Ik moet steeds aan die andere twee denken. Er zit een enorm blok in mijn hoofd, net een gigantische zwarte klont of een dichte wolk, en de hele herinnering zit daarin opgesloten. Volgens mij gaat het nooit meer weg, Sarah, ook niet als de politie hem te pakken krijgt. Stel nu eens dat ze hem vinden, maar niet kunnen bewijzen

dat hij het heeft gedaan? Stel nu eens dat hij voorwaardelijk vrijkomt? Straks ontkomt hij alsnog.'
'Tja, dat is dan hun probleem, niet dan? Je weet dat ik weinig opheb met de politie, maar ik neem toch aan dat ze in zulke gevallen hun vak wel verstaan. De slachtoffers van die moorden zijn namelijk wél keurig nette meisjes uit de middenklasse en geen prostituees.'
'Misschien heb je gelijk. Maar toch, wist ik maar wie hij was. Ik zou willen dat ik hem zelf kon opsporen.'
Sarah staarde haar met halfdichtgeknepen ogen aan. 'Wat zou je dan doen?'
Kirsten zweeg en tekende met haar vinger een cirkel op de natte tafel. 'Dan zou ik hem waarschijnlijk vermoorden.'
'Het recht in eigen hand nemen?'
'Waarom niet?'
'Heb je er weleens bij stilgestaan dat er misschien wel precies het omgekeerde gebeurt en dat hij jou vermoordt?'
'Ja,' zei Kirsten zacht. 'Dat had ik zelf ook al bedacht.'
'Je gaat me toch niet vertellen dat je zelfmoordneigingen hebt, hè?'
'Nee, dat is voorbij. Dokter Henderson – Laura – heeft me ontzettend goed geholpen. Iedereen zegt dat ik uitstekend vooruitga en dat zal ook wel, maar...'
'Maar?'
Kirsten pakte een sigaret. Sarah trok haar wenkbrauwen op, maar zei niets. Het stel naast hen vertrok en twee jonge mannen namen hun plek in. Iemand had op de jukebox een nummer van U2 gekozen en Kirsten moest harder praten om zichzelf verstaanbaar te maken. 'Niemand weet hoe het voelt om mij te zijn. Hoe het is om een half leven te leiden, altijd in het ongewisse te zijn. Ik heb het idee dat ik het pas achter me kan laten wanneer ik hem heb teruggezien en zeker weet dat hij dood is.'
'Dat is belachelijk,' zei Sarah. 'Bovendien weet jij net zomin waar je hem moet zoeken als de politie.'
'Nee, dat weet ik inderdaad niet. Dat wil zeggen: nog niet.' Ze nam een flinke trek van haar sigaret en blies de rook langzaam uit. 'Zullen we nog wat te drinken halen? Dan kun jij me daarna vertellen hoe het met de anderen gaat, en met Harridan.'
Sarah knikte en Kirsten liep naar de bar. Ze hoefde niet lang te wachten tot ze werd geholpen. De menigte was een beetje uitgedund, omdat de meeste mensen die na hun werk iets kwamen drinken al naar huis waren gegaan en de vaste avondbezoekers nog niet waren gearriveerd. De twee knullen aan het tafeltje naast hen zaten er nog wel en spraken enthousiast over meisjes. Kirsten negeerde de blikken die ze haar toewierpen toen ze terugkwam en ging weer zitten.

‘Hoe gaat het met Galen?’ vroeg Sarah.
‘Ik heb een kerstkaart van hem gehad. Ik geloof dat het wel goed met hem gaat.’
‘Zijn jullie...?’
Kirsten schudde haar hoofd. ‘Het is niet zijn schuld, hoor. Hij heeft het echt wel geprobeerd –, lieve god, en of hij het heeft geprobeerd – maar ik heb hem afgewezen. Ik denk niet dat ik op dit moment een relatie met een man aan zou kunnen.’ Het schoot haar opeens te binnen dat ze Sarah nog helemaal niets over de ernst van haar verwondingen had verteld en ze vroeg zich af of ze dat alsnog moest doen. Niet nu, besloot ze, maar binnenkort misschien. Sarah was er al die tijd voor haar geweest; ze verdiende het om alles te weten. Kirsten dacht aan het stapeltje ongeopende brieven, voornamelijk van Galen, die ze in haar la had weggestopt.
Terwijl ze over vrienden van vroeger, de boekwinkel en de flat praatten, merkte Kirsten dat de twee knullen weer naar haar keken en toen iets tegen elkaar zeiden. Er viel net een korte stilte in haar eigen gesprek en omdat het oude nummer van The Kinks op de jukebox ook was afgelopen, hoorde ze wat ze zeiden.
De ene beweerde dat ze er arrogant uitzag en een flinke beurt nodig had. De andere lachte en zei iets waarvan ze alleen het eind verstond: ‘... zoveel kerels heeft gehad dat ze een rij zouden kunnen vormen tot aan Land’s End – en weer terug!’ Ze brulden van het lachen.
Kirsten draaide zich razendsnel om en smeet de rest van haar bier naar hen toe. Ze deinsden geschrokken achteruit, stootten met hun knieën tegen de tafel en gooiden hun glazen om, die op de stenen vloer rolden en in scherven uiteenspatten. Alles zat onder het bier. De pubbaas stond in een oogwenk naast hen. ‘Zeg! Geen gedonder hier!’ Voordat ze goed en wel beseften wat er gebeurde, stonden Kirsten en Sarah buiten in Cheap Street. Ze hadden geen flauw idee waar de twee jongens waren gebleven.
Kirsten leunde tegen een lantaarn om op adem te komen en Sarah stond giechelend naast haar. ‘Nou, je hebt ze wel een poepie laten ruiken, hè? En ik dacht nog wel dat het mijn specialiteit was om uit pubs gegooid te worden.’
‘Heb je gehoord wat ze zeiden?’
‘Ja, gedeeltelijk. Kom mee, meid, dan gaan we een eindje lopen. Die types zijn het niet waard om je druk over te maken. Bovendien is het van hier naar Land’s End lang niet zo ver als vanuit het noorden.’
‘Hmm, zo klinkt het al iets minder erg,’ zei Kirsten. ‘Lancashire, zou ik zeggen, als ik mag afgaan op hun accent. Waarschijnlijk Manchester.’
Sarah trok haar wenkbrauwen op. ‘Indrukwekkend, hoor. Ik ben het meeste van wat ik het laatste jaar heb geleerd alweer bijna allemaal vergeten, maar jij

herinnert je dat taalkundige gedoe nog gewoon allemaal.'
Kirsten glimlachte moeizaam. 'Het is denk ik net als fietsen; dat verleer je ook nooit. Kom, we moeten zo toch naar huis. Ik heb beloofd dat we op tijd terug zouden zijn.'
Het sneeuwde nog steeds. De vlokken waren nu groter en dikker, en er lag een laagje van een paar centimeter dik op de wegen en trottoirs, waar het door passerende auto's en voetgangers al snel in een grijze prut veranderde. Ze wandelden langs de verlichte abdij en sloegen rechts af Pierrepont Street in. Achter Parade Gardens weerkaatste de rivier het schijnsel van de rijen rode en groene kerstlichtjes, en sneeuwvlokken zweefden omlaag en smolten op het wateroppervlak. Er liepen nog steeds veel winkelende mensen rond met enorme plastic tassen vol cadeaus.
'Niet slecht,' zei Sarah toen ze de Audi in het oog kreeg.
Kirsten haalde een krabbertje uit de kofferbak om de sneeuw van de voorruit te halen en reed toen via een doolhof van eenrichtingswegen naar Wells Road. Al snel hadden ze de stad achter zich gelaten en de hoofdweg verruild voor smalle plattelandsweggetjes. Hier lag de sneeuw ongerept voor de autowielen, een helderwit tapijt dat glinsterde in het licht van de koplampen. Dikke vlokken vielen omlaag, bleven even aan de ruit kleven en smolten toen voordat de ruitenwissers ze te pakken kregen.
Zonder het in de gaten te hebben, trapte Kirsten het gaspedaal steeds dieper in. Ze kende deze kronkelende weggetjes als haar broekzak. Ze waren zo smal dat autobestuurders op een van de vele vluchthavens moesten gaan staan wanneer ze een tegenligger tegenkwamen en de heggen waren zo hoog dat niemand kon zien wat er om de volgende hoek was. Kirsten merkte dat de auto steeds sneller ging rijden en de sneeuw zwiepte als een wervelstorm tegen de voorruit. In de bochten slipten de banden een beetje weg. De snelheidsmeter kroop steeds verder omhoog en adrenaline golfde door haar aderen. Ze kon zich niet inhouden, zelfs niet als ze dat had gewild.
Na een tijdje ving ze in de verte een stem op en voelde ze een hand die aan haar trok. Het was Sarah, die krijste dat ze langzamer moest gaan rijden. Ze keek heel bang. Opeens belandde Kirsten met een schok weer in het hier en nu en ze haalde haar voet van het gaspedaal. Ze was uitgeput. Sarah gilde dat ze wel dood hadden kunnen zijn en of ze soms gek was geworden. Ten slotte móést Kirsten de auto wel aan de kant zetten. Ze reed de eerste de beste vluchthaven op die ze tegenkwam, zette de auto op de handrem en schakelde de motor uit. Haar handen trilden op het stuur.
'Wilde je ons soms allebei dood hebben?' foeterde Sarah.
Kirsten kon niets zeggen.
'Nou, ik vind het prima als je jezelf wilt doodrijden,' ging Sarah kwaad verder,

'maar laat mij er alsjeblieft buiten, oké? Dan ga ik nog liever lopen, ook al heb ik geen flauw idee waar ik ben.' Ze stak haar hand al uit naar het portier. Kirsten boog zich naar haar toe om haar tegen te houden. 'Niet doen,' zei ze dringend. 'Het spijt me, Sarah, ik... Ik weet niet...'
Sarah zweeg en draaide zich met een bezorgde uitdrukking op haar fijne, bleke gezicht om. 'Gaat het een beetje?'
Kirstens handen waren nog steeds zo strak om het stuur geklemd dat haar knokkels net zo wit zagen als de sneeuw. Ze schudde haar hoofd. Ze voelde de zware stilte en duisternis buiten de auto. Zonder het licht van de koplampen was van de sneeuw alleen een zachte, parelachtige glans op de weg en de heggen zichtbaar. De Mendip Hills werden opgeslokt door de nacht. In de auto veroorzaakte hun adem een waas op de ramen.
'Kirstie?' vroeg Sarah weer. 'Gaat het wel een beetje?'
Kirsten liet het stuur los en liet zich met zoveel kracht en wanhoop tegen Sarah aan vallen dat ze bijna allebei via het portier naar buiten tuimelden.
'Nee,' jammerde ze. 'Nee, het gaat helemaal niet.'
Ze klemde zich stevig vast en merkte dat Sarah haar armen om haar heen sloeg, haar goed vasthield en zachtjes iets mompelde. Voor het eerst sinds het was gebeurd huilde ze echt. De warme, zoute tranen druppelden niet zomaar over haar wangen omlaag, maar welden in haar ogen op en stroomden over Sarahs schouder, waaraan Kirsten zich snikkend vasthield.

37
Susan

Na twee dagen zonder een spoortje succes gaf Sue het bijna op. Ze stuitte onderweg op te veel obstakels en maakte te veel fouten. Om te beginnen maakte ze zich zorgen over het gesprek met de vrouw in Rose's café; ook ving ze een gesprek op tussen twee fabrieksmedewerkers waaruit ze opmaakte dat de fabriek met ploegendiensten werkte. Alleen de kantoormedewerkers kwamen om vijf uur en masse door de ijzeren poort naar buiten. De meeste arbeiders werkten in een van de ploegendiensten: van twaalf uur 's middags tot acht uur 's avonds, van acht uur 's avonds tot vier uur 's nachts en van vier uur 's nachts tot twaalf uur 's middags. Het leek nu een vrijwel onmogelijke opgave om hem op te sporen. Ze kon moeilijk om vier uur in de ochtend komen opdraven om naar de arbeiders te staren die dan naar buiten kwamen.

Zelfs het weer zat tegen. Het regende af en aan, en de temperatuur daalde zo sterk dat ze onder de regenjas haar vest moest aantrekken. Ze had zich eigenlijk al voorgenomen een deel van haar snel slinkende geldvoorraad aan te spreken om een verrekijker te kopen en naar het bos te gaan, ook al was de grond daar nat, maar gelukkig kwam het niet zover. Het zat haar eindelijk weer een paar keer mee en dat hield haar gaande.

Toen ze de eerste avond om vijf uur de poort naderde en langs het café kwam, zag ze dat er een andere vrouw achter de tapkast stond. Deze was jonger, met lang, vlassig blond haar. Er zaten al een paar mensen, dus dook Sue met gebogen hoofd naar binnen, alsof ze wilde schuilen voor de regen; ze bestelde een kop thee zonder dat ze werd uitgehoord en ging bij het raam zitten. Misschien werkte de vrouw die ze eerder had gezien alleen tijdens de lunch? In dat geval hoefde ze geen fortuin aan een verrekijker te besteden of het risico te lopen dat ze in het natte bos longontsteking opliep.

Ze worstelde wel nog steeds met het probleem van de ploegendiensten, maar kon niets bedenken om dat te omzeilen. Ze kon zich geen nachtkijker veroorloven, dus de ploegenwisseling om vier uur 's ochtends bleef een knelpunt.

Dan bleven de wisseling om twaalf uur 's middags en acht uur 's avonds over, en die kon ze allebei vanuit The Brown Cow gadeslaan.
Opgevrolijkt door de gedachte dat het tij in haar voordeel leek te zijn gekeerd, verliet Sue op de eerste dag om halfzes Rose's Café. Ze trakteerde zichzelf op een vrij duur restaurant – dat geen fish-and-chips als dagspecialiteit op het menu had staan – in New Quay Road vlak bij het station en keerde om kwart over acht terug over de Esk om op zoek te gaan naar The Brown Cow. In plaats van het doodlopende straatje in te lopen dat naar de fabriek leidde, volgde ze de weg langs de rand van de woonwijk met sociale woningbouw, tot ze zo'n honderd meter verderop de pub zag. Het was een onopvallend, modern pand van rode baksteen met een bord van Tetley's aan de voorgevel. De deuren gaven toegang tot een grote, karakterloze barruimte: saai beige behang en bruine, plakkerige vloerbedekking vol vlekken en kale plekken. De tafels waren gemaakt van een of andere stevige soort zwarte plastic en de harde stoelen zaten beslist ongemakkelijk. Het was vooral een praktische ruimte. Kennelijk waren de enige klanten die hier kwamen bewoners van de woonwijk er vlakbij. Misschien kwamen werknemers van de fabriek hier met de lunch nog wel eten, bedacht Sue somber, maar de kans dat ze hier de hele avond bleven hangen zodra hun dienst er om acht uur op zat was niet groot. Hoewel Sue The Brown Cow erg deprimerend vond, was het er toch aardig druk. Ruim driekwart van de tafeltjes was bezet en zo te zien had iedereen het best naar zijn zin. De alomtegenwoordige jukebox bevatte blijkbaar een enorme hoeveelheid nummers van Engelbert Humperdinck en Tom Jones, en langs de muur tegenover de deur lonkte een rij gokautomaten en videospelletjes verleidelijk als een groepje hoeren in een bordeel. Mollige vrouwen zaten er te roken en te roddelen, en mollige mannen stonden er te roken en duwden munten in de apparaten.
Sue hoopte dat ze er met haar regenjas en regenkapje zo saai en kleurloos uitzag dat ze in haar schemerige hoekje geen aandacht trok. Na een tijdje werd wel duidelijk dat ze er niet lang hoefde te blijven. Toen er om vijf voor halfnegen nog geen arbeiders ten tonele waren verschenen, wist ze dat haar vermoedens juist waren en dat ze kon vertrekken. Net als de meeste cafeetjes aan zee was ook Rose's om zes uur al dichtgegaan en er was geen andere plek om de poort in de gaten te houden.
Op de tweede dag leek de lunchpauze meer op te leveren. Er kwamen niet alleen verschillende kantoormedewerkers langs in The Brown Cow, maar aan het einde van de ploegendienst arriveerde er ook een flink aantal arbeiders voor een pastei en een pint. Sue had de man om wie het haar te doen was echter nog steeds niet gezien en begon zich af te vragen hoe lang ze dit nog volhield. Hoewel Keiths lichaam nog niet was gevonden en de kranten ook

niets nieuws meer te melden hadden, vreesde ze toch dat de politie steeds dichterbij kwam. Haar geld begon op te raken en ze durfde nauwelijks te bedenken wat de gevolgen zouden zijn als ze de afkomst van haar doelwit verkeerd had ingeschat. Ze had zoveel energie in de zoektocht gestopt, zoveel van zichzelf op de afloop ervan ingezet, dat falen gewoon geen optie was. Zeker niet nu er door haar toedoen twee onschuldige mensen dood waren.
Die avond keerde ze tegen vijven terug naar Rose's Café en verkaste ze om acht uur naar The Brown Cow. Nog steeds niets. Op de derde dag was ze volkomen ontmoedigd en somber door het eindeloze heen en weer drentelen tussen die twee vreselijke panden. Hoewel ze zich op nog geen anderhalve kilometer van het strand, de walviskaak, het standbeeld van kapitein Cook, St. Mary's en de twee winkels in Church Street bevond, was de wereld waarin ze nu vertoefde zo grauw en anoniem dat ze in bijna elke wijk in elke Engelse stad zou kunnen zijn.
Het was een wereld vol schaduwen. Ze werd zenuwachtig, en was bang dat ze door anderen werd gevolgd en begluurd. Doe toch niet zo dwaas, sprak ze zichzelf streng toe. Zij was immers zelf juist degene die anderen begluurde. Toch kon ze het idee niet uit haar hoofd zetten. Ze sliep 's nachts nauwelijks meer en dat kwam niet alleen door de meeuwen. Ze begon te geloven dat ze de dagen die ze in het zonnetje op West Cliff had doorgebracht alleen maar had gedroomd; dat ze onder de walviskaak door de donkere, vochtige, druipende maag in was gelopen en dat er geen uitgang was. En toen, op de derde dag, zag ze hem.

38
Kirsten

De groene bladeren wuifden traag heen en weer, en Kirsten voelde het gewicht van de oceaan op haar oogleden drukken. Laura's stem klonk mompelend in de verte en spoorde haar aan verder terug te gaan, nog verder terug, en toen hoorde ze gezoem in haar oren en liep ze opnieuw op die klamme avond in juni, die een eeuwigheid geleden leek, de straat op...

Ze voelde het geasfalteerde pad, zacht geworden door de hitte van die dag, als een dik tapijt veren onder haar voeten en hoorde het geruis van haar spijkerbroek tijdens het lopen. Ergens bromde een auto. Een hond blafte. Kirsten keek omhoog. De sterren waren vol en vaag, bijna met de kleur van boter in de nevel, maar ze zag de maan nergens. Die zit zeker achter de hoge bomen verborgen, dacht ze, terwijl ze snel verder liep.

Midden in het park bleef ze staan; ze zag de gloed van de lichtkransen om de straatlantaarns achter de bomen en kreeg veel zin om op de leeuw te gaan zitten. Ze liep er over de smalle grasstrook naartoe en klom erop. Beelden van kaketoes, apen, insecten en slangen schoten door haar hoofd. Ze lachte en wierp haar hoofd in haar nek om de maan achter de bomen te zoeken. Opeens voelde ze de ruwe hand op haar mond en neus.

Er zat een knellende band om haar borst, ze wist dat ze wild schopte en naar adem hapte, en toen trok iemand haar van de leeuw af en draaide hij haar op haar rug. Het lange gras kriebelde in haar nek.

Opeens zag ze de maan. Hij scheen door een gat tussen de bomen op de plek waar zij naartoe was gesleept. En viel op zijn gezicht. Het was vaag en spookachtig in het witte licht, maar het was wel degelijk een gezicht: diepe groeven, een korte, zwarte pony die laag over een breed voorhoofd hing en donkere wenkbrauwen die in elkaar overliepen. En zijn ogen. Zelfs in het schaarse licht zag ze dat ze glinsterden van waanzin.

Het beeld bevroor en er schoven twee piepkleine beelden voor. Ze lag met haar rug tegen de grond gedrukt en staarde recht in zijn gezicht, maar tegelijkertijd was het net alsof ze hem dwars door een mistflard zag. Het visioen verdween vrijwel meteen. Ze lag weer happend naar lucht op de grond en hij propte een ruwe, vettige doek in haar mond. Ze kokhalsde, stikte, kon niet meer verder... Toen hoorde ze Laura's stem die haar langzaam uit de diepte omhoogtrok.

Kirsten deed haar ogen open en haalde een paar keer diep adem. Laura schonk een kop koffie voor haar in. Zoals altijd na een sessie was Kirsten dankbaar voor het grote raam en het uitzicht op de stad. Ze had het gevoel dat ze in een diepe kerker was afgedaald en frisse lucht in haar longen wilde hebben, weer een horizon wilde zien. Laura wachtte altijd even voordat ze iets zei, maar deze keer was Kirsten zelf degene die de stilte verbrak.

'Heb je het allemaal opgeschreven?'

Laura knikte. Ze was bleek. 'Zo ver als nu ben je nog nooit teruggegaan.'

'Dat weet ik. Deze keer was het anders. Ik móést verder, ik kon gewoon niet stoppen, zelfs al had ik dat gewild. Totdat hij die stinkende lap... Ik kreeg geen lucht. Ik stikte.' Ze legde een hand op haar keel, alsof ze de brandende pijn nog steeds voelde.

'Het viel niet altijd mee te verstaan wat je zei,' vertelde Laura. 'Je praatte erg snel en soms mompelde je. Zullen we alles doornemen?'

Kirsten knikte. Tijdens het bespreken van de sessie maakte Laura aantekeningen. Toen het achter de rug was, slenterde Kirsten de grijze dag in en bleef ze bij de waterkering in de stad een tijdje naar het kolkende water van de Avon turen. Ze had het merkwaardige gevoel dat ze volkomen buiten het drukke stadsleven stond dat zich om haar heen afspeelde. Ze wist dat ze de herbeleving van de ervaring tot het eind toe had kunnen voortzetten als ze niet het gevoel had gehad dat ze stikte. Dat had te echt aangevoeld om nogmaals mee te maken. Ze herinnerde zich nu echter wel iets nieuws, iets wat ze op het moment zelf niet had kunnen plaatsen. Ze wandelde met haar handen in haar zakken naar High Street om met Sarah te gaan lunchen.

Het was warm en rumoerig in de pub. Gesprekken fladderden als zoemende insecten om Kirsten heen. Ze had het gevoel dat ze zweefde. Het was een prettig gevoel; het was lang geleden dat ze zich in de drukke pub op haar gemak had gevoeld. Sarah zat vlak bij de zijdeur met een biertje voor haar op tafel en een paperback in haar hand. Kirsten zwaaide naar haar, bleef bij de bar staan om drankjes te halen en liep toen naar haar toe. Sarah haalde een paar pakjes van de stoel naast haar en zette ze op de grond. Kirsten ging zitten.

'Kerstcadeautjes,' zei Sarah.

Kirsten nam een slokje van haar dubbele whisky en haalde haar sigaretten tevoorschijn.

'Is alles goed met je?' vroeg Sarah. 'Je ziet een beetje witjes.'

‘Met mij gaat het prima,’ zei Kirsten. ‘Ik heb gewoon een schok gehad. Ik ben een beetje duf.’
‘Wat was er dan? De hypnose?’
Kirsten knikte. ‘Ik herinner het me weer, Sarah. Ik herinner me weer hoe hij eruitziet.’ Haar stem klonk haar beverig en van heel ver weg in de oren.
Sarah legde een hand op Kirstens arm. ‘Je hoeft er niet over te praten...’
‘Nee, het gaat wel. Ik wil het juist graag. Zeker met jou... Je bent tenslotte mijn vriendin. Laura is een deskundige. Zij wordt betaald om me te helpen, hoe aardig ze ook is. Ik bedoel, ik mag haar graag en ik ben haar heel dankbaar, maar...’
‘Daarmee houdt het wel op?’
‘Precies. Als ík niet bij haar in haar spreekkamer zit, zit er wel iemand anders. Zo is het toch? En waarschijnlijk behandelt ze haar cliënten allemaal precies hetzelfde. Voor haar is het niets bijzonders – onpersoonlijk, net als voor de politie.’ Ze vertelde Sarah dat ze eindelijk had gezien wie haar had aangevallen.
‘Hoe oud was hij?’ vroeg Sarah.
‘Daar heb ik nog niet over nagedacht. Een jaar of veertig, vijfenveertig, schat ik. Best oud. Hij had in elk geval van die diepe groeven in zijn gezicht; je weet wel, ruwe lijnen die van zijn neus naar zijn mond liepen.’ Ze tekende ze met haar vingers op haar eigen gezicht en huiverde. ‘Het was heel akelig, Sarah. Het was net alsof ik alles opnieuw beleefde, maar ik kon mezelf niet tegenhouden. Ik wilde het niet eens.’
‘Hoe is het afgelopen?’
‘Laura heeft me teruggehaald.’
‘Heb je de politie verteld hoe hij eruitziet?’
Kirsten nam weer een slokje whisky en wierp een blik op de bar. Ze zag alles nu veel scherper; haar voeten raakten de grond weer.
‘Nog niet. Laura zei dat ze hen zou bellen en hun het verslag zal toesturen.’
‘Vertel je me wel alles?’ vroeg Sarah.
‘Hoezo?’
‘Je klinkt vaag en je hebt een stiekeme blik in je ogen. Ik ken je lang genoeg om het te weten wanneer je iets voor me achterhoudt.’
Kirsten zweeg en speelde even met het drankje in haar glas voordat ze antwoord gaf. ‘Er was nog iets... een indruk. Ik weet het niet zeker.’
‘Wat was dat dan?’
‘Toen hij die lap in mijn mond propte, had ik het zo druk met me verzetten en ademhalen dat ik het op dat moment niet in de gaten had.’
‘Wat had je dan in de gaten moeten hebben?’
‘De geur. Ik rook de geur van vis. Je weet wel, wat je ruikt als je aan de kust bent.’

'Vis?'
Kirsten knikte. 'Het is waarschijnlijk niet belangrijk.'
'Wat zei de dokter ervan?'
'Niets.'
'Niets?'
'Het schoot me pas weer te binnen toen ik al buiten was en hierheen liep.'
'Moet je haar dan niet even bellen?'
Kirsten schokschouderde. 'Zoals ik net al zei: het is waarschijnlijk niet belangrijk.'
'Het is toch niet aan jou om daarover te oordelen?'
Kirsten speelde met haar sigaret in de grote, blauwe asbak en drukte het uiteinde samen in een van de inkepingen. Ze merkte dat ze weer wegzweefde, als de rook die kronkelend en dansend voor haar hing. 'Ik weet het niet,' zei ze. 'Ik heb de indruk dat ik hun telkens stukjes van mijn geheugen geef, je weet wel, dingen die ik met veel pijn en moeite uit mezelf heb losgekregen, en dat er dan vervolgens niets gebeurt. Ze zijn zo onpersoonlijk, één groot, bureaucratisch apparaat. Ik bedoel, er zijn twee meisjes vermoord sinds ik... Twéé. Ik kan het niet uitleggen, Sarah, nog niet, maar het is iets tussen hem en mij. Ik geloof echt dat ik hem kan vinden. Het is net alsof hij in me zit en ik de enige ben die hem tevoorschijn kan halen.'
'En dan?'
'Dat weet ik nog niet.'
'Jezusmina, Kirstie! Als je het mij vraagt, begin je een beetje door te draaien. Dat komt vast door al die rust en frisse lucht op het platteland.' Ze legde haar hand weer op Kirstins arm. 'Je moet de politie echt alles vertellen wat je je herinnert. Zoals je net zelf zei, heeft hij al twee vrouwen vermoord en er volgen er vast nog meer. Mensen als hij stoppen pas als ze worden gepakt.'
'Dat weet ik heus wel,' zei Kirsten. Ze trok nijdig haar arm los. 'Dacht je soms dat ik niet met die vrouwen meeleef? Ik moet nota bene leven zoals zij zijn gestorven.'
'Wat bedoel je daarmee?'
'Ach, laat maar. Het spijt me dat ik zo lichtgeraakt ben. Ik kan het niet uitleggen. Ik weet zelf niet eens wat ik bedoel.'
Kirsten nam een slokje whisky en keek de pub rond. De mensen waren net schimmen; hun gesprekken vormden alleen maar betekenisloos geroezemoes. Sarah veranderde van onderwerp en begon over haar inkopen te praten.
Terwijl ze met een half oor luisterde en tot rust kwam door het gegons van de gesprekken om hen heen, nam Kirsten een besluit. Kennelijk begreep niemand haar. Zelfs Sarah niet. Niemand begreep hoe persoonlijk dit voor haar was. En niet alleen voor haar, maar ook voor Margaret Snell en Kathleen

Shannon. De artsen, de politie... wat wisten die er nu helemaal van? In het vervolg zou ze heel goed opletten wat ze hun allemaal vertelde.
Toen ze de smerige lap proefde die hij in haar mond had gepropt en zijn ruwe, korte, dikke vingers rook, had ze de smaak van zout water en de geur van vis herkend. De lap smaakte alsof hij in zee was gedompeld. Was de kans dan niet groot dat hij uit een plaatsje aan de kust kwam?
En er was nog iets. Ze had zich niet alleen de geur weer herinnerd, maar toen hij haar op de grond gooide en de prop in haar mond stopte, had ze hem in het maanlicht aangestaard en gezien dat zijn mond bewoog. Hij had iets tegen haar gezegd. Ze had het geluid of de woorden niet opgevangen, maar ze wist nu dat hij iets had gezegd, en als het haar lukte die herinnering terug te halen, kon dat haar van alles over hem vertellen. Misschien hielp het haar zelfs wel hem te vinden.

39
Susan

Toen Susan op de derde dag rond lunchtijd naar The Brown Cow liep, zag ze dat er twee witte bestelbusjes van de fabriek voor de deur stonden geparkeerd. Nog voordat ze bij de ingang was, kwamen er twee mannen uit de pub die naar de busjes toe liepen. Ze kon het vanaf die afstand onmogelijk met zekerheid zeggen, maar een van hen leek sprekend op het beeld in haar geheugen: een lange, donkere pony en wenkbrauwen die halverwege zijn voorhoofd in elkaar overgingen. Ze moest dichter bij hem zien te komen om te kijken of hij diepe groeven in zijn gezicht had, en – het belangrijkste van alles – ze moest zijn stem horen.

Toen ze ieder hun bestelbusje startten en wegreden, ging ze te voet achter hen aan. Ze reden de straat uit en ze kon nog net zien welke kant ze op gingen. Als ze links afsloegen, waren ze op weg naar de fabriek en als ze op de doorgaande weg bleven, moesten ze ergens een bestelling afleveren. Ze had geluk. Ze sloegen links af.

Sue holde snel achter hen aan. Ze had nog geen flauw idee wat ze ging doen, maar het had geen zin nog langer in The Brown Cow rond te hangen. Toen ze bij de bocht aankwam, stonden de bestelbusjes honderd meter voorbij de metalen poort al stil bij de laadplekken en de chauffeurs waren nergens te bekennen. Ze wandelde verder door de straat tot ze bij de winkels kwam. Ze kon moeilijk zomaar door de poort naar binnen lopen om de man te zoeken; ze kon evenmin in het café gaan zitten wachten, want de nieuwsgierige vrouw had weer dienst. Wat moest ze doen?

Voordat ze tijd had om iets te bedenken, zag ze de man door de glazen deur van het kantoor naar buiten komen. Zo te zien stopte hij een kleine envelop in zijn zak. Zijn salaris misschien? Hoe dan ook, het had er veel van weg dat zijn werkdag erop zat. Als hij chauffeur was, was het best mogelijk dat hij net terug was van een levering die hem een nacht van huis had gehouden, aangevuld met een extra uurtje of twee in The Brown Cow, en dat hij nu op weg naar huis was.

Hij kwam over het zandpad dat vanaf de fabriek naar de poort liep haar kant uit en was nog maar veertig meter van haar vandaan. Ze kon zich nergens verstoppen. Ze kon onmogelijk gewoon op straat blijven staan tot hij bij haar was. Stel dat hij haar herkende? Ze was sinds hun vorige ontmoeting erg veranderd en was flink afgevallen, maar haar pruik had wel ongeveer dezelfde lengte als haar haar indertijd had gehad. Hij zou haar toch niet duidelijker hebben gezien dan zij hem? Toch kon ze hier niet als aan de grond genageld blijven staan.
Er zat maar één ding op. Ze holde snel weg en schoot de tabakszaak in. Ze moest toch de krant van die dag nog kopen, want ze werd zo opgeslokt door haar nieuwe routine dat ze niet eens haar gebruikelijke uurtje in het café in Church Street had doorgebracht. Ze had niet gekeken of er nieuws was over Keith en maakte zich nog steeds zorgen over het onderzoek naar Grimley, ook al was er nog steeds niemand midden in de nacht bij haar langsgekomen. De kranten lagen op kleine stapeltjes dakpansgewijs over elkaar op een lage plank onder het rek met tijdschriften voor het raam. Vanaf die plek kon ze, met haar rug naar de verkoopster gedraaid, alsof ze erover nadacht welke krant ze zou nemen, de man zien wanneer hij voorbijkwam. Ze bukte zich en deed alsof ze tussen de stapels naar de voorpagina met de beste koppen zocht, en opeens dook hij aan de andere kant van het raam op. Hij liep niet voorbij, zoals ze eigenlijk had verwacht. In plaats daarvan voelde hij in zijn zakken, keerde hij zich om en kwam hij naar binnen.
Sue bleef met haar rug naar de toonbank staan en staarde naar de *Radio Times* en *Woman's Own* in het rek boven de kranten.
'Goeiemiddag, Greg,' hoorde ze de vrouw zeggen. 'Je komt zeker tabak halen?'
'Ja, graag.' De stem van de man klonk gedempt en Sue verstond hem niet goed.
'Het vaste recept?'
'Aye. O ja, en ook graag een doosje lucifers. Doe maar Swan Vesta.'
'Ben je klaar voor vandaag?'
'Aye. Ik kom net terug van de Leeds-Bradford-route. Wat zouden die arme stakkers zonder hun fish-and-chips moeten beginnen, hè?'
De verkoopster lachte.
Sue greep zich snel vast aan het rek met tijdschriften om te voorkomen dat ze viel. Haar hart klopte zo snel en hard dat ze bang was dat het elk moment uit elkaar kon barsten. De verkoopster en de man in de winkel moesten het toch op z'n minst kunnen horen. Haar gezicht was rood en ze kreeg amper adem. Alles trilde en golfde voor haar ogen als stofjes, die dansten in het zonlicht: de covers van de tijdschriften, de sombere rijtjeshuizen aan de overkant van de weg. Het kostte haar de grootste moeite om overeind te blijven, maar ze

mocht deze mensen niet laten merken dat er iets met haar aan de hand was. Dan kwamen ze natuurlijk naar haar toe om haar te helpen, en dan...
Sue hield zich stevig vast en deed haar uiterste best zich te beheersen; intussen keuvelde de stem – die vreselijke, bekende stem die haar al een maand lang schor toefluisterde in haar nachtmerries – rustig verder, alsof er nooit iets ergs was gebeurd.

40
Kirsten

Toen Kirsten op 3 januari vanaf het perron de intercity nakeek die om vijf voor halfeen het station verliet, voelde ze zich bang en wanhopig. Ondanks een stug begin was de afgelopen kerstperiode in Brierley Coombe de leukste tijd geweest die ze sinds de aanval had meegemaakt. Ze was blij dat Sarah er was, als tegenwicht tegen alle ooms, tantes en grootouders die haar behandelden alsof ze een geestelijk gehandicapte was.
Het dorp zelf lag erbij als een illustratie voor een kerstkaart. Het had vanaf 22 december bijna twee dagen lang aan één stuk door gesneeuwd en er was een prachtig dik pak sneeuw blijven liggen, met name op het platteland, waar weinig verkeer kwam en geen werkzaamheden waren die het plaatje bedierven. Op de rieten daken vormde zich een sneeuwlaag van zo'n halve meter dik, glad en golvend om de dakrand en de geveltop; en in het bos, waar Kirsten Sarah regelmatig mee naartoe sleepte voor een vroege ochtendwandeling, riep de sneeuw die op de twijgen en takken bleef liggen het beeld op van twee werelden die een scherp contrast met elkaar vormden: de witte die zich over de donkere vlijde.
Op de dag na kerst gingen ze naar Bath voor de uitverkoop en om iets te gaan drinken met Laura Henderson, die Sarah onmiddellijk graag mocht. Op een andere avond joegen ze de buurtbewoners in de dorpspub op de kast. Sarah had het T-shirt met het EEN VIS AAN EEN FIETS -logo aangetrokken en iedereen geneerde zich. Dat was Sarah ten voeten uit: de wilde bos blond haar, de bleke huid en de fraaie gelaatstrekken die eruitzagen alsof ze met de grootst mogelijke zorg uit het duurste porselein waren gesneden, waren gladgeschuurd en tot perfectie geslepen, en dan die geweldige kreet over de overbodigheid van het mannelijke geslacht die over haar borst stond gekalkt. Hier viel niemand hen lastig, anders dan de knullen uit Lancashire in Bath, maar de mannen uit het dorp wierpen wel van tijd tot een blik in hun richting en fluisterden dan nerveus met elkaar, soms met een hooghartige glimlach om de lippen. Kirsten vond het de vervelendste avond van de logeerpartij.

Kennelijk was het hernieuwde plezier dat ze aan drukke pubs beleefde geen lang leven beschoren. Bij Laura en Sarah was ze redelijk ontspannen, maar in de nabijheid van mannen was ze nog steeds gespannen en boos. Wanneer ze met die superieure grijns op hun gezicht hun kant op keken, brandden haar wangen van angst en woede. Het was tenslotte een man geweest die haar had afgenomen wat andere mannen van haar wilden. Op een of andere manier, redeneerde ze, waren ze er dus allemaal bij betrokken.

Op oudejaarsavond gingen Kirstens ouders naar een feest. Kirsten en Sarah waren ook uitgenodigd, maar hadden geen van beiden echt zin om de avond door te brengen met een club oude, dronken effectenhandelaars, hun verveelde vrouwen en yuppige nageslacht, dus besloten ze thuis te blijven en het samen te vieren.

De drankkast was gevuld, in de haard brandde een vuur, en ze deden de lampen uit en staken in plaats daarvan kaarsen aan. Omdat de gordijnen nog open waren, boden de openslaande tuindeuren zicht op de met sneeuw bedekte tuin en bomen. Kirsten haalde een paar elpees en cassettebandjes uit haar kamer om op haar vaders stereo af te spelen en alles leek prima in orde. Ze zaten met een cognacfles naast hen op het dikke vloerkleed voor het knapperende vuur naar Mozart te luisteren.

'Wat ga je nu doen?' vroeg Sarah, terwijl ze hun glazen voor de tweede maal volschonk.

'Met mijn leven, bedoel je?'

'Ja.'

'Geen idee. Ik heb nog geen plannen gemaakt.'

'Je kunt hier anders niet eeuwig blijven.' Sarah liet haar blik door de kamer glijden, waar de kaarsen en het vuur schaduwen wierpen als donkere zeilen in een storm, en tuurde door het raam naar de sprookjesachtige tuin in de sneeuw. 'Hoe prettig het ook is, dit is geen echt leven. Niet voor jou.'

'En hoe moet mijn leven er dan uitzien?'

'Godallemachtig, je had een hartstikke mooi eindcijfer. Je gooit je opleiding toch niet zomaar weg?'

Kirsten lachte. 'Je zou jezelf eens moeten horen. Je lijkt wel een studiebegeleider.'

Sarah beet op haar lip en wendde haar hoofd af.

'Sorry.' Kirsten raakte haar schouder even aan. 'Dat meende ik niet. Ik heb er gewoon nog niet over nagedacht. Ik denk dat ik de toekomst van me af heb geschoven en dat ik niet gedwongen wil worden om erbij stil te staan.'

'Waarom ga je niet terug naar de universiteit om te promoveren? Dat hoeft niet eens in het noorden, als je dat liever niet wilt. Er zijn vast talloze plekken waar ze je graag willen hebben.'

Kirsten knikte traag. 'Ik moet zeggen dat ik dat zelf ook al had bedacht. Dat kan alleen pas met ingang van het volgende studiejaar. Wat moet ik dan in de tussentijd doen?'
Sarah lachte. 'Hoe moet ik dat verdorie nou weten? Ik ben je studiebegeleider niet! Nee, even serieus, je zou werk kunnen zoeken, een baantje in Bath. Dan ben je in elk geval bezig en kom je nog eens de deur uit. Je hebt in dit gat veel te veel tijd om over het verleden te piekeren. Wat denk je bijvoorbeeld van een boekwinkel? Dat vind je vast leuk.'
'Wat zal mijn moeder daar wel niet van zeggen?' Ze ging met een nuffig damesaccent verder: 'Winkelmeisje? Maar dat is toch vreselijk ordinair, lieve schat!'
Sarah lachte. 'Doet ze daarom soms zo ijzig tegen mij? Misschien moet ik haar eens vertellen dat mijn vader half Herefordshire bezit. Denk je dat het iets zou uitmaken?'
'Dat weet ik wel zeker. Ze is een vreselijke snob.'
'Ik meen het echt, Kirsten. Je moet iets doen, je moet hier weg. Hoe staat het met Toronto? Je zou daarnaartoe kunnen gaan en bij Galen kunnen intrekken.'
Kirsten schonk hun glazen nog eens vol. Het was halftwaalf. Mozarts *Requiem* was net afgelopen, en buiten was het vredig en stil.
'Nou?' herhaalde Sarah. 'Wat zeg je ervan? Of is het over en uit tussen jullie?'
Kirsten staarde in het vuur. De vlammen likten als boze tongen aan het hout. Als ik het haar nu niet vertel, dacht ze bij zichzelf, dan komt het er waarschijnlijk nooit meer van. Ze keek naar Sarah, die beeldschoon was in het winterse schijnsel van het vuur en de rode, oranje en gele vlammen dansten in haar ogen en gleden over haar gezicht. Haar huid leek haast doorzichtig, zeker waar het vuur koraalrood door haar neusvleugels en op haar jukbeenderen scheen. Ze had alles: niet alleen een mooi uiterlijk, maar ook een gezond lijf. Zij kon vrijen, orgasmes krijgen en kinderen baren.
'Wat is er?' vroeg Sarah zacht.
Kirsten besefte dat er uit een ooghoek een traan omlaagrolde. Ze veegde hem snel weg. Het moest maar eens afgelopen zijn met dat gejank van haar. Eén keer was niet erg, want daardoor was de spanning afgenomen, maar het moest geen gewoonte worden, geen zwakke plek.
Nadat ze een nieuwe sigaret had opgestoken, vertelde ze Sarah eindelijk wat voor schade haar lichaam had opgelopen. Sarah luisterde vol afschuw en wist niets te zeggen. Ze schonk nog wat cognac in. Ze leunden achterover tegen de bank, en Sarah sloeg een arm om Kirsten heen en hield haar stevig vast. Er kwamen geen tranen meer. Zo bleven ze een tijdlang rustig en zwijgend met hun glas Rémy zitten. Plotseling vloekte Sarah zacht: 'Shit, het is tien over twaalf. We zijn het nieuwe jaar helemaal vergeten.'

Kirsten keek op en de betovering was verbroken. Haar rug deed pijn van de houding waarin ze had gezeten. 'Je hebt gelijk. Wat maakt het ook uit? Ik ga de Veuve Clicquot halen en dan luiden we ons nieuwe jaar gewoon wat later in.' Ze stond op, masseerde haar pijnlijke spieren en liep naar de keuken.
Zo hadden ze om tien voor halfeen champagne ingeschonken, 'Auld Lang Syne' gezongen en elkaar gelukkig nieuwjaar gewenst.
En nu was Sarah dus vertrokken. Kirsten slenterde doelloos door de doodstille straten van Bath, waar de typische depressie van na de kerst rondwaarde, en dacht na over wat Sarah had gezegd over de toekomst. Ze nam zich voor haar studie weer op te pakken of zich op z'n minst in te schrijven voor het volgende studiejaar. Dat zou een goede dekmantel vormen en voorkomen dat haar ouders aan haar hoofd bleven zeuren.
In de tussentijd wilde ze proberen te achterhalen wie haar voor het leven had verminkt. Dat kon best een paar maanden in beslag nemen, besefte ze, maar ze had nu tenminste ontdekt dat de informatie er was en ergens diep binnen in haar opgesloten lag. Ze moest er natuurlijk wel voor zorgen dat niemand doorkreeg wat ze aan het doen was; ze moest de indruk wekken dat ze verderging met haar leven en het verleden had afgesloten. Ze wist nog niet wat ze ging doen als ze iets te weten kwam, maar ze moest eerst de sleutel zien te vinden, de stem ontsluiten en dan... Voordat ze iets ondernam, moest ze goed nadenken en een plan opstellen.

41
Susan

Tegen de tijd dat de man de tabakswinkel verliet, had Sue haar ademhaling onder controle. Ze kocht een paar kranten en een pakje sigaretten, en liep de motregen weer in.

Hij was al aan het eind van de straat en sloeg daar links af, het weggetje naar het water in. Zonder na te denken over wat ze deed, zette Sue de achtervolging in. Ze had min of meer verwacht dat hij de aangrenzende woonwijk in zou lopen, want ze nam aan dat hij daar woonde, maar dat deed hij niet. Hij liep evenmin door naar Church Street, maar sloeg rechts af een smal pad in dat evenwijdig aan de doorgaande weg liep.

Aan de rechterkant van de straat waren geen huizen, alleen een stuk braakliggend terrein dat zich uitstrekte tot aan de zuidelijke rand van de woonwijk, die bijna aan het zicht werd onttrokken door de glooiende helling. Aan de linkerkant stond een rij kleine, vrijstaande cottages. Ze waren niet echt bijzonder – rode baksteen met een leistenen dak –, maar hadden wel elk een eigen voor- en achtertuin. De ramen aan de achterkant keken uit over de haven in de richting van West Cliff; een mooi uitzicht is onbetaalbaar.

Sue had haar best gedaan een redelijke afstand tot de man te bewaren en dacht dat hij haar niet had opgemerkt. Achter de rij cottages lag ook een open terrein vol onkruid en netels; de echte straat hield daar op en ging over in een smal zandpad dat naar links afboog en uiteindelijk bij de Esk in Church Street uitkwam. Het zou niet meevallen hem ongezien over dat open terrein te volgen, dacht Sue bij zichzelf. Hoewel ze er met haar lange donkerblauwe regenjas en regenkapje heel gewoontjes uitzag, was het best mogelijk dat hij haar herkende uit de winkel als hij zich nu omdraaide. Dan zou hij zich natuurlijk afvragen waarom een toerist hem door zo'n lelijk deel van de stad achtervolgde.

Voordat ze kon beslissen of ze zou doorlopen of terugkeren, zag ze hem over het paadje naar de laatste cottage in de rij lopen. Ze stelde zich verdekt op achter een geparkeerd bestelbusje en zag dat hij de sleutel in het slot stak en naar binnen ging. Hij woonde daar dus. Ze vroeg zich af of hij er alleen woonde.

Dat moest haast wel, als hij tenminste inderdaad de man was die haar had aangevallen, en daarvan was ze overtuigd geweest zodra ze zijn stem hoorde. Ze dacht aan Peter Sutcliffe, de Yorkshire Ripper die in de periode waarin hij dertien vrouwen had vermoord en verminkt bij zijn vrouw Sonia had gewoond. Twee of drie andere vrouwen hadden de aanval toch overleefd? Sue vroeg zich af wat er van hen was geworden. Alles was mogelijk, maar op een of andere manier geloofde ze niet dat de man die zij zocht zijn leven met een vrouw deelde.

Zodra hij in de cottage was verdwenen, keerde Sue zich om en liep ze over het pad terug naar de weg. Op dit moment kon ze niets doen. Ze moest eerst een plan uitstippelen. Ze kon niet zomaar naar binnen stormen en hem vermoorden; ze moest hem in het donker naar een stille plek lokken. Omdat ze zelf op zo'n plek was aangevallen, had ze het idee dat ze in de omgekeerde situatie op een soortgelijke plek meer kans op succes had. Hij was sterker dan zij, dus ze moest slim zijn. Ze kon zich niet voorstellen dat het in een huis of op straat zou plaatsvinden. Ze wist nu echter waar hij woonde en die wetenschap stelde haar gerust. Daardoor was ze in het voordeel.

Toen ze terugkeerde in het toeristische Whitby, hield het op met motregenen en braken de wolken open, zodat er hier en daar een paar zwakke zonnestralen doorheen glipten, alsof ze haar terugkomst van extra glans wilden voorzien. Ze liep door het smalle, met keitjes geplaveide deel van Church Street ten noorden van Whitby Bridge. Daar was niets veranderd: gezinnen en verliefde stelletjes slenterden als altijd door de straat, en bleven af en toe staan om de etalage te bekijken van winkels die gitstenen voorwerpen verkochten en souvenirwinkeltjes die toffee met een smaakje aanprezen of zakjes Earl Grey-thee en Colombiaanse koffie.

Het was halftwee en Sue had nog niet gegeten. Ze wilde ook dolgraag de kranten lezen. Ze ging The Black Horse binnen, en bestelde een halve pint bier en een pastei met vlees en niertjes. Het was er redelijk druk, voornamelijk met jonge echtparen die zaten te lunchen; ze hadden hun regenjas over de stoel naast hen gespreid en de paraplu tegen de muur gezet. Ze vond een klein tafeltje in de hoek, ging daar zitten en las al etend de kranten.

In de *Independent* stond helemaal niets over de studentenslachter. Het was tenslotte alweer bijna een week geleden dat hij voor het laatst had toegeslagen. Er zou niets meer over hem worden geschreven totdat hij zijn volgende slachtoffer aan flarden had gesneden en gewurgd, tenzij de politie hem natuurlijk oppakte of een belangrijke aanwijzing vond. Sue was vastbesloten ervoor te zorgen dat er geen volgend slachtoffer kwam. Ze las vluchtig de koppen door – oorlog, leugens, corruptie, ellende – en begon toen vol verwachting aan de regionale krant.

Het nieuws stond op de voorpagina en staarde haar recht in het gezicht:

VERBAND TUSSEN MISDADEN?
De politie van Whitby probeert na te gaan of er een verband bestaat tussen de moord op een inwoner van Whitby, Jack Grimley, en de zware mishandeling van een Australiër, Keith McLaren, wiens bewusteloze lichaam gisteravond laat in een bos vlak bij Dalehouse is aangetroffen door een medewerker van Bosbeheer. De heer McLaren heeft zware verwondingen aan het hoofd en ligt momenteel in coma in het St. Mary's ziekenhuis in Scarborough. Artsen weigeren iets te zeggen over de kans op herstel, maar een woordvoerder van het ziekenhuis heeft toegegeven dat er een gerede kans op blijvend hersenletsel bestaat. Op de vraag van onze verslaggever of de aanvallen door een en dezelfde persoon kunnen zijn uitgevoerd, antwoordde een woordvoerder van de politie: 'Het is te vroeg om dat al te zeggen. We onderzoeken twee verschillende zaken waarin vergelijkbare hoofdwonden een rol spelen, maar tot dusver zijn er geen aanwijzingen die op een verband tussen de twee mannen duiden.' De politie wil nog steeds graag iedereen spreken die Grimley heeft gezien nadat hij afgelopen donderdag The Lucky Fisherman had verlaten. Ook is ze geïnteresseerd in informatie over de identiteit van een vrouw die afgelopen maandagmiddag samen met McLaren in Hinderwell is gezien. Ze wordt omschreven als een jonge vrouw met kort, lichtbruin haar, gekleed in een spijkerbroek, een grijs jack en een geruit overhemd. De politie verzoekt iedereen die haar kan identificeren met klem zich meteen te melden.

Sue legde de krant op tafel en probeerde haar trillende handen te bedwingen. Hij was niet dood! Keith was niet dood. Ze had in de gaten moeten hebben dat ze hem niet hard genoeg had geraakt. In plaats van de klus af te maken, was ze van die verrekte hond geschrokken en er zonder het te controleren vandoor gegaan. Misschien had ze ook wel een beetje medelijden met hem gehad en was ze daardoor niet hard genoeg geweest. Het was geen moment bij haar opgekomen dat ze hem misschien niet had gedood. Wat moest ze nu doen? Stel dat hij bij bewustzijn kwam en de politie vertelde wie ze was? Ze hadden al een beschrijving van Martha Browne.
Sue schoof de rest van haar pastei weg en stak een sigaret op. Ze had geen trek meer. Het werd tijd dat ze zichzelf vermande. Ze liep naar de bar, bestelde een dubbele brandy en ging weer zitten om het artikel aandachtig te herlezen. Ze moest ervoor zorgen dat ze niet in paniek raakte, niet nu ze eindelijk haar ware prooi op het spoor was. Ze moest helder nadenken. Om te beginnen was de beschrijving van het meisje erg vaag en deed die in niets denken aan

hoe ze er nu uitzag. Zou de eigenaar van het pension in Abbey Terrace zich haar nog herinneren? En hoe zat het met Grimleys vrienden in The Lucky Fisherman? Ze had die avond vrijwel dezelfde kleding aangehad als op de dag dat ze met Keith het bos in was gegaan, schoot haar te binnen. Zouden de mannen nog weten dat zij daar samen met de Australiër had gezeten en telkens naar Grimley had zitten kijken alsof ze hem kende? Had iemand haar misschien met Keith in Staithes gezien? Toen had ze in eerste instantie haar nieuwe kleren aangehad, voordat ze zich op de wc had omgekleed, dus stel nu eens dat iemand het ene meisje met het andere in verband kon brengen? Het was heel goed mogelijk dat de politie haar op de hielen zat, besefte ze. Ze moest snel actie ondernemen. Het was niet verstandig hier te blijven totdat ze werd gearresteerd voor de moord op Jack Grimley nu ze eindelijk de man had gevonden om wie het haar te doen was. De tijd werkte tegen haar en vloog werkelijk voorbij. En hoe zat het met Keith? Hij kon elk moment bijkomen uit zijn coma. Kon hij haar dan nog aanwijzen of zou zijn herinnering aan de gebeurtenis volledig zijn gewist, zoals dat bij haar ook zo lang het geval was geweest? Ze wist het gewoon niet. Wat ze wél wist, was dat ze de man die ze zocht had gevonden en dat ze heel snel een manier moest bedenken om hem zover te krijgen dat hij zich bekendmaakte, want anders liep haar hele missie gevaar.

Een in tweed gehulde vrouw die zojuist aan het tafeltje naast het hare had plaatsgenomen wierp haar een nieuwsgierige blik toe. Het werd waarschijnlijk tijd om een andere vaste stek te zoeken. Ze was al te vaak in deze pub en het café er vlakbij geweest.

Ze nam nog een slokje brandy; die verwarmde haar keel en bracht haar roerige maag tot rust. Zou ze naar het ziekenhuis in Scarborough gaan, Keiths kamer binnensluipen en een kussen tegen zijn gezicht drukken? Kon ze dat? Had ze daar het lef voor? Ze herinnerde zich echter dat haar aanvaller in een vergelijkbare situatie had geprobeerd haar te grazen te nemen en dat dat hem niet was gelukt. Hij werd vast bewaakt door politieagenten; de beveiliging was ongetwijfeld zo goed geregeld dat ze onmogelijk bij hem kon komen. Nee, dat was geen optie. Het enige wat ze kon doen, was hopen dat hij niet beter werd.

De weekendtas lag ook nog op haar kamer. Die had ze nog steeds niet weggegooid. Nu had ze in elk geval iets te doen, terwijl ze aan een plan werkte om 'Greg' uit de weg te ruimen. Daarna moest ze de stad snel verlaten, en niet zo dwaas zijn om te blijven plakken en zich te verkneukelen over de resultaten van haar daden. Ze zou net als iedereen vanaf een afstand via de kranten haar succes moeten volgen en koesteren.

42
Kirsten

Nu Sarah weg was, hielden alleen haar angst en de groeiende overtuiging dat er een taak voor haar was weggelegd Kirsten op de been. Aan het eind van januari eiste de moordenaar zijn vierde slachtoffer op, een tweedejaarsstudente biologie die Jane Pitcombe heette. Kirsten knipte voorzichtig de foto en alle informatie die ze kon vinden uit, en plakte alles in het plakboek dat ze bijhield over de slachtoffers.

In dezelfde maand liet ze Laura Henderson weten dat ze wilde stoppen met de hypnotherapie, omdat het haar te zwaar werd. In werkelijkheid was ze bang dat ze aan Laura zou verraden wat ze had ontdekt en dat de politie de moordenaar eerder zou vinden dan zij. Kort na Sarahs vertrek was het tot haar doorgedrongen dat ze hem zelf te pakken wilde nemen. Dat was de enige manier om haar wonden te helen en de geest van Margaret, Kathleen en Jane rust te schenken. Het was niet moeilijk Laura over te halen te stoppen met de hypnotherapie; de politie had tenslotte een tamelijk goede beschrijving van de moordenaar in handen.

Het was belangrijk dat ze iedereen tevredenstelde, en daarom las ze eindelijk ook Galens brieven, waarna ze een lang, opgewekt, maar nietszeggend epistel terugschreef. Ze verontschuldigde zich omdat ze niet eerder had teruggeschreven en vertelde dat ze net een langdurige sombere periode achter de rug had. Ze schreef ook dat ze weer ging studeren, waarschijnlijk in het noorden. Canada was voor haar op dit moment gewoon te ver van huis. Ze wist zeker dat hij dat wel begreep.

Februari was somber en guur. Kirsten bracht een groot deel van de tijd in haar kamer door, waar ze piekerde over de duistere plek in haar gedachten en een manier probeerde te bedenken om de wolk te dwingen zijn geheimen prijs te geven. Dat was haar grootste probleem: zonder Laura's hypnotherapie kon ze niet bij haar geblokkeerde herinneringen komen. Ze kocht een boek over zelfhypnose en boekte daar enig succes mee. Zich ontspannen ging haar vrij gemakkelijk af en het lukte haar ook in een lichte trance te raken, maar ze

kwam gewoon niet voorbij de visachtige geur. Toch was ze vastbesloten door te zetten tot ze de wolk had verdreven.
Vanaf het eind van die maand tot ver in april vond ze troost in *The Cloud of Unknowing*, het veertiende-eeuwse meesterwerk over het christelijk mysticisme dat ze van de boekenplank had gehaald om haar te helpen zich weer op een universitaire studie te richten. Toch betwijfelde Kirsten sterk of ze het boek wel las zoals de schrijver het had bedoeld. De tekst besprak op een verbijsterend directe manier haar eigen probleem en de ironie ontging haar beslist niet:

> In het begin zul je slechts duisternis aantreffen, als het ware een wolk van onwetendheid. Je weet niet wat het betekent, je weet alleen dat je in je eigen wilskracht een eenvoudig, standvastig voornemen zult vinden om je tot God te wenden. Wat je ook doet, deze duisternis en wolk zullen tussen God en jou in blijven staan; ze zullen je ervan weerhouden Hem in het heldere licht van rationeel begrip te zien en Zijn zoete liefde in jouw genegenheid te ervaren. Verzoen je met de gedachte dat je zo lang als nodig is in deze duisternis zult moeten wachten en blijf verlangen naar Hem die je liefhebt.

Het was precies het omgekeerde van wat Kirsten voelde – ze was absoluut niet op zoek naar God en had al evenmin het doel van haar zoektocht lief –, maar toch boden de woorden haar steun en hielpen ze haar door de duisternis heen, zowel de inwendige als de uitwendige.
Het boek hielp haar ook haar gevoelens te beschrijven op een manier die zelfs Laura Henderson niet had kunnen bedenken:

> Ik noem het wel 'duisternis' of 'wolk', maar denk niet dat het om een wolk gaat zoals je die aan de hemel ziet of duisternis zoals die thuis heerst wanneer er geen licht brandt... Met 'duisternis' bedoel ik 'een gebrek aan kennis' – zoals je bij alles wat je niet weet of mogelijk bent vergeten 'in het duister tast', zoals dat wordt genoemd, omdat je het niet met je innerlijke oog waarneemt.

Dat klonk precies als de donkere luchtbel of wolk die ze in haar hoofd voelde. Hij stond tussen haar en de duivel, de man die haar had verminkt, en bestond niet zozeer uit een object of vaste materie als wel uit een gevoel, het idee dat er iets ondoordringbaars diep in haar geest verankerd zat.
Het boek gaf ook praktische adviezen en Kirsten begon zich af te vragen hoe ze het zo lang zonder het boek had volgehouden. Vooral de vijfde meditatie, die luidde:

> Mocht je deze wolk ooit bereiken, en erin leven en werken, zoals mijn voorstel luidt, creëer dan, net als deze wolk van onwetendheid die als het ware boven jou hangt, tussen jou en God in, eveneens een wolk van vergetelheid onder jou en de hele schepping. Door deze wolk van onwetendheid tussen ons en Hem zijn we geneigd te geloven dat we ver van God af staan, maar het zou juister zijn te stellen dat we veel verder van Hem af staan als er geen wolk van vergetelheid zou bestaan tussen ons en de hele schepping.

Als Kirsten haar doel wilde bereiken, moest ze dus afstand scheppen en zich losmaken van de wereld van alledag. Het had geen zin zich vast te klampen aan sentimentele ideeën over goed en kwaad. Ze moest leren leven in een geïsoleerde, kleine wereld waarin het doel van haar zoektocht het allerbelangrijkst was, en alles en iedereen zo lang als nodig was moest worden weggestopt in een wolk van vergetelheid. Alleen mocht niemand dit weten. Haar familie en vrienden moesten geloven dat ze vooruitgang boekte.

Het boek was onderverdeeld in vijfenzeventig korte, genummerde hoofdstukken of meditaties, en het was geen tekst die je urenlang achter elkaar kon lezen. Kirsten las een hoofdstuk per dag en sloeg zo nu en dan weleens een dag over om in plaats daarvan een roman te lezen, zodat ze twee maanden over het boek deed. In die tijd maakte de winter plaats voor de lente.

Al snel groeiden er weer boshyacinten en vergeet-mij-nietjes in het bos, en kleurden paardenbloemen en boterbloemen de open velden goudgeel. De kille lucht werd warmer en verloste de geuren van het platteland uit de greep van de winter: gras en boombast na een regenbui, daslook die tussen de vingers werd fijngewreven, vochtige aarde die net was omgeploegd. Tijdens haar wandelingen zoog Kirsten alles in zich op en dacht ze terug aan de vorige herfst, toen ze zich vanbinnen doods had gevoeld en niets haar had geraakt. Nu ze een doel had, iets om naar uit te kijken, kon ze weer van de wereld genieten.

Het boek sterkte haar voortdurend in haar overtuiging dat haar taak heilig was en leek een belofte van succes in te houden. Toen ze op een frisse, heldere ochtend halverwege mei op de laatste pagina las dat 'God Zijn genadige blik niet richt op wat je bent of was, maar op wat je kunt worden', twijfelde ze er geen seconde meer aan dat ze zou slagen. 'Elk heilig verlangen groeit door oponthoud; als het vanwege dit oponthoud vervaagt, was het nooit echt een heilig verlangen.' Volharding. Vastberadenheid. Dat waren eigenschappen die ze diende te koesteren om te bewijzen dat haar verlangen heilig was. Haar behoefte zou niet vervagen; die was dag en nacht bij haar, was een deel van haar.

In deze periode bleef ze Laura in Bath bezoeken, hoewel minder vaak dan voorheen. Eén keer per twee weken leek haar voldoende voor wat zij te bespreken hadden. Tegen het eind vormden Kirstens gevoelens over het feit dat ze 'slachtoffer' was het belangrijkste onderwerp.

Bepaalde theorieën gaan ervan uit dat sommige mensen een geboren slachtoffer zijn en op een of andere manier moordenaars aantrekken, had Laura uitgelegd. Onder de juiste omstandigheden krijgen ze datgene waarvoor ze geboren zijn. Dingen overkomen ons, omdat we zijn wat we zijn, beweren sommige psychologen, en daardoor maken sommigen van ons telkens opnieuw dezelfde fouten – met de verkeerde man of vrouw trouwen, bijvoorbeeld, of je in situaties storten waarin je wordt mishandeld, of anderszins om problemen vraagt. Wat iemand ertoe aanzette telkens de verkeerde keuze te maken, was geen masochisme, zei Laura, maar iets wat diep in zijn of haar onderbewuste geworteld zat.

Dacht Kirsten dat zij een van die mensen was? Voelde ze zich schuldig over wat haar was overkomen? Had ze het idee dat ze erom had gevraagd?

Het onderwerp bracht Kirsten aanvankelijk erg in verwarring. Ze was er heel lang van uitgegaan dat ze gewoon de pech had gehad dat ze op het verkeerde moment op de verkeerde plek was, een willekeurig slachtoffer van een willekeurige aanval. Het was geen moment bij haar opgekomen dat ze er misschien zelf om had gevraagd. Was dat niet het gebruikelijke argument van verkrachters: dat hun slachtoffer er zelf om had gevraagd door de manier waarop ze zich kleedde of op het verkeerde moment glimlachte? Dat weigerde Kirsten te geloven.

Als ze die avond was ingegaan op Hugo's avances en met hem mee naar huis was gegaan, was dit allemaal niet gebeurd. Als ze niet nuchter en bijtijds naar huis had gemoeten om haar spullen in te pakken voor de volgende dag, was ze misschien wel langer op het feest gebleven en samen met een groep dronken vrienden door het park gelopen. Als ze die avond niet door het park was gegaan, maar voor de goed verlichte straten eromheen had gekozen, als ze het pad niet had verlaten om als een dwaas kind op de leeuw te klimmen... En zo ging het maar door. Er was ook een positieve invalshoek: als die man niet op precies het juiste tijdstip zijn hond had uitgelaten, zou Kirsten net als de latere slachtoffers zijn overleden.

Hoe meer ze erover praatte met Laura, des te duidelijker het haar werd dat alles alleen anders had kunnen verlopen als zijzelf anders in elkaar had gezeten. Die theorieën hadden in zekere zin wel gelijk. De kern van wat er was gebeurd hing samen met wie ze was. Ze had bijvoorbeeld gemakkelijk kunnen vallen voor Hugo's versierpoging. Hij was best knap en heel wat van haar vriendinnen zouden geen seconde hebben geaarzeld; de meesten hádden in

het verleden ook geen seconde geaarzeld. Maar nee, zo zat zij niet in elkaar. Bovendien liep ze regelmatig in haar eentje in het donker door het park, ook al had iedereen haar nog zo gewaarschuwd. Verder zou het ook nooit bij haar zijn opgekomen om níét toe te geven aan de kinderachtige aandrang om de leeuw te berijden, tenzij er anderen bij waren geweest. Met andere woorden, misschien beschouwde ze zichzelf inderdaad als een geboren slachtoffer en had ze dat gewoon nog niet eerder willen toegeven. Dat zei ze echter niet tegen Laura. Ze vermoedde dat Laura haar testte, dat ze probeerde erachter te komen hoe gevoelig ze was, dus gaf ze wat volgens haar de juiste antwoorden waren. Laura reageerde opgelucht.
Kirsten bleef echter aan zichzelf twijfelen. Waarom liep ze bijvoorbeeld alleen in het donker door het park? Hóópte ze soms dat er iets zou gebeuren? Het was in elk geval beslist geen feministisch gebaar geweest. Als vrouwen hun recht om veilig door straten en parken te lopen wilden opeisen, deden ze dat – heel verstandig – in grote, goed georganiseerde groepen. Kirsten deed het meestal in haar eentje. Waarom? Was ze soms uit op zelfvernietiging?
Op een of andere manier verklaarde een eenvoudige reeks causale gebeurtenissen niet wat haar was overkomen. Na de aanval had ze in een droom geleefd, omdat ze het op een heel oppervlakkige manier had geaccepteerd en nooit echt over de diepere betekenis had nagedacht. Dat had helemaal niets met acceptatie te maken. *The Cloud of Unknowing*, haar laatste gesprekken met Laura Henderson: ze gaven allebei een vorm en diepte aan haar zoektocht die ze eerder niet voor mogelijk had gehouden; ze scherpten haar voornemen aan en werkten als een magneet die een roosvormig patroon creëert van ijzerschaafsel.
Alles betekende iets, alles gebeurde altijd met een reden, en hoe langer ze erover nadacht, des te meer ze ervan overtuigd raakte dat als een deel dat diep binnen in haar zat haar tot slachtoffer maakte – net zoals haat die diep in de man kronkelde hem tot een moordenaar maakte –, degene die haar had gevonden voorbestemd moest zijn als haar redder. Er was een reden dat hij haar had gevonden, begreep ze nu. Ze was niet net als de anderen doodgegaan; daarvoor was ze behoed. Op dat moment begon zich in haar hoofd een boeiend beeld te vormen van het noodlot, lotsbestemming en vergelding. Als ze niet puur bij toeval, maar om een bepaalde reden het slachtoffer was geworden, dan leefde ze nu ook nog steeds om een bepaalde reden. Dan droeg ze haar stigmata om een bepaalde reden op haar lichaam. Dan droeg ze de middelen om deze kwaadaardige kracht te vernietigen ook in zich mee. In zekere zin was zij de wrekende gerechtigheid. En ook dat was een lotsbestemming.
Ze vertelde dit alles niet aan Laura; net als de ware aard van de wolk of luchtbel in haar hoofd zou ook dit moeilijk onder woorden te brengen zijn.

Bovendien was ze er in het begin zelf ook niet helemaal van overtuigd. Het idee kwam niet als een volledig ontwikkelde theorie bij haar op, zoals Pallas Athena uit het hoofd van Zeus was gestapt, maar kreeg allengs vastere vorm. Het was iets waar ze in de lentemaanden mei en juni veel over nadacht terwijl ze oude romans herlas, zich door Julian van Norwichs *Revelations of Divine Love* worstelde en erover nadacht bij welke universiteit ze zich zou inschrijven en op welke studie ze zich zou richten. Het was waarschijnlijk het best om zich bij verschillende universiteiten aan te melden, was haar conclusie – in het noorden, bijvoorbeeld, want Sarah had voorgesteld dan samen een flat te delen, en ook in Bath en Bristol, waar de voorkeur van haar ouders naar uitging. Wanneer het dan eenmaal zover was, zou ze wel zien hoe ze zich voelde en aan de hand daarvan haar keus bepalen.
Aan het begin van juni eiste de man die nu in de media werd aangeduid als 'de studentenslachter' opnieuw een slachtoffer: Kim Waterford, een tengere brunette met lichtjes in haar ogen die zelfs de armzalige kwaliteit van de krantenfoto niet kon doven. Nou, maar de man was daar dus wel in geslaagd. Nu waren haar ogen dof en levenloos als die van een dode vis. Kirsten plakte de foto en artikelen in haar plakboek, en stortte zich nog intensiever op haar oefeningen in zelfhypnose.
Op een prachtige dag aan het eind van juni, toen Bath opnieuw was volgelopen met toeristen en onder het halfopenstaande raam lachende mensen in klotsende bootjes op de Avon voorbijvoeren, bood Laura Kirsten aan het eind van hun sessie glimlachend een sigaret aan en ze zei: 'Volgens mij hebben we bereikt wat we samen konden bereiken. Als je me nodig hebt, weet je me te vinden. Je kunt me altijd bellen, dat weet je. Ik denk alleen dat je het vanhier af verder alleen moet doen.'
Kirsten knikte. Dat wist ze al.

43
Susan

Met de weekendtas nog altijd opgerold in de plastic tas, die ze in haar hand hield geklemd, keerde Sue die middag terug naar de winkels om een paar pond van haar snel slinkende geldvoorraad te besteden aan een donkergrijze broek en een blauw windjack met een rits van Marks & Spencer. Ze was vrij lang voor de spiegel in het toilet in de weer met make-up om hier en daar een ander accent aan te brengen en kwam tot de ontdekking dat ze de pruik in een paardenstaart naar achteren kon binden zonder dat haar eigen haar vrijkwam. Haar bril paste ook prima bij haar nieuwe kleding. Nu ze er weer net iets anders uitzag, zouden de mensen die haar onopvallende verschijning wellicht hadden opgemerkt haar niet meer herkennen. Ze was niet langer het saaie, nuffig geklede 'keurige meisje' in een regenjas; ze was evenmin het kortharige, jongensachtige meisje in spijkerbroek en geruit overhemd. Ze leek nu een vakantieganger die even aan het gezelschap van haar ouders was ontsnapt. De nieuwe kleding was ook geschikt om mee door het bos te lopen en vandaar uit de fabriek in de gaten te houden, mocht het zover komen.

Ze ergerde zich aan de weekendtas. Toen ze bij Saltwick Nab aankwam, was ze tot de ontdekking gekomen dat het geen eb was, maar net vloed begon te worden. Ze zou dus later op de avond moeten terugkomen, of anders kon ze het ding misschien wel vanaf West Cliff of een andere plek in de omgeving naar beneden gooien. Alleen liepen daar altijd vrij veel mensen rond. Straks zag iemand haar nog. Ze propte de regenjas en het regenkapje samen met de rest van de spullen in de weekendtas, en bracht hem terug naar haar kamer. Hij kwam toch wel van pas nu ze nog meer spullen moest lozen.

Ze dacht vaak aan Keith, die nu met slangetjes en naalden in zijn lijf in dat ziekenhuis in Scarborough lag, precies zoals zijzelf een jaar geleden ook in het ziekenhuis had gelegen. Ze had het plan om te proberen bij hem te komen uit haar hoofd gezet – hij werd ongetwijfeld streng bewaakt en ze was er niet zeker van dat ze het in koelen bloede kon doorzetten – maar ze bleef er wel

over piekeren. Misschien zocht de politie haar op dit moment wel. Des te meer reden om op te schieten.
Om kwart voor vijf wipte ze even bij Rose's Café naar binnen. De blondine met het vlassige haar achter de tapkast toonde totaal geen belangstelling voor haar, alleen voor haar geld toen ze betaalde. Sue moest te weten zien te komen wat de werktijden van de man waren. Wanneer kon ze hem weer lopend in zijn eentje in het donker aantreffen? Wanneer bezorgde hij de bestellingen? Wanneer sliep hij? Ze ging ervan uit dat hij die dag 's ochtends een bestelling had afgeleverd, of anders de avond ervoor al op pad was gegaan en een nacht was weggebleven. In het laatste geval bestond er een kans dat hij die avond thuis zou zijn. Het irriteerde haar dat ze geen zekerheid had. Ze kon het aan niemand vragen. De chauffeurs werkten ongetwijfeld op onregelmatige tijden, vertrokken zodra er een lading gereed was en vielen soms ook in voor vrienden die ziek waren of te lang achter het stuur hadden gezeten. Ze kon hen alleen maar blijven gadeslaan en ze wist niet hoeveel tijd ze nog had.
In de twee daaropvolgende dagen werd het weer steeds beter, hoewel het fris bleef. Sue hing vrijwel continu rond op het terrein rond de fabriek. Ze had de hele tijd het gevoel dat ze over haar schouder uitkeek naar de politie, uit angst dat ze in de gaten werd gehouden, terwijl zijzelf juist degene was die anderen in de gaten hoorde te houden. Ze las elke ochtend gretig de kranten, maar die vermeldden niet langer hoe Keith eraan toe was of hoe het politieonderzoek ervoor stond. Hoewel ze af en toe nog steeds last had van nervositeit en paranoia, putte ze moed uit het feit dat er niets was gebeurd. Hun aanwijzingen vormden zeker een dood spoor, want anders hadden ze haar toch allang opgespoord? Niets kon haar nu nog tegenhouden. Ze zou slagen. Haar taak was heilig.
Ze hield zich gedeisd in Rose's en The Brown Cow, maar merkte dat ze, nu ze de juiste man in het vizier had, zijn gedrongen, donkere gedaante ook vanuit het bos ten noorden van de fabriek herkende. Ze bezocht ook een andere pub, die The Merry Monk heette en aan de zuidkant van de goedkope woonwijk stond, en ontdekte dat ze door een van de kleine ramen in een donker hoekje nog net zijn cottage aan het eind van de rij aan de overkant van het braakliggende terrein kon zien liggen. Zoals ze al had verwacht, kwam en ging hij op onregelmatige tijden, en voor zover zij kon zien, woonde hij daar alleen. Zodra de gelegenheid zich voordeed, moest ze die zonder enige aarzeling aangrijpen.
Om te beginnen wilde ze dat hij wist dat ze hem had gevonden. Wanneer ze hem uiteindelijk de dood in lokte, wilde ze dat hij wist wie het deed en waarom. Hij zou erom vragen. Ze moest dat echter voor elkaar zien te krijgen zonder zichzelf in gevaar te brengen. Hoewel ze deze keer vrij zeker van haar

zaak was, wilde ze na haar vorige vergissing toch meer zekerheid hebben. Ze wilde bewijs. Als ze weer een onschuldige man in deze omgeving ombracht of verwondde, zou de kans op succes bijna nihil zijn. Terwijl ze hem gadesloeg, vormde zich langzaam maar zeker een plan in haar hoofd.
Toen ze op de tweede surveillancedag om vijf over halfzes vanuit Rose's Café op weg terug was naar de stad, botste ze bijna tegen hem op. Hij kwam haar tegemoet en liep in de richting van de fabriek. Ze wendde haar gezicht af, maar had heel even durven zweren dat hij haar had gezien. Hij wist niet wie ze was – een blik van herkenning zou haar als een elektrische schok hebben getroffen –, maar bracht haar misschien wel in verband met de vrouw die hij een dag eerder in de tabakswinkel had gezien. Maar misschien keek hij wel zo naar alle vrouwen, omdat hij nu eenmaal was wie hij was. Sue liep haastig met gebogen hoofd verder en hield pas aan het eind van de straat haar pas in. Verdekt opgesteld achter de muur van het hoekhuis zag ze hem in de verte bij de laadplekken praten met een man in een witte overjas met een Trilby-hoedje op, waarschijnlijk een voorman, die hem een paar papieren overhandigde. De man stapte vervolgens in zijn bestelbusje en reed weg.
Sue wandelde verder over het pad. Een paar tellen later reed hij haar voorbij en toen sloeg hij rechts af naar het kruispunt met de doorgaande weg naar Scarborough. Dat wilde natuurlijk niet zeggen dat hij ook naar Scarborough onderweg was, want het was gewoon een van de routes om de stad uit te komen en hij kon ook op weg zijn naar York of het gebied rond Leeds. Eén ding stond echter vast: hij was weg voor zijn werk en zou voorlopig niet thuiskomen. Sue liep op een drafje naar de doorgaande weg, maar hij was nergens meer te bekennen. Ze wandelde een stukje over de stoep in noordelijke richting en keerde toen terug via het zandpad, dat uiteindelijk met een boog langs zijn cottage voerde.
Toen Sue naar de cottage toe liep, bonkte haar hart in haar keel. Omdat ze over het braakliggende terrein naderde, kon ze niet uit een van de andere huizen in het rijtje worden gezien. Gelukkig stonden er aan de andere kant van de weg geen gebouwen, alleen het met struikgewas overdekte stuk grond dat omhoogliep naar de goedkope woningwijk. Ze kon wel door het raampje in de pub worden gezien, maar het was nog te vroeg op de avond voor klanten en er was geen enkele reden dat iemand die nu al voor een pint en een kletspraatje in The Merry Monk was de moeite zou nemen om uitgerekend uit dat ene raam naar buiten te kijken, ook al omdat dit inhield dat hij het gordijn een stukje opzij moest schuiven. En áls iemand dat al deed, zou de aanblik hem toch niets zeggen.
Ze had nog overwogen te wachten tot het donker was, maar dat betekende dat ze een zaklamp nodig had en dat bracht weer het risico met zich mee

dat ze misschien werd gezien. Nee, het was beter zo: onzichtbaar naderen op een tijdstip waarop de meeste mensen druk bezig waren het avondeten klaar te maken. Het was haar eerder al opgevallen dat hij de gordijnen dicht liet wanneer hij weg was; daardoor zou iemand die toevallig langs liep haar niet kunnen zien, maar had zij wel voldoende licht om rond te snuffelen.

Aan de kant van het huis dat grensde aan het braakliggende stuk grond zat maar één raam en dat zat zo hoog dat ze er niet bij kon. Aan de achterkant was een keuken aangebouwd die haar onttrok aan het zicht van de buren, en de aanbouw zag er veelbelovend uit. De achterdeur was stevig en zat op slot, en het raam met het dichtgetrokken gordijn dat waarschijnlijk toegang gaf tot de woonkamer of de eetkamer was zo te zien ook niet eenvoudig open te krijgen. Het keukenraam was een ander verhaal. Het hout was oud en de opengeschoven grendel was al een hele tijd geleden in die open stand geverfd. Sue zette de muis van haar handen tegen de dwarsbalk en duwde. Eerst gebeurde er niets en ze was bang dat het raam misschien ook was dichtgeverfd. De verf aan de buitenkant zat echter vol barsten en bladderde af, en al snel schoof het raam ratelend naar boven. Toen ze een opening had gemaakt die ruim genoeg was om doorheen te kruipen, bleef Sue even staan, maar er gebeurde niets; niemand had haar gehoord. Ze klom behendig over het aanrecht in de keuken en deed het raam achter zich dicht. Haar handpalmen waren pijnlijk en bezweet van de inspanning.

Ze had geen flauw idee wat ze eigenlijk had verwacht – misschien wel muren vol bloedspetters, aan een spies geregen hoofden of agressieve rode graffiti op witgeverfde muren: 666 en DOOD AAN DE HOEREN –, maar ze was in elk geval totaal niet voorbereid op de alledaagse uitstraling van het huis. Het enige raam waar geen gordijn voor hing, was het raam waar ze zojuist doorheen was geklauterd en daar viel vrij veel licht door naar binnen. Alles stond keurig op zijn plek; de vaat stond te drogen in het droogrek; de glazen en borden glansden als nieuw. Het aanrecht was eveneens glimmend schoon en de keuken rook naar afwasmiddel met citroen. Een koelkast waarin ze zichzelf weerspiegeld zag bromde zacht; op een plank boven de eettafel stonden blikken soep en spaghetti netjes in het gelid en op een placemat midden op de tafel stonden zout en peper. Zelfs het kleine fornuis was brandschoon.

De woonkamer, waar het licht van buiten zachtblauw door de dunne gordijnen naar binnen sijpelde, was al even netjes. In een rek naast de open haard stonden tijdschriften met de hoeken en bladzijden zo netjes tegen elkaar gezet dat het net een massief blok leek met de omvang van een telefoongids. Boven de schoorsteenmantel hing een pijpenrek en de lucht geurde bitter naar oude rook. In de hoek bij het raam stond een televisie op een tafeltje met op de plank eronder een videorecorder en daarnaast een gebeitst houten rek

voor videobanden – en nergens was ook maar één stofje te bekennen. Waar zou deze man naar kijken, vroeg Sue zich af. Pornografie? Snuff movies?
Toen ze de video's bekeek, zag ze dat die vrij gewoon waren. Hij had ze allemaal met een duidelijk handschrift gelabeld en de meeste bevatten opnamen van recente televisieprogramma's die hij waarschijnlijk had gemist omdat hij op pad was met zijn busje: een paar afleveringen van *Coronation Street*, ongetwijfeld opgenomen terwijl hij ergens een bestelling afleverde, een natuurprogramma van BBC2, een paar Amerikaanse politieseries en twee films die van een plaatselijke videotheek waren gehuurd: *Angel Heart* en *Fatal Attraction*. Niet direct *Mary Poppins*, maar ook beslist geen hardcore porno.
Voor de haard stond een oude bank met kanten antimakassars om de beige bekleding te beschermen en daarnaast in een hoek van negentig graden een bijpassende leunstoel. Net als de rest van het huis was de kamer klein en brandschoon, en voor zover Sue in het gedempte licht kon zien, waren de muren lichtblauw geverfd in plaats van behangen. Het enige wat haar een beetje vreemd voorkwam, was dat er nergens foto's en persoonlijke spulletjes te zien waren. De schoorsteenmantel was leeg, evenals het stevige eikenhouten dressoir en de muren.
Bij de keukendeur stond wel een kleine boekenkast. De meeste boeken gingen over lokale geschiedenis, waaronder een paar flinke, geïllustreerde exemplaren, en de enige romans waren tweedehands pockets of megasuccessen van Robert Ludlum, Lawrence Sanders en Harold Robbins. Beda's *Historia* stond er uiteraard ook tussen. Sue haalde de oude paperback uit de kast en zag dat hij aardig beduimeld was. Eén alinea was nadrukkelijk onderstreept. Sue huiverde en zette het boek vlug terug.
De bovenverdieping onthulde weinig nieuws over de eigenaar van de cottage. In de badkamer blonken de kranen, knoppen en wasbak haar als nieuw tegemoet, en in het medicijnkastje stonden verschillende soorten pillen, drankjes en zalfjes stram in de rij als soldaten in de houding. Er was maar één slaapkamer: die van hem. Het bed was opgemaakt met gele nylon lakens en de laden en kasten bevatten slechts gestreken overhemden, een paar colbertjes, één gestoomd pak en keurig opgevouwen ondergoed en sokken. Het huis bezat totaal geen persoonlijkheid. Was hij echt de man die ze zocht? Er moest toch minstens één aanwijzing te vinden zijn, afgezien van het boek?
Sue ging terug naar beneden om te kijken of ze een kelderdeur kon vinden, maar zag niets. Misschien was dat maar goed ook, dacht ze bij zichzelf. Ze was toch al zo nerveus omdat ze hier nu was; ze wist niet hoe ze zou reageren als ze in de kelder een lijk aantrof. Doe toch niet zo dwaas, hield ze zichzelf toen voor, dat is puur van de zenuwen. Hij nam de lijken heus niet mee naar huis. Ze deed de deur van het dressoir open en vond daar een kleine hoeveelheid

port, sherry en brandy, evenals glazen in verschillende soorten en maten. In een van de bovenste laden lagen alledaagse zaken die je nu eenmaal nodig hebt in huis: smeltdraad, touw, kaarsen, lucifers, een zakmes, reserveveters en potloodstompjes.
Toen ze de tweede lade opentrok, stokte Sues adem haar in de keel.
Daar, keurig op een rij op het vale behang met rozenpatroon waarmee de la was bekleed, lagen zes lokken haar, elk omwikkeld met een roze lint. Zes slachtoffers, zes haarlokken. Sue werd duizelig. Ze moest zich omdraaien en steun zoeken bij de rugleuning van de stoel. Toen ze het draaierige, misselijke gevoel had teruggedrongen, keerde ze zich weer om en nam ze de aanblik in zich op die in al zijn eenvoud en alledaagsheid gruwelijk op haar overkwam. Geen al te groteske aandenkens voor de man: geen afgerukte borsten, oren of vingers, maar zes simpele lokken haar, keurig op een rij op een stuk vaal behang met rozenpatroon. Iets dieper weggestopt in de la lagen een schaar, een rol roze satijnen lint en een lang mes met een versleten benen handvat en een glanzend roestvrijstalen lemmet.
Sues aandacht ging vooral uit naar het haar. Zes lokken. Een blondine, drie brunettes, twee roodharigen. Ze stak een hand en streelde ze, zoals ze een kat zou aaien. Ze wist er zelfs de juiste namen bij. Een van de rode lokken, de donkerste, was van Kathleen Shannnon, de blonde van Margaret Snell, het krullende bruine haar was van Kim Waterford, en de steile zwarte streng was van Jill Sarsden. Dat van Sue lag er niet bij. Dat kwam natuurlijk doordat hij bij zijn werk was gestoord en er nog niet aan toe was gekomen een pluk af te snijden, bedacht ze. Dat was vast en zeker het laatste wat hij deed: een souvenir meenemen. De politie had er overigens nooit iets over gezegd – wat inhield dat ze het niet wisten of dat ze die informatie achterhielden om naapers te kunnen onderscheiden, als controlemiddel bij valse bekentenissen en, uiteraard, om een oprechte bekentenis, mocht die er ooit komen, te staven.
Nou, dacht Sue bij zichzelf, dit was een foutje dat ze gemakkelijk kon herstellen. Ze schoof haar pruik naar achteren, pakte de schaar en knipte voorzichtig een lok van ongeveer vijf centimeter af, even lang als de rest. Ze bond er netjes een stuk lint omheen en legde hem in de rij bij de andere.
Zo, dacht ze vergenoegd bij zichzelf, nu maar wachten tot hij dit ontdekt. Ze was ervan overtuigd dat hij elke dag bij zijn aandenkens zat te kwijlen, en wat een schok zou het zijn wanneer hij de extra haarlok daar aantrof. Daardoor zou hij waarschijnlijk niet alleen beseffen dat iemand hem op het spoor was, maar vermoedelijk ook wie dat was. En dat was precies wat Sue wilde.
Afgezien van Sues bonzende hart was het helemaal stil in huis, maar toch voelde ze zich niet op haar gemak. Het werd tijd om te vertrekken, voordat hij terugkwam. Ze schoof de lade dicht en liep snel terug naar het keukenraam.

44
Kirsten

Die zomer maakte Kirsten lange, sombere wandelingen in het bos en roekeloze autotochten over het platteland. Tegen het eind van het studiejaar, rond hetzelfde tijdstip waarop ze een jaar eerder was aangevallen, vond de moordenaar zijn zesde slachtoffer – het vijfde dat het niet overleefde – in een rustige studente verpleegkunde uit Halifax die Jill Sarsden heette. Kirsten plakte zoals gebruikelijk de foto en informatie in haar plakboek.

Thuis gedroeg ze zich alsof er niets aan de hand was. De donkere wolk zat haar nog steeds dwars, en veroorzaakte zware hoofdpijnen en depressieve buien die ze maar met moeite kon verbergen. Ze slaagde er echter wel in dokter Craven ervan te overtuigen dat ze sinds de behandeling was gestopt uitstekend vooruitging, en de mening van de dokter stelde op haar beurt haar ouders weer gerust. Als ze soms stil en teruggetrokken was – tja, dan was dat alleen maar te verwachten. Haar ouders wisten dat ze altijd al op haar rust en privacy gesteld was.

Ze oefende elke avond op haar kamer zelfhypnose, maar kwam geen stap meer verder. De aanwijzingen die ze in het boek had gevonden, waren niet moeilijk: rol je oogballen zo ver mogelijk naar boven, doe je ogen dicht, haal diep adem, ontspan vervolgens je ogen en adem uit; je voelt dan dat je zweeft. Ze had bij wijze van oefening zelfs op pijnlijke herinneringen van vroeger teruggegrepen – die keer toen ze op haar zesde met haar vinger klem had gezeten tussen de deur; de dag dat ze van haar fiets was gevallen en haar arm moest worden gehecht – maar ze kwam gewoon niet voorbij de geur van vis zonder te worden overspoeld door blinde paniek.

Op een warme, zonnige dag aan het eind van juli reed ze een dorpje in de Cotswolds in om iets fris te drinken. Toen ze naar de auto terugliep, viel haar blik op een kunstnijverheidswinkeltje in een oude cottage en ze besloot er even een kijkje te nemen. De cottage was aan de achterkant uitgebreid en gedeeltelijk verbouwd tot een glasblazerij. Kirsten keek als betoverd toe hoe zich tere, breekbare voorwerpen vormden uit het vloeibare glas aan het uiteinde van de pijp. Toen ze na afloop in het winkeltje rondkeek, ontdekte ze een rij massieve glazen presse-papiers met een kleurrijk, abstract patroon erin, net als die in Laura's kantoor. Die met het rozenpatroon sprak haar het meest aan; ze kocht hem en woog het gladde, koele voorwerp tevreden in haar hand. Opeens kreeg ze een idee.

Die avond bereidde ze zich zoals gewoonlijk in haar kamer met ademhalingsoefeningen en ontspanningsoefeningen voor al haar spieren voor op zelfhypnose. Toen ze klaar was, nam ze plaats aan het bureau, waarop de presse-papier tussen twee kaarsen lag en het schijnsel kronkelend tussen de gebogen knalrode blaadjes opzoog. Het boek zei dat er heel veel manieren van zelfhypnose bestonden en ze had de methode gekozen die het effectiefst zou zijn. Misschien kwam het door de overeenkomst met de eerdere sessies bij Laura of doordat de presse-papier zelf iets bijzonders had, maar Kirsten merkte in elk geval dat deze methode veel beter werkte. Hoewel de eerste poging geen grote doorbraak vormde, kreeg ze heel sterk het gevoel dat ze snel zou vinden wat ze zocht, zolang ze maar volhield.

Een week later was het zover. Ze had zichzelf steeds verder teruggebracht in de tijd vóór de aanval en daarvandaan langzaam naar het heden toegewerkt. Deze keer begon ze bij de voorbereidingen die ze die avond had getroffen: een lang bad, de citroenfrisse geur van schone, comfortabel zittende kleding, de leuke wandeling naar The Ring O'Bells met Sarah. Zoals altijd trok ze zich bij de vettige lap en de visgeur terug, maar deze keer hoorde ze wel zijn stem. Niet alle woorden – alleen wat brokstukken over een 'schim' en een 'lied der verwoesting' – maar het was voldoende. Door haar opleiding in taalkunde en dialecten kon Kirsten het accent zonder enige moeite plaatsen.

Toen ze wakker werd uit de lichte trance, bonsde haar hart wild en had ze het gevoel dat ze zojuist in een ijskoud bad was gegooid. Ze ademde rustig diep in en uit en schonk een glas water voor zichzelf in. De schorre stem galmde nog na in haar hoofd. Hij kwam uit Yorkshire. Helemaal zeker wist ze het niet, maar ze dacht niet dat hij een stads accent had of de platte uitspraak van de Dales of het heidelandschap in het Penninisch gebergte. Ze voegde deze informatie bij de zilte geur van vis die aan zijn vingers en handpalmen had gekleefd, en besefte dat hij afkomstig moest zijn van de kust van Yorkshire – een toeristische kustplaats of misschien een vissersdorp. Hoe langer ze erover nadacht, hoe vaker ze de stem in haar hoofd afdraaide en terugdacht aan haar lessen, des te meer ze hiervan overtuigd was.

Ze sprong op en griste haar oude schoolatlas van de boekenplank. Voor zover ze kon zien, strekte de kustlijn zich uit van de regio rond Bridlington Bay in het zuiden tot vlak bij Redcar in het noorden. De grenzen van de graafschappen vormden echter geen betrouwbare leidraad, ook al omdat ze in de jaren zeventig grondig waren herzien. Ze had niet het idee dat hij uit het noorden kwam, uit Middlesbrough bijvoorbeeld, waar Northumbrische klanken met de plaatselijke spraak waren verweven, maar durfde de regio Humberside in het zuiden tot aan de monding van de Humber niet af te strepen. Er bleef dus ruim honderdvijftig kilometer kust over. Zinloos, dacht ze bij zichzelf. Zelfs als ze het bij het rechte eind had, zou ze hem in zo'n uitgestrekt gebied toch nooit vinden. Ze smeet de atlas op de vloer en liet zich op haar bed vallen.

De volgende dag paste ze de nieuwe zelfhypnosetechniek nogmaals toe en hoorde ze opnieuw de stem, de platte klinkers en afgebeten medeklinkers. Deze keer was er iets met de woorden, iets wat ergens heel diep in haar hoofd een belletje deed rinkelen. Hoe hard ze ook haar best deed, ze kwam er maar niet achter waar ze ze van kende. Het was een citaat uit een gedicht of een lied of zoiets. Ze had ergens gelezen dat moordenaars tijdens hun werk soms praten en vaak iets uit de Bijbel citeren. Deze tekst kwam volgens haar echter niet uit de Bijbel. Hij had iets gezegd over 'een feest verlaten' omdat iemand hem vroeg een lied te zingen en hij dat niet kon. Ze kende de woorden; ze had die tijdens haar studie al eens gehoord, maar kon zich niet meer herinneren in welk verband.

Die nacht sliep ze slecht, opgejaagd door de flarden van zijn zinnen en de rasperige klank in zijn stem, maar ze had 's ochtends niet het idee dat ze haar doel dichter was genaderd. Ze kon niet zeggen of ze er iets mee zou opschieten, maar ze moest en zou weten wat hij precies had gezegd. Ze moest er goed over nadenken, ermee aan de slag. De bron was oud – zo te horen van vóór de renaissance – en dat duidde waarschijnlijk op een tekst uit de middeleeuwse literatuur. In die tijd zongen en feestten mensen voortdurend. Er zat maar één ding op: ze moest lezen.

Dus zette ze zich op warme dagen in de tuin aan de middeleeuwse literatuur: Sir Gawain, Chaucer, Piers Plowman, verzamelbundels met religieuze liedteksten. Tevergeefs. Het enige wat haar inspanningen haar opleverden, was het akelige gevoel dat je een citaat zoekt dat op het puntje van je tong ligt, maar dat je gewoon niet kunt plaatsen, of de frustratie die het zoeken van een citaat van Shakespeare met zich meebrengt, omdat je je maar niet herinnert uit welk stuk het komt. Vanbuiten leek het goed te gaan met Kirsten: ze bereidde zich voor op haar terugkeer naar de universiteit en was optimistisch over haar toekomst. Ze vertelde haar ouders zelfs dat ze de hersteloperatie overwoog die volgens de arts mogelijk was. Inwendig streden woede en frustratie echter om voorrang.

Op een zonnige dag aan het eind van augustus zat ze onder de rode beuk in de achtertuin, waar het bijna bladstil was. Ze had de middeleeuwse litera-

tuur als bron opgegeven en was nog verder teruggegaan in de tijd, naar de Angelsaksen die ze in haar eerste jaar had bestudeerd. Tot dusver had ze de vertaling doorgenomen van *Beowulf* en 'The Seafarer', en inmiddels was ze begonnen aan Beda's *Historia ecclesiastica gentis Anglorum*. Het was een oude vertaling die ze in een tweedehandsboekwinkel had gekocht, omdat ze was gevallen voor de versleten blauwe band, de vergulde randen van de bladzijden en de aangename, stoffige geur die haar aan de plaatselijke bibliotheek deed denken. Op het schutblad stond in vervaagde, koperkleurige inkt geschreven: 'Voor Reginald, Liefs van Elizabeth, oktober 1939. Moge God met je zijn.'
Ondanks het bloemrijke taalgebruik van de vertaler vond ze de eerbiedwaardige Beda hier veel menselijker klinken dan de meeste van zijn strikte collega's uit de vroege Kerk, en ze zag al voor zich hoe hij zich in de stormachtige Northumbrische winters die hij in zijn eentje op het eenzame eiland Lindisfarne doorbracht over geïllustreerde manuscripten had gebogen. Op ongeveer tweederde van het boek stuitte ze op een fragment over de 'eerste' Engelse dichter, Caedmon, die niet kon zingen. Zodra er tijdens het avondeten een harp rondging en iedereen een lied moest bijdragen, sloop Caedmon altijd stiekem weg.
Toen hij op een avond het feest verliet om de paarden in de stallen te verzorgen, kreeg hij een visioen waarin een man naar hem toe kwam die zijn naam uitsprak en hem verzocht te zingen. Caedmon sputterde tegen, maar de vreemdeling schonk geen aandacht aan zijn smoezen. 'Toch zult ge voor mij zingen,' hield hij vol. Toen Caedmon vroeg waarover hij dan moest zingen, antwoordde de man: 'Eer de Schepping.' Daar putte Caedmon inspiratie uit.
Het kwam niet als een donderslag bij heldere hemel, maar tijdens het lezen was het alsof de donkere wolk die zich na de aanval in Kirstens hoofd had genesteld plotseling oploste. Naast haar eigen geluidloze stem hoorde ze een tweede stem die met haar meelas en de woorden van Beda op een walgelijke manier verdraaide: 'En ziet, ik vroeg: "Waarover zal ik zingen?" en de schim zei: "Zing over verwoesting."' Het was het verhaal dat hij haar had verteld toen hij die avond in het park op haar in sloeg en haar openreet. De zomerse tuin om haar heen verdween in een dichte mist, als een plek die door een vettige lens is gefilmd, en haar boek gleed op het gras. Ze haalde heel diep adem en deed haar ogen dicht. Nabeelden van het zonlicht en de bladeren dansten nog even aan de binnenkant van haar oogleden en toen doken de herinneringen ongevraagd op.
Ze zag zijn gezicht in de schaduw, en terwijl hij de geur van vis over haar lippen en neusgaten verspreidde, verlichtte de maan die over zijn schouder scheen een gegroefde wang. Hij propte een vettige lap in haar mond en ze werd meteen misselijk. Toen begon hij haar te slaan, links en rechts in haar

gezicht, en vertelde hij met die schorre, eentonige stem van hem dat hij op een avond het 'feest der hoeren' had verlaten en een visioen had gekregen van 'de schim' aan wie hij zijn impotentie had opgebiecht. De schim, zei hij, had hem de kracht geschonken om tegen vrouwen te zingen. Dat was wat hij met zijn mes deed: hij zong tegen haar, precies zoals die oude dichter uit zijn woonplaats die onverwacht op latere leeftijd de gave van het dichten had ontvangen.
De beelden hielden aan. Ze kon zich nu met gemak elk pijnlijk moment dat ze bij bewustzijn was geweest voor de geest halen. Toen het ondraaglijke beeld van het lemmet dat glinsterde in het maanlicht opdook, trok ze zich echter terug en werd ze happend naar adem wakker.
Nadat ze gretig de warme lucht had opgezogen en haar vingers over de gladde boombast had laten glijden om zichzelf in het hier en nu terug te brengen, schoot haar te binnen dat hij inderdaad had gezegd: 'Precies zoals die oude dichter uit mijn woonplaats.' Ze raapte het boek op en las dat Caedmon volgens Beda afkomstig was uit een plaats die Streanaeshalch heette. Dat was natuurlijk de Angelsaksische naam; Beda gebruikte vaak Romeinse of Saksische namen. Kirsten bladerde naar het register en had in een mum van tijd gevonden wat ze zocht: 'Streanaeshalch: *zie* Whitby.' Hij kwam dus uit Whitby. Het was allemaal volkomen logisch. Het paste precies in elkaar: de vissige geur, het accent en nu de verwijzing naar Caedmon, een dichter uit zijn woonplaats.
Hij had geen enkele reden om aan te nemen dat Kirsten de aanval zou overleven; dat zij haar bestaan voortzette, was niet zijn bedoeling geweest. Had hoofdinspecteur Elswick zich niet laten ontvallen dat hij had geprobeerd in het ziekenhuis bij haar te komen? Dat was dan zeker omdat hij bang was dat ze zich misschien zou herinneren wat hij tijdens zijn rituele, eentonige monoloog had gezegd. Na verloop van tijd, toen er niets gebeurde, had hij natuurlijk beseft dat ze haar geheugen kwijt was en dat hij zich geen zorgen hoefde te maken. Daarna had hij zijn missie vrolijk voortgezet en zijn lied gezongen tegen vrouwen via een mes in hun lichaam.
Nu wist ze dus alles. Wat moest ze doen? Om te beginnen liep ze op een holletje naar binnen om haar vaders oude AA-handboeken te zoeken. Hij bewaarde er meestal een paar bij de telefoongids in de la in de hal. Ze bladerde naar de kaarten achterin en zocht Whitby op. Dat lag aan de kust tussen Scarborough en Redcar, en zag er niet al te groot uit. Ze liet haar vinger langs de W's in het geografische register glijden: Whimple, Whippingham, Whiston – daar stond het: 'Whitby: inwonertal 13.763.' Groter dan ze had gedacht. Maar goed, als de man die ze zocht zulke ruwe handen had en naar vis rook, dan zou ze hem waarschijnlijk in de buurt van de haven of op een

van de boten aantreffen. Ze dacht dat ze hem wel zou herkennen, en nu kon de stem het bevestigen.
Bovendien werd ze bij haar zoektocht geholpen – Margaret, Brenda, Kim en de anderen – zij zouden niet toestaan dat ze faalde, niet nu ze zo ver was gekomen. Wat haar te doen stond, had iets heiligs; er was een reden waarom zij, als enige van hen allemaal, was gered. Zij was uitverkoren als wrekende gerechtigheid; het was haar lotsbestemming hem te zoeken en het tegen hem op te nemen. Ze zag hun ontmoeting zelf, wat er daadwerkelijk zou plaatsvinden, niet voor zich. Het moest op een open plek gebeuren en het moest 's avonds plaatsvinden, dat was het enige wat ze wist. Wat betreft de afloop: een van hen zou sterven.
Maar zelfs een wrekende gerechtigheid moet een plan bedenken en allerlei praktische zaken regelen, dacht ze wrang bij zichzelf. Het AA-handboek bevatte ook informatie over de afstand vanaf Londen, York en Scarborough, en marktdagen. Er was een aantal hotels in opgenomen, maar de meeste daarvan waren vermoedelijk te duur voor Kirsten. Dat deed er niet toe; ze kon altijd in Bath een regionale reisgids kopen met een lijstje van pensions.
Opgewonden en zenuwachtig bij het vooruitzicht van de jacht begon Kirsten aan de voorbereiding. Ze zou eerst bij Sarah langsgaan en vandaar uit naar Whitby reizen. Ze nam niet al te veel mee, alleen een handige weekendtas, een spijkerbroek, een paar shirts en iets om de klus mee te klaren. Het moest iets kleins zijn, iets wat ze in haar hand kon verbergen, want ze wist dat ze waarschijnlijk snel moest toeslaan.
Kirsten rilde bij de gedachte en begon aan zichzelf te twijfelen. Ze hield zichzelf voor wat ze allemaal had moeten doorstaan en overleven, en wat de reden daarvoor was. Ze moest sterk zijn; ze moest zich concentreren op praktische kwesties en erop vertrouwen dat intuïtie en het lot de rest voor hun rekening namen.
Twee dagen later had ze een reisgidsje van Whitby gekocht en aan Sarah geschreven, en vertelde ze haar ouders dat ze had besloten terug te gaan naar de universiteit in het noorden. Ze spraken allebei hun bezorgdheid en afkeuring uit, maar minstens even zwaar woog hun opluchting, omdat ze kennelijk haar lange depressie van zich af had geschud en had besloten de draad van haar leven weer op te pakken.
'Ik kan niet zeggen dat ik blij ben dat je weer weggaat,' zei haar vader met een bedroefde glimlach, 'maar ik ben wel blij dat je hebt besloten om te gaan. Begrijp je wat ik bedoel?'
Kirsten knikte. 'Ik zal best een lastpost zijn geweest. Ik was niet echt gezellig, hè?'
Haar vader schudde snel zijn hoofd om haar verontschuldiging weg te wui-

ven. 'Je weet dat je hier altijd welkom bent,' zei hij, 'en kunt blijven zo lang je wilt.'
Haar moeder zat er stijfjes bij en wrong haar handen op haar schoot in elkaar. Ze zal wel blij zijn dat ze van me af is, dacht Kirsten bij zichzelf, maar ze zal zo'n verschrikkelijke gedachte nooit bij zichzelf toegeven. Kirsten besefte dat haar moeders leven werd overschaduwd door de behoefte alle onplezierige zaken op een afstand te houden, een goede indruk te maken op de buren en de grenzen van haar afgesloten, beperkte wereldje uit alle macht te handhaven.
'Ik was van plan er voor het begin van het nieuwe semester alvast naartoe te gaan om een beetje te wennen. Ik denk dat het me goed zal doen om er weer eens op uit te trekken. Misschien gaan Sarah en ik wel wandelen in de Dales.'
'De Yorkshire Dales?' zei haar moeder.
'Ja. Hoezo?'
'Nu ja, schat, ik weet eigenlijk niet of dat wel een geschikte omgeving is voor een welopgevoed meisje als jij. Het is daar ontzettend... ontzettend grauw en modderig, heb ik gehoord, en bijzonder onbeschaafd. Ik weet niet eens of je wel de juiste kleding hebt voor zo'n uitje.'
'Ach, mam,' zei Kirsten, 'wat ben je toch een snob.'
Haar moeder snoof. 'Het gaat me er alleen maar om dat jij je prettig voelt, lieverd. Ik geloof best dat die vriendin van je gewend is aan zo'n... primitief leven, maar dat geldt niet voor jou.'
'Mama, Sarahs ouders bezitten half Herefordshire. Ze is niet half zo primitief als jij kennelijk denkt.'
Haar moeder staarde haar niet-begrijpend aan. 'Ik weet niet wat je daarmee wilt zeggen, Kirsten. Een goede afkomst verloochent zich niet. Dat is het enige wat ik erover kwijt wil.'
'Nou, ik ga toch. Punt uit.'
'Ja, natuurlijk ga je,' zei haar vader met een bemoedigend klopje op haar knie. 'Je moeder is alleen een beetje bezorgd over je gezondheid. Let erop dat je genoeg warme kleding meeneemt, en een paar stevige wandelschoenen. En blijf op de paden.'
Kirsten lachte. 'Jij bent bijna net zo erg,' zei ze. 'Je zou haast denken dat ik naar de Noordpool ga of zoiets. Het is maar een paar honderd kilometer naar het noorden, hoor, niet een paar duizend.'
'Daar gaat het niet om,' zei haar vader. 'Het landschap kan daar erg verraderlijk zijn en het regent er ontzettend vaak. Doe voorzichtig, dat is alles wat ik van je vraag.'
'Maak je geen zorgen, ik zal heel voorzichtig zijn.'
'Wanneer vertrek je?' vroeg hij.
'Nou, ik moet eerst wachten tot ik iets van Sarah hoor en zeker weet dat ze

plek voor me heeft en vrij kan krijgen, maar ik wilde eigenlijk zo snel mogelijk gaan.'
'Kom je nog terug voordat het semester begint?'
'Jazeker. Dat is pas begin oktober. Ik moet mijn boeken en zo nog ophalen. Ik hoop eigenlijk dat ik daar eerst een flat kan vinden. Misschien kunnen Sarah en ik er een delen.'
'Vind je dat nu wel verstandig?' vroeg haar moeder.
'Het is in elk geval beter dan ergens in mijn eentje zitten.'
Daar kon haar moeder niets tegen inbrengen.
'Zo,' zei haar vader, 'je gaat dus het grote avontuur tegemoet. Mooi, ik ben echt blij voor je. Je hebt vast wel in de gaten gehad dat er momenten zijn geweest dat je moeder en ik... dat we... we niet wisten wat de toekomst in petto had.'
'Het gaat heel goed met me, pap,' zei Kirsten. 'Heus.'
'Ja, natuurlijk. Ga je nog bij dokter Masterson langs wanneer je daar toch bent? Om te praten over... je weet wel?'
Kirsten knikte. 'Dat denk ik wel,' zei ze. 'Het kan immers geen kwaad om hem ernaar te vragen, hè?'
'Nee, dat lijkt mij ook niet. Ik ben bang dat ik je niet kan wegbrengen. We zijn momenteel met een heel belangrijk project bezig en ik kan niet zomaar vrij nemen. Misschien kun je een huurauto...'
'Dat geeft niet,' zei Kirsten. 'Ik was van plan met de trein te gaan. Ik moet toch een keer leren op eigen benen te staan.'
'Uitstekend, zolang het idee je maar niet tegenstaat. Je zult wel geld nodig hebben, hè?' zei hij, en hij liep naar het dressoir om uit de bovenste la aan de rechterkant zijn chequeboekje te pakken.

45
Susan

Sue wist vrij gemakkelijk ongezien uit het huis weg te sluipen en vierde haar allereerste inbraak met kalfsoester, knoflookbrood en een fles chianti in het dure restaurant aan New Quay Road. Daarna ging ze even bij haar kamer langs en vervolgens wandelde ze ongeveer anderhalve kilometer langs de kust om de weekendtas, die ze had verzwaard met grote kiezels, in de zee te gooien. Ze zag dat het water hem eerst terugwierp, maar toen meezoog en opslokte. Mocht hij ergens aanspoelen, dan zou niemand er belangstelling voor hebben, dacht ze bij zichzelf.

Het werd tijd om de laatste fase van haar plan in werking te stellen. Laat hem eerst maar een beetje in paniek raken.

Dat gebeurde ook. Toen Sue hem op de dag nadat ze in zijn cottage had ingebroken zag lopen, was hij met een gekwelde blik en in gedachten verzonken op weg naar zijn werk. Het regende, en hij had zijn handen diep in zijn zakken gestoken en zijn hoofd gebogen, maar zijn glinsterende ogen namen de straat en de ramen van de huizen om hem heen op. Hij zag haar ongetwijfeld zitten voor Rose's Café, vermoedde Sue, maar zijn ogen vlogen over haar heen zoals ze dat met alles en iedereen deden. Hij was zenuwachtig, gespannen, alsof hij verwachtte dat hij elk moment in een hinderlaag kon lopen.

Nadat hij haar was gepasseerd, richtte Sue haar aandacht weer op de regionale krant. Er werd geen verandering in Keiths toestand gemeld en kennelijk was de politie geen steek opgeschoten met de zoektocht naar Jack Grimleys moordenaar. Tot zover ging alles goed. Binnenkort was alles voorbij.

Op de tweede dag zag Sue hem vanaf dezelfde zitplaats rond lunchtijd de tabakszaak binnenglippen. Ze liet haar thee staan en stak snel de straat over om hem te volgen. Hij kon haar onmogelijk herkennen. Ze had zich deze keer anders gekleed; bovendien had ze nu haar bril op en was haar haar naar achteren gebonden in een paardenstaart. Toen ze met gebogen hoofd binnenkwam, keek hij even verschrikt op bij het geluid van het belletje, maar hij richtte meteen weer het woord tot de verkoopster.

‘Hoe gaat het vandaag?’ vroeg de vrouw. ‘Je ziet een beetje pips.’
‘Ik heb niet zo best geslapen,’ mompelde hij.
‘Nou, pas maar goed op jezelf, je weet maar nooit wat voor bacteriën er tegenwoordig allemaal rondzwerven.’
‘Ik ben niet ziek,’ zei hij, een beetje geërgerd. ‘Alleen maar moe.’ Hij rekende zijn tabak af en vertrok zonder zelfs maar naar Sue te kijken, die net als de vorige keer over het rek met kranten en tijdschriften gebogen stond. Ze pakte de regionale krant en de *Independent*. Toen ze ermee naar de toonbank liep, klakte de vrouw met haar tong en ze zei: ‘Ik weet niet wat hem mankeert. Toon je beleefd een beetje belangstelling en dan is een snauw je dank. Sommige mensen vinden het tegenwoordig moeilijk om beschaafd te blijven.’
‘Misschien maakt hij zich ergens zorgen over,’ opperde Sue.
De vrouw zuchtte. ‘Aye,’ zei ze. ‘Iedereen heeft wel iets om zich zorgen over te maken, hè, met de kernoorlog en milieuvervuiling en noem maar op. Maar toch lukt het mij wel mijn klanten met een glimlach en een groet te verwelkomen.’ Terwijl ze Sues wisselgeld uittelde, ging ze bijna in zichzelf verder: ‘Toch is het niets voor Greg Eastcote. Hij is meestal zo’n aardige vent.’ Ze schokschouderde. ‘Nou ja, misschien is ie gewoon moe. Ik zou zelf ook best wel een tukje willen doen.’
‘Dat zal het wel zijn,’ zei Sue. Ze klemde de kranten onder haar arm en liep naar de deur. ‘Hij is gewoon moe.’
‘Aye. “Goddelozen zullen geen vrede kennen.” Zo is het toch? Tot ziens, hoor.’
Toen Sue door de straat liep, reed Eastcotes bestelbusje langs haar; het volgde dezelfde route die het eerder ook had gereden. Zeker weer een bestelling die moest worden afgeleverd. Ze kon niet zeggen of hij die avond nog terugkwam of een nacht wegbleef. Ze kon zich echter wel voorstellen dat hij ertegen opzag om zijn cottage lang leeg te laten staan. Als zij in zijn schoenen had gestaan, zou ze er zeker voor zorgen dat ze voor het donker terug was. Hij wist tenslotte niet dat ze overdag had ingebroken.
Ze vroeg zich af wat hij van de extra haarlok dacht. Wist hij dat die van haar was? Hij zou het toch op z’n minst wel vermoeden? Of zou hij denken dat het bij hem spookte, dat de plotselinge verschijning van een zevende haarlok iets bovennatuurlijks was? Net zoals de zevende dochter van de zevende zoon sterke magische krachten scheen te bezitten. Eén ding wist ze wel: hij had haar gezien, zoals je een vreemdeling op straat zag, maar hij wist niet wie ze was. Misschien zou hij weer helderder nadenken zodra hij eenmaal over de ergste schrik heen was en de keren tellen dat hij haar vanuit een ooghoek had gezien; misschien zag hij dan wel een verband tussen het meisje in de donkerblauwe regenjas en het meisje met de bril en de paardenstaart. Maar dan was het al te laat.

Sue wandelde langs de rivier naar het centrum. Het mooie weer was zo te zien teruggekeerd. Het was een prachtige dag, met zo'n intens blauwe lucht die je alleen aan de kust ziet en net genoeg voorbijdrijvende witte schapenwolken om een idee van diepte en perspectief te krijgen. Achter de groenige ondiepe wateren weerkaatste de zee het felle blauw van de lucht. Sue bleef bij de draaibrug staan om over de haven uit te kijken. Nu ze zo lang in dat andere, groezelige deel van de stad had doorgebracht, leek het net een andere wereld. Het was al geruime tijd eb en een aantal lichte boten lag zo schuin opzijgezakt dat hun mast in een hoek van vijfenveertig graden boven de glibberige modder uitstak. Links van Sue, achter de hoge havenmuur, stonden de gebouwen van St. Ann's Staith, een mengeling van verschillende bouwstijlen en materialen: rode baksteen, gevelspitsen, schoorstenen, zwart-witte voorgevels in tudorstijl en zelfs grove zandsteen. Een stukje verderop, in de buurt van de loodsen waar de vis werd geveild, rees een wirwar van panden op langs de heuvelhelling, helemaal tot aan de rij sierlijke witte hotels die tezamen East Terrace vormden.

Mensen wandelden zorgeloos en lachend voorbij: een verliefd stelletje waarvan de man zijn arm zo laag om het meisje heen had geslagen dat hij bijna in de achterzak van haar strakke spijkerbroek verdween; twee bijzonder keurig geklede bejaarde dames in geruite tweed en veterschoenen, van wie de een een wandelstok bij zich had; een zwangere vrouw die blaakte van gezondheid met haar man die apetrots naast haar liep.

Heel gewone dingen, dacht Sue bij zichzelf. Al die gewone mensen die gewone dingen doen, plezier maken, een ijsje eten en felgekleurde strandballen door de straten laten stuiteren; ze hebben geen flauw idee dat er een monster in hun midden is.

Ze hebben geen flauw idee dat Greg Eastcote zes vrouwen heeft vermoord en een vrouw heeft verminkt, dat hij met een scherp mes met een benen handvat op hun geslachtsorganen heeft ingehakt en hen voor alle zekerheid heeft gewurgd. Dat hij, toen hij daarmee klaar was en zijn wrede toetakeling had afgerond, zorgvuldig een lok haar van elk bont en blauw gebeukte, bloedende lichaam had geknipt; dat hij die mee naar huis had genomen, met een roze lint had omwikkeld en netjes in de la van zijn dressoir had gelegd. Zes op een rij. Zeven inmiddels.

Volgens de krantenartikelen die Sue had bewaard, had hij niet één van zijn slachtoffers verkracht. Kennelijk was hij daar niet toe in staat en de woede die hij voelde tegen vrouwen, die hij verantwoordelijk hield voor zijn gebrek, verklaarde zijn daden gedeeltelijk. Maar niet helemaal. Tussen zijn motief en zijn daden gaapte een enorme kloof waarvan niemand weet had. In een visioen was de schim in een walgelijk verwrongen versie van het verhaal van

Caedmon aan hem verschenen om hem te zeggen dat hij zijn eigen lied moest zingen. Dat had hij gedaan. Alleen was het instrument waarmee hij zichzelf begeleidde geen luit, maar een mes, en was de melodie die het speelde altijd de dood.
Sue wilde wel op de leuning van de brug springen om het de zelfvoldane vakantiegangers die op weg waren naar het strand of de speelhallen toe te schreeuwen. Ze zouden straks hun munten in een gleuf werpen, naar de man luisteren die de bingogetallen omriep of met een krant over hun gezicht op een gestreepte strandstoel in de zon op het zand zitten en telkens een stukje verder achteruitschuiven wanneer het vloed werd. En aan het eind van de middag aten ze wat in een van de vele fish-and-chips-tentjes.
Niemand van hen was op de hoogte van het bestaan van de man met de vettige geur van vis aan zijn vingers – waarschijnlijk het allerlaatste wat zijn slachtoffers roken –, met de ogen van de Oude Zeeman en zijn schorre stem. Ze wilde hun alles vertellen over Greg Eastcote en de gruwelijkheden die hij tegen vrouwen had begaan, over het bloed, de pijn, de diepe minachting en vernedering, en de onvolmaakte manier waarop ze weer aan elkaar was genaaid. Net een lappenpop. Die man daar met dat kalende hoofd en die brullende peuter op de arm... Ze zou hem wel willen geruststellen dat zij er was om het evenwicht te herstellen. Ze was echter niet gek; ze wist best dat ze niets kon zeggen. In plaats daarvan keek ze een tijdje naar de mensen die over de brug slenterden, terwijl ze zich afvroeg hoeveel van hen nu echt onschuldig of onverschillig waren, maar uiteindelijk ging ze op zoek naar een pub.
Ze vond er al snel een in Baxtergate. In het bargedeelte zaten drie verveeld kijkende punkers met groen en geel haar bij de jukebox, maar achter een gangetje aan de zijkant van de bar en van het bargedeelte afgescheiden door klapdeuren was een veel rustiger ruimte met donker gebeitste panelen, harde stoelen en banken. Sue besefte opeens dat ze de kranten die dag nog niet had ingekeken en sinds het schamele, vette ontbijt bij mevrouw Cummings ook niets meer had gegeten. De thee bij Rose's was zo smerig dat ze zich niet geroepen had gevoeld het eten daar uit te proberen. De pub had alleen koude snacks op het menu staan, dus bestelde ze een sandwich met krab en een biertje met limoensap.
Toen ze was uitgegeten, leunde ze achterover met haar drankje en stak ze een sigaret op; daarna sloeg ze de regionale krant open om te zien of er nieuws was over Keith. Een kort berichtje vertelde haar dat het politieonderzoek naar de dood onder verdachte omstandigheden van Jack Grimley en de 'brute aanval' op de jonge Australische toerist die nog altijd in kritieke toestand in het St. Mary's ziekenhuis in Scarborough lag nog altijd werd voortgezet. Kennelijk was Keith nog steeds niet bij bewustzijn gekomen.

Opeens viel haar blik op de kop HEBT U DIT MEISJE GEZIEN?, met daaronder een politieschets van haarzelf. Ze had er eerst overheen gekeken omdat de tekening totaal niet op haar leek. Er was een vage gelijkenis met Martha Browne, maar zelfs dat was een beetje vergezocht. De vorm van het hoofd was helemaal verkeerd: veel te rond, de ogen stonden te dicht bij elkaar en de lippen waren te vol. Toch sloeg haar hart op hol. Het betekende dat ze op het goede spoor zaten en dichterbij kwamen. De tekst meldde alleen dat de politie graag met het meisje zou spreken dat in Hinderwell samen met de Australiër was gezien, omdat zij 'mogelijk de laatste is die hem voor de aanval heeft gezien'.
Sue vouwde de krant om en begon aan de kruiswoordpuzzel, maar merkte al snel dat ze zo afgeleid was dat ze zich niet op de omschrijvingen kon concentreren. Ze wist dat de politie over het algemeen lang niet alles wat ze wist aan de media vertelde. Als ze tussen de regels door las, was het heel goed mogelijk dat ze ook de buschauffeur had gesproken die haar vlak bij Staithes had opgepikt. Het enige wat hij de politie echter kon vertellen was dat ze bij het busstation in Whitby was uitgestapt. Daarna was Martha Browne voorgoed van de aardbodem verdwenen.
Zouden ze het spoor helemaal tot aan het pension in Abbey Terrace weten te traceren? Als ze Keiths gangen natrokken – en dat was zeker het geval – was de kans groot dat ze het gastenboek zouden controleren, van de eigenaar of zijn vrouw een betere beschrijving van haar zouden krijgen en een grootschalige speurtocht naar 'Martha Browne' op touw zouden zetten. Waarom duurde het eigenlijk zo lang, vroeg ze zich af. Ze hadden vrij snel ontdekt dat Keith in Staithes had gelogeerd. Er kon nooit veel tijd voor nodig zijn geweest om het spoor daarvandaan naar Whitby te herleiden, tenzij er tussen zijn spullen niets zat wat hun vertelde waar hij allemaal was geweest – geen agenda, geen foldertjes, geen nog niet geposte ansichtkaarten. Stel dat ze het wel wisten en iedere politieman in Whitby al naar haar uitkeek? Ze gluurde nerveus naar het jonge stel aan de bar, maar die hadden alleen oog voor elkaar.
Vooruit, sprak ze zichzelf moed in, ze had geen enkele reden om ongerust te worden. Martha Browne bestond niet meer. Vanaf het busstation in Whitby kon ze werkelijk overal naartoe zijn gegaan: Scarborough, York, Leeds – en zelfs nog verder, naar Londen, Parijs of Rome. Het lag toch ook helemaal niet voor de hand dat ze na de mishandeling van Keith McLaren in de regio bleef? En als ze al wisten wie ze moesten hebben, zouden ze haar nooit in Whitby zoeken. Ze had Keith wijsgemaakt dat ze uit Exeter kwam, maar ze kon zich niet herinneren of ze ook iets in het gastenboek van het pension had geschreven, en zo ja wat. Ze vroeg zich af hoe lang het zou duren voordat de politie erachter kwam dat Martha Browne nooit had bestaan. Wat zouden ze dan doen?

Ze wist natuurlijk best dat het allemaal puur hypothetisch was. Als ze via Abbey Terrace, The Lucky Fisherman en Hinderwell al een verband konden aantonen tussen Keith en haar, vormde dat nog steeds geen bewijs dat ze iets verkeerds had gedaan. Ze kon zeggen dat Keith haar mee het bos in had willen nemen, maar dat ze dat had geweigerd, was weggelopen en de bus naar Whitby had genomen. Zover zou het waarschijnlijk nooit komen, maar in het ergste geval konden ze toch niets bewijzen. Ze kon bovendien altijd nog zeggen dat hij had geprobeerd haar te verkrachten, dat ze zichzelf had verdedigd, bang was geworden en daarom was gevlucht.
Het enige echte probleem was dat het erg raar zou overkomen als ze haar opspoorden en erachter kwamen dat Martha Browne en Sue Bridehead een en dezelfde persoon waren en, erger nog, dat ze eigenlijk Kirsten was, het enige overlevende slachtoffer van de studentenslachter. Dat zou beslist heel verdacht overkomen, zeker wanneer ze zijn lichaam hadden gevonden. Zou het ook voldoende zijn om haar te kunnen veroordelen? Misschien wel. Ach, ze had vanaf het begin geweten dat er risico's aan de hele onderneming verbonden waren, hoewel ze niet had verwacht dat het op zo'n puinhoop zou uitdraaien. Daarnaast was het ook mogelijk dat de politie werd ingelicht over de pruik en de kleding die ze in Scarborough had gekocht, hoewel dat erg onwaarschijnlijk was. Ze had expres grote, drukke warenhuizen uitgekozen en niet een van de verkoopsters had veel interesse in haar getoond. Na haar hadden ze alweer honderden andere klanten voorbij zien komen. Opeens dacht ze aan de graatmagere vrouw met het grote hoofd, de rookster die ze op het damestoilet had laten schrikken. Misschien herinnerde zij zich haar nog wel. Maar wat dan nog? Het enige wat zij wist, was dat Sue in een warenhuis in Scarborough naar de wc was gegaan. Daar was niets vreemds aan. Verder was er nog de vrouw die haar die dag had aangesproken. Ze herinnerde zich dat ze, toen ze make-up stond aan te brengen, naast een vrouw had gestaan die had gegrapt dat haar man vond dat ze altijd zo lang nodig had op het toilet. Dat was allemaal niet belangrijk. Ze had tijdens haar verblijf in Whitby met heel veel mensen gesproken en dat was volkomen normaal.
Nee, ze hoefde zich nergens zorgen over te maken. Bovendien werd ze vanboven af beschermd, in elk geval tot ze haar lotsbestemming had vervuld. Haar gidsen uit de geestenwereld konden moeilijk toestaan dat ze faalde, niet nu ze al zo ver was gekomen. Toch was het verstandig om voorzichtig te zijn, haar plan snel uit te voeren en dan de stad te verlaten. Het zou dom zijn om de belangrijkste reden van haar bezoek in gevaar te brengen omdat ze haar prooi zo nodig nog even in spanning wilde laten en Greg Eastcotes paranoia met de dag wilde zien toenemen. Ze deed dit niet uit wreedheid of voor haar eigen plezier. Bovendien werd hij natuurlijk steeds voorzichtiger.

Als het kon, was het maar beter om het die avond al te doen.
De studentenslachter was alweer helemaal uit de *Independent* verdwenen, precies zoals Sue al had verwacht. Hij zou daar ook niet meer levend in terugkeren. Met een beetje geluk zou de politie na zijn dood zijn huis uitkammen en daar de zeven haarlokken aantreffen. Als ze vervolgens de data natrokken en de plaatsen waar hij de nacht had doorgebracht nadat hij ergens een bestelling had afgeleverd, kwamen ze er wel achter wie hij was en wat hij had gedaan. En met nog wat meer geluk gingen ze er dan van uit dat een van zijn slachtoffers hem deze keer zeker te slim af was geweest en zouden ze niet alles op alles zetten om erachter te komen wie zij was.
Na de lunch keerde Sue terug naar het gebied rond de fabriek. Misschien had Eastcote wel een levering ergens in de buurt en kon hij elk moment terugkomen. Ze hield de omgeving liggend op haar buik vanuit het bos in de gaten. Zodra The Merry Monk aan het begin van de avond zijn deuren weer opende, ging ze daarnaartoe en nam ze plaats aan haar vaste tafeltje bij het raam. Toen niemand op haar lette, schoof ze het gordijn een klein stukje open, zodat ze zicht had op het braakliggende terrein op de steile, glooiende heuvel met daarachter Eastcotes cottage. Ze zou wachten tot hij thuiskwam en hem dan op een of andere manier meelokken. Hij had nog niet eerder in zijn eigen woonplaats toegeslagen, wellicht omdat hij daar extra voorzichtig moest zijn, maar deze keer zou hij de verleiding niet kunnen weerstaan.
Even na zevenen kwam hij thuis. De lampen achter de lichtblauwe gordijnen in de cottage gingen aan. Hoewel ze nog steeds niet wist hoe ze hem naar buiten moest krijgen, dronk ze haar glas leeg en verliet ze de pub. Ze keerde niet terug naar het pad om via de helling omlaag te lopen naar de straat waar Eastcote woonde, maar wandelde in plaats daarvan over het braakliggende terrein, waar iedereen haar kon zien. De zon was inmiddels bijna onder en in het westen glansden gelijkmatig gevormde roze, rode en paarse strepen in de lucht. Rechts van haar kroop het spoor van een vliegtuig langs de westelijke horizon, maar de streep vervaagde snel en een of twee wolken kleurden lichtroze in het laatste licht. Sue moest zich een weg door het onkruid banen, en netels en distels prikten in haar benen, maar de pijn voelde ze niet; die was onwerkelijk. Ze kon op de deur kloppen of hem eventueel opbellen. Alleen had ze, toen ze in zijn huis was, nergens een telefoon gezien. Op de deur kloppen was te riskant. Straks reageerde hij pijlsnel en sleurde hij haar naar binnen. Daarom liep ze langzaam door de straat en bleef ze bij het eind van de lage tuinmuur staan. De gordijnen waren nog steeds dicht. Ze meende daarachter een schaduw te zien bewegen. Ze bleef nog even staan, ervan overtuigd dat ze met alleen de dunne blauwe gordijnen tussen hen in naar elkaar stonden te kijken, en vervolgde toen haar weg over het zandpad dat over het braakliggende ter-

rein naar de doorgaande weg voerde. Al lopend had ze een vreemd, zwevend gevoel, alsof ze een paar centimeter boven het gras hing.
Op een meter of honderd van het huis hield Sue haar pas in en bleef ze staan. Ze wist heel zeker dat hij had geweten dat ze buiten voor zijn cottage stond en dat hij de deur zou opendoen om te kijken; het was gewoon griezelig. En ze had gelijk. Ze bleef midden op het braakliggende terrein wachten, omringd door netels, onkruid en distels, een donker silhouet tegen de zonsondergang op de achtergrond. Hij liep naar het eind van het tuinpad, draaide zijn hoofd in haar richting en maakte langzaam het tuinhekje open.

46
Kirsten

Kirsten tuurde door het raam naar het landschap achter haar eigen weerspiegeling. De ronde, groene heuvels van de Cotswolds maakten al snel plaats voor de vruchtbare Vale of Evesham, waar de gerst en tarwe rijp leken voor de oogst, en appels, peren en pruimen zwaar aan de bomen in de boom-gaarden op de heuvels hingen.
Daarna volgde het volgebouwde landschap van de Midlands: koeltorens, saaie, uitgestrekte goedkope woonwijken, volkstuinen, een school van rode baksteen, een voetbalveld met witte doelpalen. Toen de trein Birmingham binnenkroop en ze de enorme stad van alle kanten op zich af voelde komen, werd ze langzaam maar zeker zenuwachtig. Dit was de langste reis die ze in tijden had gemaakt, en ze was alleen. Ruim een jaar lang had ze in een veilige, aangename, vertrouwde wereld geleefd, heen en weer pendelend tussen de achttiende-eeuwse elegantie van Bath en de pastorale onverschilligheid van Brierley Coombe.
Nu was alles grauw en regenachtig, en bevond ze zich in Birmingham, een grote, ruwe stad met sloppenwijken, skinheads, rassenrellen en noem maar op. Gelukkig hoefde ze hier de trein niet uit. Ze hoopte dat Sarah op het station op haar stond te wachten wanneer ze haar bestemming bereikte.
Na een pauze van twintig minuten reed de trein verder en zwoegde hij over slingerende betonnen viaducten naar een ander volgebouwd gebied: vervallen pakhuizen met roestige, zigzaggende brandtrappen en rommelige fabrieksterreinen vol hoge stapels kratten en pallets, zoals je die overal langs het spoor in steden ziet. De trein snelde verder langs een drukke forenzenweg, een smerig bruin kanaal en een donkere bakstenen muur die volgespoten was met graffiti. Daarna volgden groene velden met grazende koeien, en de trein denderde nu in een regelmatig, slaapverwekkend tempo via Derbyshire naar Zuid-Yorkshire met zijn sintelhopen en raderen van in onbruik geraakte watermolens van mijnen, een landschap waarin al het groen was uitgewist door een smoezelige vinger die nu uitliep in de regen.

Kirsten deed haar ogen dicht en liet zich voortslepen op het regelmatige ritme. Ze zou een dag of twee bij Sarah logeren tot ze het gevoel had dat het tijd was om te gaan. In tegenstelling tot wat ze haar ouders had verteld, had ze helemaal niet voorgesteld dat Sarah vrij zou nemen. Kirsten zou tegen haar zeggen dat ze een paar dagen in haar eentje door de Dales wilde wandelen. Als dat vreemd overkwam – ze had tenslotte het afgelopen jaar al in de natuur doorgebracht, meestal in haar eentje –, dan was dat jammer. Sarah zou geloof hechten aan haar woorden. Het was verbazingwekkend hoe snel mensen geneigd waren haar na wat haar was overkomen op haar woord te geloven. Toen Sarah haar later die avond kwam ophalen van het station, was het opgehouden met regenen. Ze stonden zichzelf de luxe van een taxi toe, die hen naar de eenkamerflat terugbracht. Onderweg kletste Sarah aan één stuk door over hoe fijn ze het vond dat Kirsten had besloten om terug te komen en dat ze samen naar een flat zouden gaan zoeken zodra Kirsten weer een beetje was gewend. Kirsten luisterde en gaf de juiste antwoorden, maar keek intussen als een zenuwachtig vogeltje links en rechts uit de raampjes naar de bekende taferelen die zich om haar heen ontvouwden: de hoge witte universiteitstoren, de rijen studentenwoningen van beroete rode baksteen, het park. De aanblik van de stad, schoongespoeld en glinsterend na de regen, vertrouwd en toch onbekend, benam haar de adem. Vijftien maanden lang was het puur en alleen een denkbeeldig landschap geweest, een afgesloten wereld waarin bepaalde dingen waren gebeurd die ze diep had weggeborgen. Nu ze er in een taxi doorheen reed, had ze het gevoel dat ze de omgeving als het ware diep vanuit haar binnenste, uit haar fantasie, had getekend. Ze bevond zich niet langer in de echte wereld, maar in een schilderij, een denkbeeldig landschap.

Toen ze bij de flat aankwamen, werd het buiten al donker. Kirsten liep achter Sarah aan de trap op, en het was niet zozeer haar hoofd als wel haar lichaam dat zich herinnerde hoe vaak ze deze klim al eerder had gemaakt. Haar voeten herkenden het gebarsten linoleum dat ze betraden tot diep in de huidcellen en haar vingertoppen hadden de herinnering aan de lichtknop die ze vroeger had ingedrukt kennelijk ergens opgeslagen.

Toen ze de kamer binnenging, ervoer ze dat onbewust als het eind van een lange reis. Ze had dat gevoel vaak gehad wanneer ze terugkwam na een collegedag of een uitputtend tentamen. Ze dacht terug aan de dagen die ze er met een loopneus of met een pijnlijke keel van verkoudheid in bed had doorgebracht; dan had ze liggen lezen en de schaduwen van de huizen aan de overkant gevolgd die langzaam over de muur en het plafond kropen, tot het zo donker werd in de kamer dat ze een leeslamp aan had moeten doen.

Ze zette de weekendtas in een hoek neer en keek om zich heen. Sommige van haar eigendommen stonden nog steeds op dezelfde plek: in het woongedeelte een paar boeken en cassettes, en in de kleine keukennis mokken en blikken. Het enige wat Sarah had gedaan, was ruimte maken voor haar eigen spullen. Wat kleding betreft was er uiteraard geen enkel probleem, want Kirsten had het grootste deel van haar kleren uit de kast gehaald, maar Sarah had een deel van Kirstens boeken en papieren in een kartonnen doos gestopt om ruimte te scheppen op de planken en het bureau.

'En?' zei Sarah, terwijl ze haar vriendin gadesloeg. 'Er is niet veel veranderd, hè?'

'Nee, niet echt. Het verbaast me een beetje.'

'Vind je het vervelend om hier weer terug te zijn?'

'Nee,' zei Kirsten. 'Niet echt, geloof ik. Ik weet het eigenlijk niet zo goed. Het voelt erg vreemd aan, maar ik kan het niet uitleggen.'

'Ach, trek het je niet aan. Ga lekker zitten. Heb je zin in thee? Er is ook wijn. Ik heb een goedkoop flesje gehaald. Ik dacht dat je dat misschien prettiger vond dan er meteen de eerste avond al op uit te moeten.'

'Ja, dat klinkt goed. Ik voel er niet zoveel voor om uit te gaan. Ik ben een beetje moe en rillerig. Ik lust wel een glas wijn.'

Sarah haalde de fles uit de kleine koelkast en hield hem omhoog. De wijn was lichtgeel van kleur. 'Australisch,' zei ze. 'Chardonnay. Hij schijnt best lekker te zijn.' Ze pakte twee wijnglazen uit het afdruiprekje en zocht in de keukenla naar een kurkentrekker. Toen ze eindelijk alles had, vulde ze de glazen en bracht ze ze naar het zitgedeelte. 'Kaas? Ik heb een stuk brie en wat Wensleydale.'

'Ja, graag.'

Sarah bracht de kaas en een verzameling toastjes binnen op een dienblad van Tetley's dat ze uit The Ring O'Bells had meegenomen. Ze proostten op de toekomst en namen een slok. Kirsten pakte wat te eten en raapte toen het boek op dat ze op de vloer naast de leunstoel zag liggen. Het was een dikke biografie van Thomas Hardy. 'Ben je dit aan het lezen?' vroeg ze.

Sarah knikte. 'Ik overweeg te promoveren op victoriaanse literatuur, en zoals je weet ben ik helemaal gek op biografieën. Het leek me een leuke manier om mijn hersens weer aan het werk te zetten.'

'En is dat ook zo? Hardy is nu niet bepaald vrolijke lectuur, of wel?'

Sarah lachte. 'Of hij een pessimist was, durf ik niet te zeggen, maar dat hij een akelig pervers mannetje was staat wel vast.'

'Hoezo?' vroeg Kirsten. 'Ik heb alleen *Far from the Madding Crowd* maar gelezen voor het vak Engelse romans in het eerste jaar. Ik kan me er niet echt veel van herinneren, behalve dat een of andere soldaat zich erop liet voorstaan dat hij zo mooi kon zwaardvechten. Ik neem aan dat het een fallussymbool was?'

Sarah lachte. 'Ja, maar dat is niet wat ik bedoelde. Alle schrijvers gebruiken toch tot op zekere hoogte symboliek?'
'Wat bedoelde je dan wel?'
'Nou, wist jij bijvoorbeeld,' vervolgde Sarah, 'dat hij als tiener graag bij openbare executies ging kijken? Vooral als er een vrouw werd opgehangen.' Ze reikte naar het boek en sloeg al pratend de bladzijden om, op zoek naar een bepaalde alinea. 'Zo was er bijvoorbeeld een in Dorchester en jaren later sprak hij daar met iemand over... Ha, hier heb ik het... 1856. De vrouw heette Martha Browne en werd opgehangen omdat ze haar man had vermoord. Ze had hem met een andere vrouw in bed betrapt en ze kregen ruzie. Hij viel haar aan met een zweep en zij stak hem neer. Haar ophangen was een typisch victoriaans voorbeeld van gerechtigheid.' Ze hield Kirsten het boek voor. 'Lees zelf maar.'
Kirsten las: 'In de nevelige regen vormde ze, zachtjes heen en weer wiegend in de strakke, zwarte zijden jurk die haar figuur schitterend deed uitkomen, een prachtig silhouet tegen de lucht.'
'Nou vraag ik je,' ging Sarah verder. 'Dat arme mens hing daar verdorie aan een stuk touw te bungelen, en Hardy doet het voorkomen alsof ze in een nat T-shirt aan een wedstrijd meedeed. Dat is toch niet te geloven?'
Kirsten las de beschrijving nogmaals door; er klonk inderdaad iets erotisch in door.
'Heb ik gelijk of niet?' vroeg Sarah, terwijl ze nog wat wijn inschonk. 'Vind jij ook niet dat het er veel van weg heeft dat Hardy een soort ziekelijk seksueel genot beleefde aan de aanblik van de vrouw die om zeep werd geholpen?' Ze sloeg een hand voor haar mond. 'O. Het spijt me. Ik ook altijd met mijn grote mond. De wijn is me zeker naar het hoofd gestegen. Ik dacht niet na. Ik wilde niet... je weet wel.'
Kirsten wuifde haar woorden weg. 'Het geeft niet, hoor. Ik heb liever dat je zegt wat je denkt dan dat je me steeds probeert te ontzien. Ik kan wel wat hebben. Bovendien heb je helemaal gelijk: het heeft inderdaad iets seksueels.'
'Precies. Is het je trouwens opgevallen dat hij haar in een soort beeldspraak vangt die bijzonder geschikt is voor een gedicht? Alsof haar leven er alleen maar toe diende om hem een kick te geven op het moment dat ze werd opgehangen. Hij zag haar niet als mens, als iemand met een eigen persoonlijkheid.'
'Ik vraag me af wat ze voor iemand was,' zei Kirsten peinzend.
'Tja, dat zullen we nooit weten.'
'Nee, dat zal wel niet. Toch is het niet eens zo heel gek. Dat Hardy haar zo gebruikt, bedoel ik. Iedereen beschouwt anderen toch alleen maar als bijrolspelers in zijn eigen leven? Ik bedoel, iedereen is voornamelijk op zichzelf gericht.'

'Dat geloof ik niet. Niet in die mate.'
'Misschien niet. Toch zou je er nog van opkijken.' Ze hield haar glas op en Sarah schonk de fles leeg. Kirsten merkte dat ze een beetje aangeschoten was. Na de reis en de verwarrende invloed die haar terugkeer naar haar oude kamer op haar had, was ze gevoeliger voor wijn dan anders. Toch was het geen onaangenaam gevoel. Ze pakte nog een stukje Wensleydale.
Sarah schudde de wijnfles heen en weer, grijnsde en sprong op. Toen ze langs Kirsten kwam, woelde ze even door haar korte haar. 'Wees maar niet bang,' zei ze. 'Ik had al zo'n vermoeden dat we meer dan de gebruikelijke hoeveelheid alcohol nodig zouden hebben. Zal ik een muziekje opzetten? Wat vind jij?'
Kirsten haalde haar schouders op. 'Mij best.'
Sarah zette de cassetterecorder aan en verdween achter het gordijn de keuken in. Waarschijnlijk had ze eerder al naar het bandje geluisterd, want het ene nummer was net afgelopen en nu klonk *Simple Twist of Fate*. Het was het tweede nummer op Bob Dylans *Blood on the Tracks*, wist Kirsten, en was vroeger een van haar favorieten; terwijl Sarah druk bezig was de tweede fles open te trekken luisterde ze naar Dylans hese, klaaglijke stem, en het drong tot haar door dat de vreemde songtekst niet betekende wat ze vroeger had gedacht dat hij betekende. Dat gold eigenlijk voor alles.
Sarah kwam terug met een grote fles en hield hem met een zwierig gebaar in de lucht. 'Kijk eens! Nog goedkoper bocht, als ik eerlijk ben, maar ik weet zeker dat het in dit stadium niet uitmaakt.'
Kirsten glimlachte. 'Vast niet.'
'Wat bedoelde je eigenlijk,' vroeg Sarah nadat ze de glazen had volgeschonken en weer was gaan zitten, 'toen je zei dat ik er nog van zou opkijken? Waarvan?'
Kirsten fronste haar wenkbrauwen. 'Ik moest denken aan de man die mij heeft aangevallen,' zei ze. 'Ik was voor hem ook geen mens of iemand met een eigen persoonlijkheid. Ik was gewoon een geschikt symbool van wat hij echt haatte of vreesde.'
'Zou het enig verschil hebben gemaakt?'
'Dat weet ik niet. Zou het verschil hebben gemaakt als het iemand was die ik kende? Ik kan in elk geval één opzicht bedenken waarin dat het geval zou zijn: dan wist ik namelijk wie het was.'
'En dan?'
'Dan kon ik hem verdomme vermoorden.' Kirsten tilde haar glas wijn te snel op en morste wat op haar shirt. Ze wreef over haar borst. 'Geeft niet,' zei ze. 'Het droogt wel weer.'
'Oog om oog?'
'Iets in die geest.'
Sarah schudde langzaam haar hoofd.

'Ik ben heus niet gek, hoor,' ging Kirsten verder. 'Ik meen het echt. Er zijn best momenten geweest... Soms denk ik weleens dat het net is alsof hij me een besmettelijke ziekte heeft gegeven, aids bijvoorbeeld, maar dan in mijn hoofd. Of vampirisme. Stel je eens voor dat al die aan flarden gereten vrouwen uit hun graf opstaan om op mannen te jagen? Oké, ik ben dan wel niet dood, maar een deel van me misschien wel. Misschien heb ik wel iets van een ondode in me.'

'Je bent niet goed snik, Kirsten. Of je bent dronken. Je kunt mij niet wijsmaken dat je in een vampierversie van Jeanne d'Arc aan het veranderen bent.'

Kirsten staarde haar aan zonder haar echt te zien. Grote god, dacht ze bij zichzelf, ik heb mezelf niet in de hand. Ik had het haar bijna verteld. Ze lachte en pakte een sigaret. 'Je hebt gelijk,' zei ze. 'Dat is ook niet zo. Het is trouwens toch allemaal alleen maar hypothetisch.'

'Godzijdank wel,' zei Sarah. De muziek was afgelopen en ze stond op om het bandje om te draaien.

Tijdens het kletsen wierp Kirsten zo nu en dan een blik op de ramen van de eenkamerflatjes en appartementen aan de overkant van de straat, zoals ze in de afgelopen jaren wel vaker had gedaan. Op een bepaald moment hoorde ze dat *Shelter From the Storm* op stond, ook een van haar favorieten, en welden er tranen op in haar ogen. Ze drong ze vlug terug.

Rond middernacht begon Kirsten midden in een van Sarahs anekdotes over een gepensioneerde brigadegeneraal die per ongeluk in Harridan verzeild was geraakt, te gapen.

'Verveel ik je?' vroeg Sarah.

'Nee. Ik ben gewoon moe. Dat komt vast door de wijn en de lange reis. Wat doen we met slapen?'

Sarah geeuwde eveneens. 'Kijk, nou heb je mij ook aangestoken. Ik neem de stoel wel, dan mag jij het bed.'

'O nee, dat wil ik niet.'

'Tja, het is tenslotte wel jouw kamer. Ik pas er alleen maar op.'

'Het wás mijn kamer. Nee, ik leg wel een paar kussens op de grond om op te slapen.'

'Onzin. Dat ligt helemaal niet lekker. Ach wat, het is een twijfelaar, daar passen we best samen in.'

Kirsten zweeg. Het voorstel maakte haar nerveus en verlegen. Ze wist heus wel dat Sarahs uitnodiging geen seksuele bijbedoeling had, maar het idee dat haar opgelapte lijf naast Sarahs gladde, ongeschonden huid zou liggen deed haar kleuren.

'Ik heb geen nachthemd bij me,' zei ze.

'Maakt niet uit. Ik heb nog wel een pyjama over. Wat zeg je ervan?'
'Oké.' Kirsten was te moe om nog langer tegen te sputteren en het vooruitzicht om weer in haar oude bed te slapen was erg aanlokkelijk. Toen ze opstond, merkte ze dat ze een beetje wankelde. Ze had echt veel te veel gedronken.
Ze maakten zich op om naar bed te gaan en trokken de gordijnen dicht. Kirsten zag dat Sarah haar T-shirt over haar hoofd uittrok en worstelde met haar strakke spijkerbroek; daarna borstelde ze naakt en zonder gêne voor de spiegel haar blonde haar. Haar borsten deinden zacht mee met de beweging van haar arm en het licht viel op het haar onder haar platte buik tussen haar benen, dat glansde als gesponnen goud.
Kirsten kleedde zich in het donker uit, zodat Sarah haar littekens niet zou zien, en toen ze tussen de frisse lakens kroop, bleef ze bewust zo dicht mogelijk bij de rand van het bed liggen om onbedoeld lichamelijk contact te vermijden.
Ze had zich voor niets zo druk gemaakt. Sarah lag met haar gezicht naar de muur onder het raam gekeerd en ademde al snel heel langzaam en regelmatig in en uit. Kirsten bleef een tijdje liggen luisteren; ze was een beetje licht in haar hoofd en misselijk, en vervloekte zichzelf omdat ze Sarah bijna alles had verteld wat ze wist, om nog maar te zwijgen over wat ze van plan was eraan te doen. Uiteindelijk viel ze in een diepe slaap en droomde ze over Martha Browne, de onbekende vrouw in het zwart die meer dan honderd jaar geleden in de nevelige regen in Dorchester aan het uiteinde van een touw heen en weer had gewiegd.
De volgende dag moest Sarah naar de boekwinkel, en Kirsten bracht de ochtend door met een bezoekje aan de plekken die ze tijdens haar studie vaak had bezocht: de koffiehoek waar ze tussen colleges door met vrienden afsprak, de bibliotheek waar ze keihard had gewerkt voor de laatste tentamens. Ze liep zelfs even een lege collegezaal in en zag weer voor zich hoe professor Simpkins eindeloos doorzaagde over Miltons *Areopagitica*.
Hoewel ze er op de heenweg met een grote boog omheen was gelopen en op de verharde weg was gebleven, liep Kirsten op de terugweg door het park. Haar voeten volgden het bekende geasfalteerde pad tussen de bomen, maar ze voelde helemaal niets. Pas toen ze bij de leeuw kwam, die nog steeds een blauw gespoten kop had en een lijf vol rode graffiti, begonnen haar handen te beven. Ze liep onwillekeurig naar het standbeeld toe.
Het was net twaalf uur geweest. Op de schommels en de wip vlak bij het beeld speelden kinderen. Vanaf het sportveld achter de lage heg klonk het getik van ballen en op het gras lagen een paar mensen naar een draagbare cassettespeler te luisteren of te lezen. Toch voelde Kirsten zich helemaal niet

op haar gemak, alsof ze op een verboden plek was gestuit, een slechte plek die door de bewoners zelf werd vermeden. Ondanks zichzelf klom ze op de leeuw, wat haar een geamuseerde blik opleverde van twee studenten die op het gras in de buurt zaten te kaarten. Het gebeurde allemaal razendsnel. De visachtige geur verstikte haar en in haar ooghoeken werd de wereld donker. Toen zag ze hem, hoorde ze zijn schorre stem en zag ze het lemmet in het maanlicht glinsteren. Ze sprong naar beneden en liep trillend haastig verder. In de laan onder de bomen vervloekte ze zichzelf omdat ze aan haar angst had toegegeven. Ze had al haar moed en kracht nodig om haar voornemen uit te voeren en schrikken van elke schaduw was een slecht begin. Nou ja, hield ze zichzelf voor, sommige schaduwen waren tegenwoordig in haar optiek angstaanjagender dan tastbare zaken. Dat was beslist een goed teken. Het was tijd om te gaan.

Ze keerde terug naar de flat, legde daar een briefje neer voor Sarah en ging de stad in. Nadat ze wat onmisbare spulletjes had aangeschaft voor de reis liep ze naar het busstation. Ongeveer drie uur later arriveerde Martha Browne op een frisse middag aan het begin van september in Whitby, overtuigd van haar lotsbestemming.

47
Susan

Als een schimmige vrouwenfiguur uit een boek van Hardy die op een heideveld op haar geliefde staat te wachten stond Sue in de dikker wordende duisternis op het braakliggende terrein naar Greg Eastcote te staren die zijn tuinhekje dichtdeed en over het pad naar haar toe kwam.

Toen hij nog een meter of zestig te gaan had, keerde Sue hem de rug toe en liep ze weg over het oneffen pad. Op de doorgaande weg zag ze bijna geen mensen meer, maar daar was het goed verlicht. Sue, die eerder voelde dan zag dat hij achter haar liep, liep verder tot ze het kruispunt met Bridge Street was gepasseerd en de weg smaller werd. Ze was terug in het toeristische gedeelte, de met keien geplaveide straat vol cadeauwinkeltjes, Monk's Haven, The Black Horse. Op dat uur waren de winkels allemaal al dicht. In de etalages glom de in goud en zilver gezette gepolijste git, en de gelakte bladen die de hele dag vol toffee met koffie- en muntsmaak hadden gelegen waren nu leeg. Alle vrolijke, vakantie vierende gezinnen zaten in hun pension televisie te kijken of hadden de kinderen in bed gestopt en waren naar de pub getrokken om rustig samen een biertje te drinken. Alleen verliefde mensen en vampiers liepen nu nog buiten op straat rond.

Sue wandelde met haar handen in de zakken van haar windjack doelbewust verder. Ze had al die tijd al geweten waar ze naartoe ging, besefte ze nu, alleen had ze het in haar intuïtie en spieren geweten, niet in haar bewustzijn. Hij volgde haar nog steeds, iets voorzichtiger nu; hij had geen haast om haar in te halen. Misschien begon hij zich toch zorgen te maken. Toen ze bij de trap aankwam, draaide ze zich om en begon ze aan de klim naar boven, en al lopend telde ze gewoontegetrouw de treden. De heuvel was donker en verlaten, en er stonden geen straatlantaarns achter haar om haar bij te lichten. St. Mary's was als altijd stralend verlicht, net een baken, en hoog boven de kerk scheen aan de heldere hemel een afnemende driekwart maan omgeven door sterren. Boven aan de honderdnegenennegentigste trede aangekomen, waar het kruisbeeld van Caedmon scherp stond afgetekend tegen de verlichte, zandkleurige kerk, liep Sue over het kerkhof vol naamloze grafstenen. Ze wist dat hij haar nog steeds volgde, dat hij elk moment boven aan de trap kon opduiken en om zich heen kon kijken om te zien waar ze naartoe was gegaan. Ze vertraagde haar pas. Ze wilde hem niet teleurstellen.

In het schijnsel van St. Mary's volgde ze het pad dat tussen de graven door voerde, aan de zeekant langs de kerk liep en verderging over het verlaten parkeerterrein, waar de wereld weer in duister was gehuld. Ze zocht het kustpad en bleef bij het hek even staan. Ja, daar was hij; hij kwam net van het kerkhof en keek naar haar.

Ze draaide zich weer om naar het pad en liep snel verder. Ze bevond zich nu hoog op de kliffen, het steile deel dat bekendstond als de Scar, en wandelde ruwweg in de richting van Robin Hood's Bay. Het verhoogde vlonderpad kraakte hier en daar, en ze moest iets langzamer gaan lopen vanwege de vele ontbrekende planken. Tussen het pad en de diepte stond een hek van prikkeldraad, maar dat was op sommige plekken waar erosie de rots had weggevreten ingestort.

Nu ze iets verder van de schelle verlichting van de kerk verwijderd was, scheen de maan veel helderder en sprenkelde hij zijn spookachtige zilverkleurige licht over het gras aan de ene kant en de zee aan de andere kant. Sue hoopte hem helemaal mee te kunnen lokken naar Saltwick Nab en daar via de trap naar beneden in de richting van de hoekige rotsen die naar zee wezen. Hij kwam echter steeds dichterbij. Ze hoorde zijn stappen op de houten planken van het pad en toen ze haar hoofd een stukje omdraaide, kon ze zijn vage gedaante in het maanlicht onderscheiden.

Hij was sneller gaan lopen. Het zou niet lang meer duren totdat hij haar had ingehaald en ze was niet van plan hem de gelegenheid te geven haar van achteren te overvallen. Al lopend stak ze haar hand in haar schoudertas en zocht ze de presse-papier. Daar was hij, glad en zwaar in haar zwetende handpalm.

Hij was nu zo dichtbij dat ze zijn zware ademhaling bijna kon horen. De beklimming van de trap had hem kennelijk uitgeput. Toen ze het niet langer kon verdragen, bleef Sue plotseling staan en draaide ze zich om, zodat ze hem kon aankijken. In het schijnsel van de maan kon ze net zijn gelaatstrekken ontwaren: de laaghangende, donkere wenkbrauwen, de brede, grimmige mond en de ogen die glinsterden als de weerkaatsing van de sterren op het wateroppervlak. Hij was eveneens blijven staan. Ze waren hooguit vijf meter van elkaar verwijderd en even zeiden ze geen van tweeën iets; het was zelfs net alsof ze geen van beiden ademhaalden. Sue voelde dat ze beefde. Opeens moest ze denken aan de felle pijn die ze de vorige keer dat ze dit spookachtige gezicht in het maanlicht zag had geleden.

Eindelijk had ze voldoende moed verzameld om iets te zeggen: 'Weet je nog wie ik ben?'
'Jij,' zei hij met de bekende schorre fluisterstem. 'Jij bent bij mij thuis geweest.'
'Ja,' zei ze. Terwijl ze dat zei voelde ze dat ze sterker werd, en ze koesterde de harde aanwezigheid van het massieve glas in haar hand.
'Waarom? Wat wil je van me?'
Sue gaf geen antwoord. Nu ze hem eenmaal had gevonden, had ze alles gezegd wat ze wilde zeggen.
'Waarom?' vroeg hij nogmaals.
Het viel haar op dat hij langzaam dichterbij kwam en al pratend de afstand tussen hen overbrugde.
'Je weet heel goed wat je bent,' zei ze. Ze haalde haar hand uit haar schoudertas. Plotseling deed ze een stap in zijn richting en ze schreeuwde: 'Kom maar op! Hier ben ik. Toe dan, doe het dan. Maak me dan af!'
Ze zag de verwarring en afschuw op zijn gezicht toen ze op hem af liep. 'Kom dan. Wat is er? Doe het dan!'
Hoe dichter Sue hem met de presse-papier in haar hand geklemd naderde, des te verder hij achteruitdeinsde. Hij strekte zijn armen voor zich uit alsof hij haar wilde afweren, en opeens wist ze wat er was. Ze wist dat hij het verrassingseffect nodig had om iets te kunnen uitrichten. Hij was een lafaard. Hoe zou ze eruitzien, vroeg ze zich af, met haar opgeheven vuist vol massief glas en een gezicht en stem die spraken van razende woede over een geruïneerd leven? Ze wilde er liever niet aan denken. Die ellendige schoft was doodsbang en zijn angst bracht haar heel even van haar stuk.
Blijkbaar had hij haar verwarring opgemerkt, zoals een dier zijn prooi ruikt, want hij glimlachte en staakte zijn terugtrekkende beweging. Hij kon elk moment weer naar haar toe komen. Hij was echter te ver doorgelopen. Tijdens de laatste trage achterwaartse stap schoof een van de verrotte planken onder hem weg en hij stond wankelend op de rand. Hij maaide met een angstige uitdrukking op zijn gezicht als een vendelzwaaier met zijn armen en Sue had bijna haar handen naar hem uitgestoken om hem te helpen. Bijna. Hij hervond zijn evenwicht en opnieuw zag ze dat andere gezicht: het gezicht dat amper werd verhuld door zijn menselijke masker. Ze deed een stap naar voren en haalde schoppend keihard naar hem uit. Haar voet raakte zijn kruis en hij strompelde met een luide gil achteruit naar de rand van het klif.
Het hek was daar laag, nog geen halve meter boven de grond, en de paal stond scheef en priemde in een vreemde hoek naar zee. Toen hij achterovertuimelde, bleef hij met zijn kleding hangen aan het roestige prikkeldraad en het lukte hem nog zich om te draaien. Hij bungelde half over de rand en zijn handen grepen zich vast aan dikke plukken gras. Hoe meer hij worstelde, des

te strakker het prikkeldraad zich om hem heen wikkelde. Toen Sue iets dichterbij kwam, zag ze bloed door zijn kleren sijpelen. Hij klauwde kreunend in de plaggen aarde om te voorkomen dat hij langzaam verder over de rand zakte. Sue hurkte naast hem neer en sloeg keihard met de presse-papier op zijn handen. De paal van het hek zwiepte als een wichelroede heen en weer, omdat hij jammerend en wild trappelend naar het prikkeldraad greep, naar alles wat maar houvast bood, totdat zijn verbrijzelde handen bloedend en geschramd moesten loslaten. Alleen zijn hoofd en schouders staken nu nog boven de rand uit. Het prikkeldraad had een van de mouwen van zijn jack afgescheurd en de scherpe punten doorboorden de huid eronder. De paal, die nog steeds naar zee wees, was nu bijna helemaal uit de grond omhooggekomen, en hoe harder hij worstelde, des te dieper hij wegzakte.

Uiteindelijk vonden zijn voeten steun in een holte in de rotswand net onder de rand, maar zijn handen waren zo ernstig verwond dat hij machteloos met zijn armen om zich heen maaide en zich met alleen zijn voeten omhoog moest zien te werken. Het prikkeldraad hield hem op de rand, maar zijn voeten duwden hem telkens weg. Sue stond op, hief de presse-papier op en raakte hem tegen de zijkant van zijn hoofd. De klap trilde in haar hele arm na. Een van zijn ogen stond vol bloed. Ze haalde nog een keer uit en trof hem deze keer op zijn oor. Hij slaakte een kreet en drukte een hand tegen de wond. De paal schoot los uit het ondiepe gat, vloog over de rand en sleurde hem mee. Sue knielde bij de rand neer en zag dat hij even kronkelend in het prikkeldraad als een dier in een valstrik bleef hangen, maar zich toen losrukte en omlaagstortte.

Heel ver onder haar sloeg de zee klotsend en schuimend op de rotsblokken onder aan de kliffen, en het lichaam kwam met malende armen en benen met zo'n harde klap op de rotsen terecht dat het boven het geraas van de brekende golven uit te horen was. Sue zag hem daarbeneden liggen, slap en geknakt op de spitse, donkere rotsen, waar de schuimende golven als de tongen van krankzinnigen aan hem likte. Ze had het gedaan. Sue keek om naar de kerk in de verte en dacht aan de gewone, alledaagse wereld in de stad aan de voet van de heuvel. Wat zou ze doen nu het voorbij was? Moest ze hem achternaspringen? Het zou heel gemakkelijk zijn om zich te ontspannen en over de rand de vergetelheid in te glijden.

Nee. Zelfmoord maakte geen deel uit van haar lotsbestemming. Haar eigen dood was de inzet geweest, wat ze had geriskeerd, maar was geen onderdeel van de afspraak als ze won. Ze moest haar lot aanvaarden, wat dat ook inhield: leven met een schuldgevoel, als ze dat al had, of de prijs betalen voor haar misdaden, als ze werd opgepakt. Toegeven aan het idee van zelfmoord was geen optie. Ze was nu bevrijd van haar last, wat er verder ook gebeurde.

Ze had geen flauw idee of de politie op het punt stond haar identiteit te achterhalen. Misschien zaten ze al bij mevrouw Cummings op haar te wachten om haar te arresteren. Verder was er Keith McLaren, die nog steeds in coma lag. Stel dat hij bijkwam en zich alles herinnerde? Daar stond tegenover dat hij ook best een hersenbeschadiging of geheugenverlies kon hebben. Zou hij in dat geval zijn dagen puzzelend doorbrengen in een poging de fragmenten uit zijn geheugen samen te voegen, en zou hij, als dat was gelukt, op jacht gaan naar de vrouw die plotseling, zonder enige aanleiding, zijn leven had verwoest? Ze wist het niet. Misschien had ze wel iemand naar haar eigen evenbeeld gecreëerd, iemand met iets van een ondode in zich.

Hoe grimmig sommige mogelijke vooruitzichten ook waren, ze voelde zich eindelijk vrij. Beter nog: ze was weer Kirsten. Zelfs een celstraf zou nu een vorm van vrijheid inhouden. Het deed er niet echt toe wat er ging gebeuren, want ze had gedaan wat gedaan moest worden. Nu was ze vrij.

Het beste zou zijn als ze morgenochtend meteen de stad verliet en terugging naar Sarah, en alles wat een verband vormde tussen de stad en haar vernietigde. Dat was wat ze ging doen. Misschien kon ze haar haar wel verven en ervoor zorgen dat ze in niets meer deed denken aan de meisjes die in Whitby waren geweest.

Het enige wat Kirsten op dat moment wilde, besefte ze met een blik op de kerk, was wegkruipen op een van de afgesloten kerkbanken met een bordje ALLEEN VOOR VREEMDELINGEN, daar neerknielen en een soort gebed uitspreken, en zich daarna op de groene bekleding oprollen om te slapen. Ze vermoedde echter dat de kerk 's avonds gesloten was.

Toen ze opstond, gleed de presse-papier uit haar klamme hand; hij stuiterde een paar keer op het verende gras en rolde over de rand van de rotswand. Ze boog zich naar voren om hem na te kijken en zag dat het glas in een regen van wit poeder als een kapotslaande golf op een rots uiteenspatte. Het was net alsof de roos, bevrijd uit zijn kooi, omhoogzweefde op een stroom warme lucht. De donkerrode bloemblaadjes vouwden zich open in het bleke maanlicht, daalden toen langzaam weer en werden door een zich terugtrekkende golf mee naar zee gevoerd.

Nawoord

8 september 1987
Kustweg, Whitby-Staithes. Golvende boerenakkers, een lappendeken van met heggen omzoomde weilanden (grazende koeien), lichtbruin na de oogst & tarwekleurige gerst etc. Eindigt abrupt bij de kliffen, roze strepen, de zee helder en lichtblauw, de zon die zilverkleurig op een schip in de verte schijnt. Een zwerm zeemeeuwen op een roodbruin veld. Kluiten bomen in ondiepe dalen. Een groepje dorpshuizen, lichte steen, rode pannendaken: '... arriveerde aan het begin van september om kwart over elf in de ochtend vastberaden in het kustplaatsje.'

Dit was het bescheiden begin van *Lijdensweg*, zie ik wanneer ik mijn aantekeningen van augustus 1987 tot maart 1988 erop nasla. Ik heb het boek dus aan het eind van de jaren tachtig geschreven, na de eerste vier Inspecteur Banks-boeken. Ik weet nog dat ik behoefte had aan iets anders; een roman waarin de politie slechts een kleine bijrol speelde. Nadat ik over de Yorkshire Ripper had gelezen, liep ik rond met een idee voor een verhaal over iemand die een aanval door een seriemoordenaar had overleefd en uit was op wraak. Het idee was, zoals zo vaak het geval is met dat soort dingen, blijven liggen totdat we op een dag in september 1987 kort voor de hierboven beschreven tocht naar Staithes de heuvel naar Whitby afdaalden en de oorspronkelijke openingszin zich aandiende. Whitby lag uitgestrekt aan onze voeten. Het was alsof de kleuren feller en levendiger waren dan ik me ze herinnerde: het groen en blauw van de Noordzee, de rode pannendaken. Verderop volgde de indrukwekkende aanblik van de haven in de vorm van de schaar van een krab en de twee heuvels die tegenover elkaar stonden, de ene met bovenop de kerk en de ruïne van de abdij, de andere met het standbeeld van kapitein Cook en de reusachtige walviskaak. Ik wist meteen dat het verhaal zich hier moest afspelen en dat het begon met een vrouw die een beetje wagenziek van de reis uit een bus stapte en probeerde in te schatten of het stadje bij haar paste.

Toen ik hoorde dat Macmillan van plan was dit boek in 2003 uit te geven, speelde ik met de gedachte het te herschrijven en te moderniseren. Is het tenslotte niet de droom van iedere schrijver om jaren na dato de kans te krijgen iets te verbeteren wat hij in zijn beginperiode heeft geschreven? Hoe langer ik er echter over nadacht, des te beter ik begon te beseffen dat het gewoon niet zou werken, dat de wereld sinds 1987 te veel was veranderd en dat de gebeurtenissen in *Lijdensweg* nooit zouden kunnen plaatsvinden in een wereld met gsm's, e-mail, een McDonald's of Pizza Hut op elke straathoek en de huidige technieken om DNA te testen. Vingerafdrukken konden toen al wel worden afgenomen en vergeleken, zoals Joseph Wambaughs *Bloedspoor* heel overtuigend aantoont, maar de forensische wetenschap stond nog in de kinderschoenen. Bovendien was het juist de bedoeling dat ik de politie achter me zou laten. Alle ontwikkelingen die sinds 1987 in de forensische wereld hadden plaatsgehad in aanmerking genomen, leek het me een vrijwel onmogelijke opgave die op de achtergrond te houden als ik het boek aanpaste aan 2003. Whitby is eveneens veranderd, met name het wandelpad langs de rand van de kliffen dat zo'n belangrijke rol in het verhaal speelt.
Ten slotte besloot ik slechts een paar kleine puntjes te wijzigen: de naam van een personage die is veranderd, een boude opmerking over Margaret Thatcher die is verwijderd. Dat soort dingen. In alle andere opzichten is het nog steeds het oorspronkelijke boek, min of meer een historisch verhaal, een kleine getuigenis van het eind van de twintigste eeuw, een tijd waarin je nog overal mocht roken, een kamer in een pension kon krijgen voor negenenhalve pond en *Crocodile Dundee* hartstikke hip was.

Annie zag nu zelf ook dat het een man was. Zijn hoofd was vrijwel helemaal kaalgeschoren en het beetje haar dat er nog op zat, was blond geverfd. Hij bungelde niet zacht wiegend aan het uiteinde van het touw, zoals lijken in films vaak doen, maar hing zwaar en zwijgend als een stuk rots aan de strakgespannen gele waslijn, die diep in de asgrauwe huid van de hals sneed.

ISBN 978 90 229 9501 3

Peter Robinson
Overmacht

Inspecteur Alan Banks en zijn collega Annie Cabbot moeten een gerelateerde moord en zelfmoord oplossen in het plaatsje Eastvale: die van de rijke voormalig ambtenaar op leeftijd Laurence Silbert en de jonge, getalenteerde decorontwerper Mark Hardcastle. De twee mannen hadden sinds kort een ogenschijnlijk goede liefdesrelatie. Wat dreef hen de dood in? Wanneer blijkt dat Silbert in dienst was van de Britse geheime dienst MI6 wordt Banks van de zaak gehaald. MI6 is bang dat Banks te veel geheime zaken oprakelt en zet hem onder druk. Zijn nieuwe vriendin Sophia blijkt te worden achtervolgd en er wordt ingebroken in haar huis. Banks komt terecht in een beklemmend machtsspel van wantrouwen, afgunst, intimidatie en spionage.

'Probeer maar eens om dit boek weer weg te leggen na de eerste hoofdstukken. Dat zal je waarschijnlijk niet lukken.'

– THE INDEPENDENT